1 XII 51

Lieber Herr [illegible]

vielen Dank für die Zusammenstellung der Gedichte.

I) Ich bin dafür, aus diesem Teil fortzulassen:
1) [illegible] 2) [illegible] 3) Puff

II) Mir unbekannt sind (Seite 2) 1) Café 2) Notturno I 3) Chansons. Wenn ich um Abschrift davon bitten dürfte.

III) "[illegible]" ist zwar [illegible], aber hat manchen [illegible] damals gefunden. Wo sie [illegible] u. harte Verse stehen, könnte ja auch einmal eine leichte Muse zwitschern. ("Wer vieles bringt, wird manchem etwas bringen", Faust)

IV) Ich fände, man sollte Mutter, Gesänge und der junge Hebbel in "Trunkene Flut" lassen. Also nämlich 3: 1) Ein Land, 2) Auf deine Lider, 3) Wo keine Träne fällt, aufnimmt, [illegible], bitte, entscheiden. Sie passen inhaltlich ja mehr in "Trunkene Flut".

Benn an den Verleger Max Niedermayer Berlin, 1. Dezember 1951
Mit freundlicher Genehmigung des Limes Verlages, Wiesbaden

Für Herrn F. W. Oelze
und Frau Charlotte

Über einzelne Werke

Morgue und andere Gedichte
Entstanden 1912
Erstdruck in Lyrische Flugblätter Berlin 1912

Benn in »Lebensweg eines Intellektualisten« 1934
Als ich die »Morgue« schrieb, mit der ich begann und die später in so viele Sprachen übersetzt wurde, war es abends, ich wohnte im Nordwesten von Berlin und hatte im Moabiter Krankenhaus einen Sektionskurs gehabt. Es war ein Zyklus von sechs Gedichten, die alle in der gleichen Stunde aufstiegen, sich heraufwarfen, dawaren, vorher war nichts von ihnen da; als der Dämmerzustand endete, war ich leer, hungernd, taumelnd und stieg schwierig hervor aus dem großen Verfall. (GW IV, 45)

Benn an Paul Zech [Berlin], 12. April 1913
Ich schicke Ihnen 2 kurze Gedichte[1] älteren Datums, aber für Ihre Zwecke geeigneter erscheinend als manches Neuere. Gefallen Sie Ihnen nicht, sagen Sie es bitte. (BR 10)

Benn an Paul Zech [Berlin], 18. Mai [1913 ?]
Ausschließlich aus persönlicher Verehrung für Sie versuche ich, Ihnen ein anderes Gedicht[2] zur Verfügung zu stellen, ohne große

1 Eins dieser beiden Gedichte war das Gedicht »Madonna« (vgl. GW III, 371), das im 2. Heft der Zeitschrift »Das Neue Pathos« (1913) veröffentlicht wurde.

Hoffnung jedoch, Ihnen damit zu gefallen. Am Gedrucktwerden an sich liegt mir augenblicklich weniger als je und ich verwerfe mich fast vollständig, da ich mich neu sammele. (BR 11)

Benn an Paul Zech — Br[üssel], 25. Februar 1916

[. . .] u. nachdem man in fassungslos unmotivierter Weise kürzlich die gute alte »Morgue« in Berlin konfisziert hat[3] – theoretisch, denn praktisch gab sie es nicht mehr – schwant mir Böses.

(BR 13)

[Berlin-Schöneberg], 25. Februar 1951

Benn an Friedrich Wilhelm Oelze

Was ist man überhaupt – die ersten Gedichte, die der Morgue und der Nachtcafés, die meinen Namen begründeten, will man heute nicht mehr wissen. (UBO)

Kurt Wolff über Benn

Er [Benn] hat gesagt [. . .], er wisse nicht, was Expressionismus ist, und ich finde einen Brief Benns an mich aus dem Jahre 1917, in dem er mir von einem Gedicht [Blinddarm] aus dem frühen Zyklus *Morgue,* nach dem ich ihn gefragt hatte, schreibt: »Es ist ein sehr minderwertiges Gedicht.« (E 293 f)

Benn an Verlag Kurt Wolff — Brüssel, den 6. Januar 1917

Auf die Anfrage betr. Blinddarm erwidre ich ergebenst, daß ich vermute, es handelt sich um folgendes: vor einer Reihe von Jahren ist von mir bei A. R. Meyer-Wilmersdorf ein sog. lyrisches Flugblatt erschienen, betitelt Morgue, das zu vielfachen Beanstandungen Anlaß gab, und das ein Gedicht »Blinddarm« enthielt, das besonders in Kritiken erwähnt wurde. Es war ein sehr minderwertiges Gedicht und ist verschwunden. Darauf dürfte sich die Frage beziehen.

(DT 27)

2 »Drohung« (vgl. GW III, 23), das zusammen mit »Madonna« in »Das Neue Pathos« (1913) erschien.

3 Im »Literarischen Echo« XVIII, H. 13, 1. April 1916 wird ein Verbot der »Morgue« erwähnt. Näheres war über diese Konfiszierung nicht mehr zu erfahren.

Benn an Marguerite Schlüter [Berlin], 27. Januar 1955
3) Bei Nachtcafé[4] schreiben wir wohl am besten: b-moll die 35 Sonate – gemeint, soweit ich mich erinnere, 1912 (!!), Café in Alt-Moabit, war die Trauermarschsonate, also, wie Sie schreiben: opus 35 (Gott, sind Sie gebildet! Sogar Musik!) (DT 232)

Gesänge I–II
Entstanden 1913
Erstdruck in Die Aktion III, 9. Februar 1913

Benn an Friedrich Wilhelm Oelze [Berlin], 28. März 1943
Sie zitieren Verse, ein ganzes Gedicht! Sehr ungewöhnlich bei Ihnen. *Glitte* heißt es in der einen Reihe, statt: dränge, und *schon* statt: selbst bei den Libellenköpfen, sonst ist alles erstaunlich richtig, ich selbst mußte erst nachlesen, ich habe nahezu alles vergessen, was ich schrieb. Th[omas] M[ann] hat recht: »mit Schriftstellern ist es schlimm u. lächerlich; . . . dem literarischen Ausdruck eignet etwas Tötliches; ⟨?⟩ sie entledigen sich seiner . . . und dann verdummen sie wieder«. (UBO)

Söhne. Neue Gedichte
Entstanden 1913
Erstdruck 1913

Benn an Herwarth Walden [Berlin] Westend, 25. April 1913
Ich erlaube mir anzufragen, ob Sie trotz unserer Meinungsverschiedenheit, in Sachen Kandinsky u. trotz meiner *scheinbaren* Affinität

4 Das 1. Gedicht des gleichnamigen Zyklus wurde in den Band »Lyrik des expressionistischen Jahrzehnts« aufgenommen. Hier erstmals die Korrektur von h-moll in b-moll.

zur Aktion die beiden Gedichte [1] im Sturm bringen wollen? Ich habe gern bald Antwort in dieser Hinsicht.
Ich erlaube mir also, eine Postkarte einzulegen, wo alles Nötige schon draufsteht u. die *nur* noch in den Kasten braucht ev. mit einem *nicht*. (DT 13)

Benn an Paul Zech [Berlin], 2. September [1913 ?]
Von mir erscheint ja demnächst bei Meyer ein neues Heft [2]. Gegen den Verlag läßt sich ja nichts sagen. Wo soll man auch hin? Und schließlich: Kunst ist eine Sache von 50 Leuten, davon noch 30 nicht normal sind. (BR 12)

Charlottenburg, den 4. September 1913
Benn an Alfred Richard Meyer
Hier ist der Schund [3]. Taugt nichts. Gibt eine Pleite. Meidners Bild ist mir unklar. Was macht die Hand oben in den Wolken? Ich habe überhaupt kein Interesse mehr an der Sache. Den ganzen Söhne-Zyklus sollte man fortlassen. Viel zu sentimental. Sollte das: *Hier ist kein Trost* zwischen VI u. VII oder VII u. IX Platz haben, könnte es vielleicht durchgehen; sonst bitte ich davon abzusehen. Ich streiche es durch.
Wie kann man überhaupt Gedichte schreiben u. herausgeben. Bis zur Kunst kommt man doch nicht und Ikarus ist heutzutage zwischen all den Rumplertauben eine lächerliche Figur. (DT 18)

Benn an Alfred Richard Meyer Bischofsgrün, 27. Juli 1914
eben kommt Ihre Karte. Mein Gott, ich habe nichts: nichts ist mir gleichgültiger als die Weiber, ich kann sie nicht besingen. Ich empfinde so:

Marie
Du Vollweib!
Deine Maße sind normal,
Jedes Kind kann durch dein Becken.

1 »Kurkonzert« und »Untergrundbahn«, entstanden 1913, Erstdruck 1913 in »Der Sturm« III (1912/13), 160/61.
2 der Gedichtband »Söhne«.
3 Manuskript des Gedichthefts »Söhne«.

Breithingelagert
Empfähest du bis in die Stirn
Und gehst. –

Sie werden zugeben, das sei primitiv. Und im Prinzip bin ich gegen alle Anthologien und Massenaufzüge.
Die Morgue lassen Sie ungeschoren.
Wenn es sein muß, nehmen Sie die *Drohung* aus »Söhne« mit irgendeinem Namen.
Ich bin in Eile. Ich muß in den Krieg u. bin nicht ausgerüstet, [...]
(DT 21 f)

20. Januar 1955

Benn in »Lyrik des expressionistischen Jahrzehnts«
Ich fand, daß eine große Zahl von den ausgesuchten Gedichten mit Expressionismus nichts zu tun hatten, ja ich wußte selbst bei den aus meiner Produktion ausgesuchten Versen nicht, warum sie expressionistisch sein sollten. »Der Arzt«, »Englisches Café«, »Der junge Hebbel« – wieso expressionistisch? (GW IV, 377)

Etappe
Entstanden Februar 1915
Erstdruck 1919

Benn an Friedrich Wilhelm Oelze [Hannover], 2. Januar 1936
Zum Wiegenfeste eine drollige Gabe, ein verschollenes Werk[1]. April 1915[2] in Brüssel; recht direkt und grob. Sandte es damals zusammen mit der Novelle »Die Reise« an Schickele, der in der Schweiz die »Weißen Blätter« herausgab. »Die Reise« kam an, »Die Etappe« nicht. Sicher bei der Grenzbriefkontrolle angehalten. Daß man mich nicht herausgeholt u. erschossen hat, ist mir heute schleierhaft. Wie naiv muß ich gewesen sein! (UBO)

1 Die »Etappe«, Oelze zum Geburtstag 1936 geschickt.
2 Das Manuskript trägt die Notiz Benns »Geschrieben Februar 1915 zu Brüssel«.

Der Vermessungsdirigent
Entstanden März 1916
Erstdruck 1919

Zusammenfassung[1] 1916

In Pameelen wendet sich das Jahrhundert vehementester Logik, das die Weltgeschichte sah, auf sich selbst zurück. Der Trieb nach Definition, in ihm qualvoller als der Hunger und erschütternder als die Liebe, kehrt sich in ihm gegen das sogenannte eigene Ich.
Mit der allgemeinen logischen Funktion des Urteils und Vergleichens, mit der ganzen foudroyanten Methodik naturwissenschaftlicher Betrachtung, mit kausaler Analyse, mit Transplantationen, mit allen Derniers cris aller Psychologien versucht er sich daran, dies Ich experimentell zu revidieren.
Seine Grenzen sucht er abzutasten, seinen Umfang zu bestimmen. Wo ist der große Staatsanwalt, ruft er einmal aus, der ihm die Schranken weise, wo trete der Kreuzzug auf, der ihn erreiche, ein andermal.
Aber das Uferlose ist es, an dem er altert und zugrunde geht. Daß ihn irgend etwas einmal begrenze, ist seine Qual, für die er sich blendet; in einer Hütte lebt er, der Don Juan nach einer Niederlage, doch ewig bleibt er unbefruchtet.
Einstürzt hinter ihm das γνῶθί σαυτόν des alten Weisen, das immer noch als besonders achtbare Forderung gesteigerten Innenlebens gilt. Einstürzt jede Fragestellung, die mit Erkenntnis rechnet, denn schon die Syntax läuft über in das Du, und der Kausalsatz herrscht in der Holunderlaube, in der sich abends was begibt.
Das Ich ist ein Phantom. Kein Wort gibt es, das seine Existenz verbürgte, keine Prüfung und keine Grenze. Keine Erlösung.

(GW II, 322 f)

Benn in »Lebensweg eines Intellektualisten« 1934

Neben Rönne tritt Pameelen, ebenfalls Brüssel 1916, in zwei Stücken. »Der Vermessungsdirigent«, erkenntnistheoretisches

1 Dies ist die »Zusammenfassung«, die Gottfried Benn dem Drama voranstellte.

Drama, und »Karandasch«, ein rapides Drama. In Pameelen tritt die Frage nach der Wirklichkeit noch direkter auf, noch grausamer, noch bodenloser. Hier ist tatsächlich Zersetzung der Epoche. In diesem Hirn zerfällt etwas, was seit vierhundert Jahren als Ich galt und wahrhaft legitim für diesen Zeitraum den menschlichen Kosmos in vererbbaren Formen durch die Geschlechter trug. Nun ist dies Erbe zu Ende. Pameelen hofft anfangs durchaus, sich noch Welt in diese morschen Formen holen, Einzeldinge bis zur Weiterführung und Bearbeitung zu: Erfahrung, innerem Aufbau, gemütvollem Erleben: eben »Persönlichkeit« im alten Sinne, »Innerlichkeit« fassen zu können. Er überprüft dazu das Unwahrscheinlichste, mißt alles ab, daher Vermessungsdirigent, aber es zerrinnt. Er bekämpft den Zerfall, er will Positives, er will »Ansammlung«, aber nur sporadisch und künstlich gerufen tritt sie auf. Die Linie, die so großartig im cogito ergo sum als souveränes Leben, das seiner Existenz nur im Gedanken sicher war, begann, in dieser Figur geht sie schauerlich zu Ende. Erotik, Physiologie, Vater-Sohn-Verhältnis, alles wird nur auf seine logische Unantastbarkeit geprüft, in die zähneknirschende Tollwut des Begrifflichen verwoben und dabei in seiner funktionellen Austauschbarkeit unausdrückbar nihilistisch erlebt. Ja, Tollwut des Begrifflichen: schon der Anblick von Wasser macht bei dieser Art Krankheit Schlundkrämpfe, die jedem Tropfen den Eintritt in die ausgedörrten Zellen verwehren: Sterben, unausweichliches, qualvolles, langdauerndes, bewußtes – alles wird Krampf, Zusammenziehung, Verdichtung, verwehrte Passage, versagter Trank – ja, Tollwut des Begrifflichen! Ungeheurer Verrat der Zeit! Denn das Begriffliche, das Logische, das Homosapienshafte war es ja doch, das durch so viele Jahrhunderte von der Religion, vom philosophischen Idealismus, von der Aufklärung, vom Humanismus als das große Menschliche, Göttliche, Europäische in Tausenden von Dokumenten hochgetrieben und gepriesen war, und nun war also auch das Irrtum, Qual, Krampf, Röcheln, Delirium, wohin nun also der Mann als Träger der objektiven Welten, ausgeschlossen von den Zucht- und Euteraufgaben körperlich andersgebauter Menschheitsschichten (Frauen)? Eine außerordentlich tiefreichende und spezielle Fragestellung! Das Drama beginnt mit einem Auftritt, in dem sofort die ganze überraschende

Lage in Erscheinung tritt, denn während in der übrigen Weltliteratur zwischen körperlichen Elementen überall Szenen stattfinden können, wo der Autor sie installiert, muß hier die Szene selbst, die Aktion, die Figuren, ja sogar der Autor, in fortwährendem Anbau erschaffen, nämlich kausal legitimiert und erkentniskritisch jeden Moment neu begründet werden.

Die Szene ist die Einleitungszene, ein Gespräch zwischen Pameelen und einer imaginären Stimme. [. . .]

[Es folgt Zitat aus »Der Vermessungsdirigent«, Vorspiel (vgl. GW II, 324–326) »Vorspiel . . . Er sieht in ein Untersuchungszimmer . . .«]

Kortex = Hirn: das kortikale Verblühen der Welten, der bürgerlichen Welten, der kapitalistischen Welten, der opportunistischen, prophylaktischen, antiseptischen Welten, erschlagen von den Wolkenbrüchen des Politischen und der Umschichtung der Macht, im Grunde aber aus der substantiellen Krise des abendländischen Seins heraus entstanden. Zerfetzt der innere Mensch, zerfetzter als je der äußere von Würmern und Granaten: faulig, sauer, vergast, im Gepäcknetz noch einige oxydierte Stichworte. Die Götter tot, die Kreuz- und die Weingötter, mehr als tot: schlechtes Stilprinzip, wenn man religiös wird, erweicht der Ausdruck. Was aber gehalten und erkämpft werden muß, das ist: der Ausdruck, denn ein neuer Mensch schiebt sich herein, nicht mehr der Mensch als affektives Wesen, als Religiosität, Humanität, kosmische Paraphrase, sondern der Mensch als nackte formale Trächtigkeit. Eine neue Welt hebt an, es ist die Ausdruckswelt. Das ist eine Welt klar verzahnter Beziehungen des Ineinandergreifens von abgeschliffenen Außenkräften, gestählter und gestillter Oberflächen –: Nichts, aber darüber Glasur; Hades, aber statt der Fähre Pontons; Unerinnerlichkeit an das letzte Europäische: Primitivität, das sind die kalten Reserven.

Keine Welten mehr zu leben, keine Wirklichkeiten mehr zu fühlen, keine Erkenntnisse mehr zum Glauben, dabei ewig gereizt der in diesen Breiten nächst dem Hunger brutalste Trieb, die Einheit des Denkens herzustellen, dieser Trieb nach Definition, qualvoller als der Hunger und erschütternder als die Liebe, kehrend sich gegen das sogenannte eigene Ich. [. . .]

[Es folgt Zitat aus der dem Drama vorangestellten »Zusammen-

stellung«, vgl. GW II, 322: »Mit der allgemeinen logischen Funktion ... doch ewig bleibt er unbefruchtet«]
Alles also mißt er ab, alles zerstört er. Immer sucht er das Notwendige, das neue Notwendige, die Schwerkraft wird erweichen, die Fallgesetze sich verwirren, die Wärmelehre sich verkehren, das Sternall wanken, wenn nicht bald das Notwendige gefunden wird, das neue Notwendige – was ist dies Notwendige?
Erst sterbend – *(Totengräber, noch nicht! später! aber erwarten Sie keine Zitate. Es liegt nicht vor, daß ein achtbarer Herr das Zeitliche segnet. Ein armes Luder ohne Formel und Sich-Umfassung ist bald von stillen Dingen zugedeckt, dreimasternd im Taifun des Unbewußten)* sterbend, sein erblindetes, schmutziges, entleertes Antlitz dem Mann am Fenster zuwendend, schwer röchelnd, letzten Atems erblickt er die neue Welt [...]
[Es folgt Zitat aus dem 2. Akt des Dramas, vgl. GW II, 346: »Pameelen: Und die Ausmessung ... Alter Vermessungsdirigent!«]
»Weil Sie sie logisch so tief erschöpfen konnten –«: das ist die Reinigung, das ist Aufbruch in eine neue Wirklichkeit! Genug dieses gewalttätigen Nachinnenziehens, Tollwut des Begrifflichen, epileptischer Logik, verkappten Monotheismus, Kurzschlüssig Wackeren, biedermännisch Engen – genug der Sicherungen – *genug der Wahrheit* – Formales möge kommen, Flüchtiges, Tragschwingen mögen kommen, flach und leicht gehämmert, Schwebendes unter Azur, Aluminiumflächen, *Oberflächen* –: *Stil* –! – kurz, die neue nach außen gelagerte Welt.
In diesem grundlegenden Gefühl für die anthropologische Erlösung im Formalen, für die Reinigung des Irdischen, im Begriff beginnt die *neue* Epoche, das neue Notwendige, beginnt in Pameelen über der faustischen die Form- und Beziehungs-, beginnt die *Ausdruckswelt.* (GW IV, 38 ff)

Benn an Max Niedermayer [Berlin], 28. Mai 1949
Z. B. gibt es ein Drama: *»Der Vermessungsdirigent«,* »erkenntnistheoretisches Drama«, so was hat es überhaupt noch nicht gegeben an Wahnsinn u. wirklicher Zerstörung. Aber es war echt und ahnte die ganze Auflösung der kommenden Jahre (geschrieben 1916) voraus. (LPBD 268)

Karyatide
Entstanden 1916
Erstdruck in Die weißen Blätter III, 3. März 1916

Benn in »Lebensweg eines Intellektualisten« 1934

An ein anderes Vorkommnis erinnere ich mich aus Brüssel. Ein Septembertag, ich war Oberarzt am Gouvernement und mit einem Auftrag zu einer anderen Behörde geschickt. Die Straße zu gehen war kurz, doch von den Horizonten brach das Dionysische, die Stunde war zerstückt und bronzen, Verbranntes überall, auf ihrer Kuppe hatte ein Feuer gewütet. Jahr und Leben hinüber, das Vorspiel war aus, das Ende nahte, das Opfer, aber man mußte sich fassen –: nur einen Blick noch aus diesem Licht, einen Atem noch aus dieser Stunde – und:

Sieh dieses Sommers letzten blauen Hauch
auf Astermeeren an die fernen
baumbraunen Ufer treiben; tagen
sieh diese letzte Glück-Lügenstunde
unserer Südlichkeit
hochgewölbt – (GW IV,45 f)

Gehirne, Novellen
Erstdruck in der Schriftenreihe Der jüngste Tag 1916

Benn an Albert Ehrenstein Brüssel, 22. April 1916

Nach Empfang Ihres Schreibens vom 19. IV., für das ich herzlich danke, erlaube ich mir also, Ihnen das in Frage stehende Manuskript zu senden [1].

1 A. Ehrenstein, der seit Ende 1915 Lektor im Verlag Kurt Wolff in Leipzig war, ist es zu verdanken, daß Benns Novellen unter dem Titel »Gehirne« in der expressionistischen Schriftenreihe »Der jüngste Tag« veröffentlicht wurden. Die Titelnovelle war schon 1915 in den »Weißen Blättern« II, 2 erschienen.

Ich schicke es nicht direkt an Kurt Wolff, weil ich an ihn einmal ein Manuskript Gedichte – im Juli 1913 – schickte u. es mit 3 kühlen Zeilen, daß jedes Interesse für meine Person ihm fernläge, zurückbekam. Infolgedessen würde ich weder jetzt noch später mit dem Verlag unmittelbar in Beziehung treten, und nur der Umstand, daß ich Sie als Lektor an ihm wußte, gab mir Veranlassung zu der Anfrage bei Ihnen.
Ich bitte daher um folgenden Freundschaftsdienst: gefällt *Ihnen* das Manuskript, wollen Sie es befürwortend an Wolff weitergeben; gefällt es Ihnen *nicht,* geben Sie es mir gleich zurück.
Wenn Sie nicht alles lesen mögen, lesen Sie bitte den *Geburtstag;* in ihr sind die Probleme, an die ich weiter anknüpfen könnte, wenn etwas Zeit u. etwas Gunst mir zur Verfügung stehen würden. [...]
Und wenn Ihnen mein Manuskript gar nicht gefällt, bitte schicken Sie es mir schonungslos zurück. Ich gehe nicht daran zugrunde. Im Gegenteil: nur aus Vernichtungen kommt das Neue. (DT 24 f)

Benn an den Verlag Kurt Wolff Brüssel, 8. Mai 1916
Ich danke verbindlichst für das Schreiben vom 4. V. betr. das Manuskript »Gehirne«; ich bin über die Annahme hocherfreut. Die Aufstellung der Bedingungen bitte ich, dem Verlag überlassen zu dürfen. (DT 26)

Benn an Friedrich Wilhelm Oelze B[erlin], 11. April 1942
Wenn Sie mal an einem Sonntag eine freie Stunde haben, gehen Sie bitte von der Porte Louise aus die *Avenue Louise* herunter, rechte Seite. Da geht bald die *Chaussee de Charleroi* ab, ein paar Schritte hinaus u. wieder rechts kommt eine kleine Straße Rue St. Bernard. Nr. 1 gehörte mir u. meinem Burschen, ein großes Haus, einem Emigranten enteignet. Dort in der 1. Etage waren meine Wohn- u. Arbeitszimmer. Dort wirkte Rönne[2] in Hochblüte, wollte nach Antwerpen reisen u. kam nur bis zur Bahn aus Müdigkeit u. weil alles so schwer u. sinnlos war, da entstand die Reise. Vor allem aber Ende April, Anfang Mai 1916 – »geschah« ihm der »Geburtstag«. Die »Karyatide« und vieles von dem schönen ⟨?⟩, sinnlosen,

2 Fiktive Hauptfigur in den frühen Novellen mit stark autobiographischen Zügen.

überlebten Zeug entstand da. Werfen Sie bitte einen Blick hinauf, sprechen Sie meinen Schwur von damals: »manchmal eine Stunde, da bist du, der Rest ist das Geschehen; manchmal die beiden Fluten schlagen hoch zu einem Traum.« (UBO)

Benn in »Lebensweg eines Intellektualisten« 1934

In Krieg und Frieden, in der Front und in der Etappe, als Offizier wie als Arzt, zwischen Schiebern und Exzellenzen, vor Gummi- und Gefängniszellen, an Betten und an Särgen, im Triumph und im Verfall verließ mich die Trance nie, daß es diese Wirklichkeit nicht gäbe. Eine Art innerer Konzentration setzte ich in Gang, ein Anregen geheimer Sphären, und das Individuelle versank, und eine Urschicht stieg herauf, berauscht, an Bildern reich und panisch. Periodisch verstärkt, das Jahr 1915/16 in Brüssel war enorm, da entstand *Rönne,* der Arzt, der Flagellant der Einzeldinge, das nackte Vakuum der Sachverhalte, der keine Wirklichkeit ertragen konnte, aber auch keine mehr erfassen, der nur das rhythmische Sichöffnen und Sichverschließen des Ichs und der Persönlichkeit kannte, das fortwährend Gebrochene des inneren Seins und der, vor das Erlebnis von der tiefen, schrankenlosen mythenalten Fremdheit zwischen dem Menschen und der Welt gestellt, unbedingt der Mythe und ihren Bildern glaubte.

Ich wollte die Stadt erobern, nun streicht ein Palmenblatt über mich hin – so faßt Rönne die Summe seiner Erfahrungen zusammen, die Stadt konnte er nicht erobern, seine Lage ließ es nicht mehr zu, vielmehr: *Er wühlte sich in das Moos: am Schaft, wasserernährt, meine Stirn, handbreit, und dann beginnt es. Bald darauf ertönte eine Glocke. Die Gärtner gingen an ihre Arbeit; da schritt auch er an eine Kanne und streute Wasser über die Farren, die aus einer Sonne kamen, wo viel verdunstete.* Also nach der zentralen Zerstörung das Vegetabilische.

Rönne wollte nach Antwerpen fahren, aber wie ohne Zerrüttung? Er konnte nicht zu Mittag kommen. Er mußte angeben, er könne heute nicht zu Mittag kommen, er fahre nach Antwerpen. Nach Antwerpen hätte der Zuhörer gedacht? Betrachtung? Aufnahme? Sich ergeben? Das erschien ihm ausgeschlossen. Es zielte auf Bereicherung und den Aufbau des Seelischen.

Bereicherung und Aufbau des Seelischen – das betrieb um ihn die Alte Welt unberührt noch von dem weitausholenden Zusammenbruch der Epoche, der ihn schon schwächte, sie saß noch im Kasino, aß, wie wir gleich sehen werden, von einer Tropenfrucht, führte Kriege, aber an ihr teilzuhaben vermochte Rönne nicht mehr. In einem Zeitalter, wo die Flugraketen beiläufig an den Sternen tanken und Cook für seine Korsofahrten den Urwald asphaltiert, die Polentfernung auf Teilstreckentarif zusammenschrumpft und Himalajatouren zu den Matronenwettspielen gehören, setzt Rönne seinen Reisetendenzen inneren Widerstand entgegen. [. . .]
[Es folgt Zitat aus der Novelle »Die Reise«, vgl. GW II, 28 f: ». . . nun stellte er sich vor . . . will ich essen gehn.«]
Das Problem, das Rönne diese Qualen bereitet, heißt also: Wie entsteht, was bedeutet eigentlich das Ich? Bedarf es einer Reise nach Antwerpen, des Studiums des Mittelalters und der Betrachtung der Scheldequais, ist es auf solche Eindrücke angewiesen, ist es auf die eventuellen Eindrücke von dem Matsys-Brunnen und dem Plantin-Moretus-Haus als Baustücke angewiesen, liegen für solche Reisen also innere konstitutive Gründe vor, oder ist es gar noch ein Drittes: Hybris, Ausschweifung, Übersteigerung? Ist das Ich schicksalhaft festgelegt, dann darf es nie seine Form verlassen, seinen Pflichtenkreis nie überschreiten, seine Prägung nie gefährden, sein Antlitz auch nie enthüllen, dann ist eine Reise Auflösung, Gefahr, Unglaube innerhalb der strengen Frage nach Freiheit und Notwendigkeit, und dann kann sie überhaupt nur zur Bestätigung tiefster Zerrüttung führen. *Bedarf es denn des Einzelfalles?* An das Primäre können diese Dinge mit Zeitcharakter doch nicht anknüpfen, und wiederum die Voraussetzungen für Historisches besaß er nach Erfahrung und Anlage nicht. Alles schwebte also aneinander vorbei und ermüdete nur mit seinen Gewalten. Es mußte also etwas Drittes eintreten, eine Vermischung, und der strebte er unaufhörlich zu, etwas, was gleichzeitig eine Aufhebung war und eine Verschmelzung, aber das gab es nur für Momente, in Fallkrisen, von Durchbruchscharakter, und das war immer der Vernichtung nahe. Aber nicht immer war man dazu fähig, und so sehen wir ihn nach diesem tastenden Vorstoß in das Vage zu einer ungünstigen Stunde, vormittags, zurückschrecken, sich selbst ent-

fliehen und zunächst noch einmal sich der Norm versichern. Er geht also in das Kasino essen und [...]
[Es folgt Zitat aus »Die Reise«, vgl. GW II, 29 f: »Durch Verbeugung in der Türe ... die er hinter sich schloß«]
Wir erblicken also hier einen Mann, der eine kontinuierliche Psychologie nicht mehr in sich trägt. Seine Existenz innerhalb und außerhalb des Kasinos ist zwar eine einzige Wunde von Verlangen nach dieser kontinuierlichen Psychologie, der Psychologie des *Herrn, der nach der Mahlzeit einen kleinen Schnaps nicht verschmähte und ihn mit einem bescheidenen Witzwort zu sich nimmt,* aber er findet aus konstitutionellen Gründen nicht mehr zurück. Höchstens stoßweise und aus Abgründen, herausbeschworen und in Vernichtung erkämpft. Die naive Vitalität, die auch den psychischen Prozeß bis zu einer in unserem Jahrhundert ziemlich genau angehbaren Stunde und bis zu einem an Thematik ziemlich genau zu beschreibenden Umfang umschloß, trug, durchblutete, durchpulste, reicht für die weiteren Grade der psychischen Sublimierung in Europa nicht mehr aus. In Rönne hat die Auflösung der naturhaften Vitalität Formen angenommen, die nach Verfall aussehen. Aber ist es wirklich Verfall? Was verfällt denn? Nicht vielleicht doch nur eine historisch überlagernde, jahrhundertelang unkritisch hingenommene Oberschicht, und das andere ist das Primäre? Das Rauschhafte, das Ermüdbare, das schwer Bewegbare, ist das vielleicht nicht die Realität? Wo endet der Eindruck und wo beginnt das Unerkennbare, das Sein? Wir sehen, die Frage nach der anthropologischen Substanz liegt unmittelbar hier vor, und sie ist identisch mit der Frage nach der Wirklichkeit. Das ungeheuere Problem der Wirklichkeit und ihrer Kriterien eröffnet sich hier vor uns. *Manchmal eine Stunde, da bist du; der Rest ist das Geschehen. Manchmal die beiden Welten schlagen hoch zu einem Traum,* sagt Rönne. Welche beiden Welten also? Das Ich und die Natur. Was ergeben sie? Im Höchstfall einen Traum. Das ist natürlich ein Irrealitätsprinzip, dies Rönnesche Prinzip, und wann ist es in Wirkung, wann *rauscht es? Wenn du zerbrochen bist.* Ein andermal erkennt er: *Welches war der Weg der Menschheit gewesen bis hierher? Sie hatte Ordnung herstellen wollen in etwas, das hätte Spiel bleiben sollen. Aber schließlich war es doch Spiel geblieben, denn nichts war wirk-*

lich. War er wirklich? Nein; nur alles möglich, das war er.
Erkenntnis ist ein schönes Mittel zum Untergang, und in der Tat geht es von hier aus wieder zur Vermischung: *Tiefer bettete er den Nacken in das Maikraut, das roch nach Thyrsos und Walpurgen. Schmelzend durch den Mittag kieselte bächern das Haupt.*
Er bot es hin: das Licht, die starke Sonne rann unaufhaltsam zwischen das Hirn. Da lag es: kaum ein Maulwurfshügel, mürbe, darin scharrend das Tier.
Das Tierische und der immer nackter sich sublimierende Gedanke: gibt es noch für beides ein gemeinsames Prinzip? Für das Leben und die Erkenntnis, die Geschichte und den Gedanken, gibt es in der abendländischen Welt noch ein solches monistisches Prinzip? Für die Bewegung und den Geist, für die Reize und die Tiefe – gibt es noch einen Zusammenschluß, eine Betastung, ein Glück? Ja, antwortet Rönne, aber weither, nichts Allgemeines, fremde, schwer zu ertragende, einsam zu erlebende Bezirke: *In sich rauschte der Strom. Oder wenn es kein Strom war, ein Wurf von Formen, ein Spiel in Fiebern, sinnlos und das Ende um allen Saum* –: er erblickt die Kunst. (GW IV, 30 ff)

Benn an Friedrich Wilhelm Oelze [Berlin], 7. August 1938
Bedenken Sie eine Sekunde: das vergangene Zeitalter: es setzte für Natur Gedanken u. machte aus Gedanken Wirklichkeit. »Da geschah ihm die Olive ...«[3] Man sah, hörte, schmeckte durch Autosuggestion, Halluzination, Geist. Das neue Zeitalter, dies: der Umbruch. Heute heißt alles Wirklichkeit, stinkt nach Natur, röstet sich Lebensfleisch –: wird das nicht – da es ja doch unaufhaltsam zum Ende geht – sehr bald wie *Kannibalismus* aussehen? Ja, ein gutes Wort! Naturalismus ist Kannibalismus [...] (UBO)

Benn an Dieter Wellershoff [Berlin], 22. November 1950
Zu Edmées Zeit stand »das Südwort« bei mir hoch im Kurs, vom Süden umlagerte Worte und Themen verschafften mir Auferstehung, eröffneten meine Verschlüsse – da strömte ich hin, hinein, hinüber in die Bläue, das Wolkenlose. *Blau* – ein äußerst wich-

3 Vgl. GW II, 59.

tiges Thema in meinen Prozessen und Elevationen – ein neues Wort für Blau: »ein frevelhaftes Blau« (im »Englischen Café«) – »sphinxblau an Schnee und Meer« (in »Einst«) – es war das Hinübergehn aus Starre und Gebundenheit in Strömen und Vergehn. Wie erinnere ich mich der Jahrzehnte, in denen ich das erlebte – meines Wissens habe ich das in dem von Ihnen erwähnten »Epilog und lyrisches Ich« dargestellt.
Redensarten wie die: »wie er es hervorspielte« oder: »war Hinzufügbares vorhanden« oder »hatte er es erschaffen« oder »nun wollte er sie lieben« usw. sind erstens technische Mittel, um die Inspiration weiterzuführen, dann aber soll ja auch immer wieder nicht vergessen werden, daß Edmée nicht Wirklichkeit ist, sondern Produktion, die der Autor immer wieder überprüft hinsichtlich seiner Schaffungsmöglichkeit, seiner Fähigkeit, innere Realität, üppige, tiefe, beladene zu erschaffen, da es eine äußere Realität für ihn nicht mehr gibt – er würde also ohnedem leer, unmenschlich, verloren, ohne Sammelpunkt über die Erde verstreut sein animalisches Leben fristen müssen. Das ist seine Grundhaltung, seine Substanz: ist er fähig, produktiv das zu wahren und zu ersetzen, was an äußerer Welt tragisch und für immer verlorengegangen war.
Also eine Elevation durch das Wort, eine Sakramentation des Worts, ein Heiligungs- und Erlösungsphänomen mit Hilfe des dichterischen Worts – das ist Rönne. (BR 202 f)

[Berlin-Schöneberg], 23. Mai 1954

Benn an Friedrich Wilhelm Oelze
Ostern 1916 – da saß ich in Brüssel in jenem Haus u. schrieb »Den Geburtstag« (UBO)

Synthese
Entstanden 1917
Erstdruck in Fleisch Berlin 1917

Benn an Edgar Lohner [Berlin], 19. Februar 1952
Der Extreme in seiner Finallage gibt auch die Liebe nicht mehr ab, er behält sie für sich selbst. Dasselbe sagt ein Vers aus einem ande-

ren Gedicht, nämlich dem Gedicht »Synthese«, da steht der schreckliche Vers, der seit seinem Erscheinen vor etwa 25 Jahren immer wieder Anstoß und Empörung erregt: »Auch was sich noch der Frau gewährt ist dunkle süße Onanie.« (BR 228)

Karandasch
Entstanden März 1917
Erstdruck in Die weißen Blätter IV, 5/1917

Zusammenfassung[1] 1917
Pameelen betrachtet das sogenannte geistige Dasein unter dem Gesichtspunkt seiner sprachlichen Komponente. Er ist ein erklärter Gegner des Substantivs, das für das Einmalige den Begriff setzend die Tragödie einer Menschheit schuf, für die das Vergängliche nur ein Gleichnis war.
Er seinerseits bevorzugt das Verbum, als den Träger der Bewegung. Ferner meint er: das Wort ist Allgemeingut und das Wort besagt nichts (daher: »unsere Schnauze munkelt«). Für ihn fängt das Glück da an, wo die Lippe stumm ist und starr und weiß eine Zahnreihe klafft zum Fraß und gegen Fische (Triton).
(GW II, 351)

Diesterweg. Eine Novelle
Entstanden 1918
Erstdruck 1918

Benn an Max Niedermayer [Berlin], 12. Mai 1949
Den erwähnten »Diesterweg« aus dem Jahre 1919 finde ich besonders wenig anregend und belanglos. (LPBD 267)

1 Diese »Zusammenfassung« stellte Gottfried Benn seinem »rapiden Drama« voran.

[Berlin-Schöneberg], 8./10. Mai 1950

Benn an Friedrich Wilhelm Oelze

betr. Diesterweg! Sie schrieben vor etwa zwei Jahren, Sie würden von der alten Prosa alles bringen vielleicht mit Ausnahme der ersten Fassung von »Diesterweg«. Das ist mir unumstößlich im Gedächtnis geblieben, weil ich gar nicht wußte, daß es zwei Fassungen giebt. Hier kann ich mich nicht irren. (UBO)

Querschnitt

Entstanden 1918
Erstdruck in Die weißen Blätter V, 3/1918
(unter dem Titel: Die Phimose. Eine Novelle)

Benn an Max Krell [Berlin], 12. Juni 1950

Was die Anthologie[1] angeht, so steht die Phimose zu Ihrer Verfügung, ich würde mir allerdings erlauben, einige geringe Änderungen u. Kürzungen vorzunehmen[2]. Oder wünschen Sie, daß ich Ihnen zwei neuere noch nicht gedruckte Sachen vorlege?

(DT 31)

1 »Die Entfaltung. Novellen an die Zeit«, hg. v. M. Krell, Berlin 1921. Die Bennsche Novelle, zuerst in den »Weißen Blättern« unter dem Titel »Phimose« erschienen, stand unter dem Titel »Querschnitt« als Schluß-Beitrag in Krells Anthologie (S. 265–278).
2 Vgl. »Anmerkungen und Lesarten« in GW II, 462–469.

Das moderne Ich

Entstanden 1920

Erstdruck in Tribüne der Kunst und der Zeit, H. 12/1920

Vorbemerkung[1] 1933

Aus dem Jahr 1920, eine Jugendarbeit, eine Rede an Studenten der naturwissenschaftlichen Fächer. Sie schildert die innere Lage des damaligen deutschen Ich, dieses Ich in den politischen Schatten der furchtbaren Nachriegsjahre, in den denkerischen und sprachlichen Krisen eines untergehenden Weltzeitalters. Sie ist jugendlich, das heißt individualistisch und extrem. Ihre Formulierungen sind vielfach nicht allein weltanschaulich zu beurteilen, sondern auch ausdruckshaft anzusehen, sie sind vielfach lauthaft und dichterisch ersucht und dann geprägt. Ihr Grundzug ist aber schon damals – und damit stand sie ganz vereinzelt und isoliert – der Haß gegen das wissenschaftlich Utilitaristische, die kaufmännisch gewordene Erkenntnis, den Staat als reinen Verpfleger, den Menschen als reinen Rentenempfänger, gegen alles Mechanistische des Lebens, ihre Sehnsucht ging über das Empirische und Soziale hinaus auf die schöpferische Substanz, auf die Verwandlungsgefühle, auf Bilder und Gegenbilder, die ihr aufstiegen aus der ewigen, vom Untergang umkränzten, der ichlos strömenden, der stygischen Flut.

(GW I, 601)

1 Das folgende ist die Vorbemerkung, die Gottfried Benn für die Veröffentlichung des Textes in »Der neue Staat und die Intellektuellen« (1933) geschrieben hatte.

Der Garten von Arles
Entstanden 1920
Erstdruck in Die Dichtung, hg. v. W. Przygode, II, 1/1920

Das letzte Ich
Entstanden 1921
Erstdruck in Der Anbruch IV, 3/1921

Benn an Friedrich Wilhelm Oelze B[erlin], 5. Juli 1942
Dann danke ich Ihnen für das neue Geschenk, das eintraf. Meinen Dank kann ich nicht in Worte fassen. Es bedeutet so sehr viel für mich, nicht nur als tatsächlicher Genuß, sondern auch als »Erinnerung an Schöneres«, an Tage, namentlich Sonntage in der Bellealliancestraße, an denen ich mit Hilfe einiger Tassen den ganzen Tag verbrachte u. die Sätze und Träume des »Gartens von Arles« u. das »Moderne Ich« u. das »Letzte Ich« mir aus den coffeinerweiterten Gefäßen des Hirns u. der Haut spielend herauszauberte – Erinne[rung] an Schöneres – aber eine Hoffnung auf Zukünftiges allerdings nicht. Die Zeit ist knapp für mich, die Wochen enteilen, die äußeren Verhältnisse sind doch sehr wichtig für die Produktion. (UBO)

Die Gesammelten Schriften
Erstausgabe 1922

Benn an Max Krell Berlin, 11. Oktober 1921
Was mich angeht, so ist es mir im Grunde ja doch gleichgültig ob irgendwo ein Komma steht oder eine Klammer, ich fand nur die Tatsache an sich so chokant, daß jemand ohne zu fragen, also gewissermaßen korrigierend meine Artikel einschiebt oder einen Punkt setzt, wo keiner sein sollte, u. dann fand ich *Epilog* ohne »zu den gesammelten Schriften« so blöd u. unmotiviert. (DT 33)

Benn in »Epilog« 1922
Nun erscheinen diese gesammelten Werke, ein Band, zweihundert

Seiten, sehr dürftig, man müßte sich schämen, wenn man noch am Leben wäre. Kein nennenswertes Dokument; ich wäre erstaunt, wenn sie jemand läse; mir selber stehen sie schon sehr fern, ich werfe sie hinter mich wie Deukalion die Steine; vielleicht daß aus den Fratzen Menschen werden, aber wie sie auch werden mögen: ich liebe sie nicht[1]. (GW IV, 443 f)

Benn an Carl Werckshagen [Berlin], 27. Oktober 1924
vielen Dank für Ihren schönen interessanten Aufsatz[2]. Frappierend, daß Sie tatsächlich die Schriften gelesen haben u. daß Sie »Karandasch» als das empfunden haben, was ich mir dabei dachte.
Ich habe den Artikel schon gestern gelesen. Nun interessieren mich Ihre Korrekturen sehr: das manisch statt mechanisch ist natürlich allein sinnvoll u. bezeichnend – u. heißt es: süß *in* Rhythmen oder ist Ihre Korrektur ein m? (BW 2)

Benn an Max Niedermayer [Berlin], 28. Mai 1949
Nicht enthalten sind die Verse, die meinen eigentlichen Namen (den berüchtigten) begründeten, aus den Jahren 1912–1922, aber die wollen wir lieber unterschlagen[3], darin wimmelt es nur so von Leichen und Huren und Syphilisquadrillen, daß es mir jetzt unfaßbar ist, daß so was jemals gedruckt und nicht konfisziert worden ist. (LPBD 268)

1 Der »Epilog« in den »Gesammelten Schriften« schließt mit den vorstehenden Worten.
2 Über »Die Gesammelten Schriften von Gottfried Benn«, veröffentlicht in der Literarischen Umschau der »Vossischen Zeitung« (26. 10. 1924).
3 Im gleichen Brief heißt es: »Ich beschäftige mich jetzt mit der Zusammenstellung des Gedichtbandes der frühen Gedichte (für den geplanten Gedichtband »Trunkene Flut«).

Das späte Ich I–III[1]
Erstdruck in Die Gesammelten Schriften 1922

Benn an Edgar Lohner [Berlin], 19. Februar 1952

»Eigen-Immortelle«[2]. Das hat mit seltsam nichts zu tun, sondern soll folgendes bedeuten: das späte Ich ist ein einsames Ich, auf sich selbst gestellt und nur sich selbst erlebend. Das ist ja das Zeichen seiner extremen Lage. Also auch die Unsterblichkeit, die Immortalität, endet für dies Ich mit seinem Tode, eine allgemeine objektive Immortalität gibt es für ihn nicht, die allgemeine Immortalität ist ein ideologischer, bürgerlich-kultureller, von Wohlwollen der Nachwelt und von Todesangst der Mitwelt geprägter moralischer Begriff. Es gibt ihn nicht für den finalen Typ, der nur in sich selber lebt, nur sich selbst gestaltet, und sein Schicksal und seine Unsterblichkeit mit hinabnimmt, wenn die Stunde schlägt. Alles dies soll in dem vielleicht nicht glücklichen Wort »Eigen-Immortelle« sich ausdrücken oder zumindest durchschimmern. In dieselbe Richtung zielt der reichlich unpassende Ausdruck »Abgänger« in der gleichen Strophe, d. h. der Mensch ist ein Samenerguß ohne Befruchtungswillen und Befruchtungsmöglichkeit, er geht in die Nacht, aus dem Traum, ins Nichts und kennt keine Gemeinschaft, auch keine geschlechtliche mehr. Liebe ist das Elysium der Unproduktiven, derer, die nicht denken und Ausdruck schaffen können. (BR 227 f)

1 In den »Gesammelten Gedichten« noch veröffentlicht unter dem Titel: »Der späte Mensch«.
2 Lohner, der das Gedicht ins Englische übersetzen wollte, hatte wegen dieses Ausdrucks bei Benn angefragt.

Schädelstätten[1]
Erstdruck in Die Gesammelten Schriften 1922

[Berlin-Schöneberg], 22. September 1949

Benn an Friedrich Wilhelm Oelze
Ein junger Schweizer Schriftsteller [...] schrieb mir kürzlich, sein Lieblingsgedicht sei:

Schädelstätten (G. G. S. 122)

Ich las es u. es gefiel mir nicht schlecht, wie ⟨?⟩ wäre das auch noch oder bei Platzmangel dies statt Reise oder weiße Segel? (UBO)

Die Dänin I
Erstdruck in Schutt 1924

Benn an Friedrich Wilhelm Oelze [Berlin], 7. August 1938
sind Sie noch in Br[emen]? Oder am Strand – »– meerisch lagernde Stunde, Bläue – mythischer Flor –«, eine meiner Lieblingsstrophen de moi même ... (UBO)

Schleierkraut
Erstdruck in Spaltung 1925

Benn an Egmont Seyerlen [Berlin], 27. Februar 1933
Ich schließe mit dem meiner Verse, der mir der liebste ist und der tiefste erscheint, Ihnen ins Gästebuch: »Leben ist Brückenschlagen über Ströme, die vergehen«. (UBS)

1 In den »Gesammelten Schriften« erschien das Gedicht noch unter dem Titel »Schwer«. Den Titel »Schädelstätten« erhielt es in dem Gedichtband »Spaltung« (1925).

Annonce
Erstdruck in Der Querschnitt VI, 10/1926

Benn an Max Niedermayer [Berlin], 1. Juli 1951
»Annonce« ist zwar parodistisch, aber hat auch Zustimmer damals gefunden. Wo so brüchige und harte Dinge stehn, konnte ja auch einmal eine leichte Muse zwitschern. (Wer vieles bringt, wird manchem etwas bringen«, Faust.) (BR 221)

Dein Körper gehört dir
Erstdruck in Der Querschnitt VIII, 3/1928

[Berlin-Schöneberg], 15. Juli 1951
Benn an Friedrich Wilhelm Oelze
Erinnern Sie sich an eine Buchbesprechung [1]: »Dein Körper gehört dir« (in Gesammelte Prosa, Kiepenheuer [2], enthalten) – würden Sie so gut sein und es noch einmal in sich aufnehmen und mir zu sagen, ob ich das mithineinnehmen soll? [3] Es ist aktuell und ganz schlagkräftig. (UBO)

Gesammelte Prosa [1]
Erstausgabe Potsdam 1928

Benn an Carl Werckshagen [Berlin], 27. April 1928
Bei *Kiepenheuer* erscheint im September 1 Prosaband von mir. »Gesammelte Prosa«, genau in Aufmachung wie »Gesammelte Gedichte«. (BW 7)

1 Es handelte sich um das Buch von Victor Margueritte, »Dein Körper gehört dir«, Berlin 1928.
2 Potsdam 1928, S. 175–184.
3 In den geplanten Essayband, Wiesbaden 1951.
1 Vgl. auch die Dokumente zu »Frühe Prosa und Reden«, Wiesbaden 1950.

Benn an Käthe von Porada [Berlin], 9. Oktober 1933
Das Buch »Prosa« ist uralt. Fossile Dinge drin. »Der Geburtstag« war einmal echt u. die »Reise«.
Auch »lyrisches Ich«. (DT 142)

Du mußt dir alles geben
Erstdruck in Die literarische Welt V/34 1929

Benn an Käthe von Porada [Berlin], 9. August 1933
[...] aus einem Gedicht nach den »Gesammelten«, für Kati 2 Verse, da sie sommerlich sind, überfällig, auch jenseits von *»Gefahren«*, Sphingiden ist ein Ausdruck für Schmetterlinge. Das Gedicht hat 8 solcher Verse. – (DT 133)

Urgesicht
Erstdruck in Die neue Rundschau XL, 3/1929

Benn an Gerhart Pohl 1929
»Über die Rolle des Schriftstellers in dieser Zeit«
Ich beginne damit, Herrn Kisch vorzuhalten, daß er mich fahrlässig zitiert. Er wirft mir »widerliche Aristokratie« vor, die aus jeder meiner Zeilen »stinkt« und fährt begründend fort: »er (Benn) zitiert sogar zustimmend die Wehklagen, ›daß die Fürsten im Rinnstein und Landstreicher Diktatoren sind‹ (Wo liegen Fürsten im Rinnstein, und wenn schon!) und daß sich die Zeit mit der Lächerlichkeit eines Kampfes ›um eine Stundenlohnerhöhung von zwei Pfennigen abgibt‹.« Richtiger Unsinn! Nicht um mich zu verteidigen, sondern um festzustellen, wie unzuverlässig und unreell ein solcher literarischer Angriff basiert ist, führe ich die fragliche Stelle an. Sie steht in einem Aufsatz »Urgesicht«, der im Märzheft der »Neuen Rundschau« stand, und lautet folgendermaßen: [Es folgt Zitat aus »Urgesicht«; vgl. GW II, 114: »Jedenfalls, da stand er also vor mir ... das heißt mit Aufschlag zu verwerten«.]

Es kann kein Zweifel darüber sein, daß hier im einzelnen überhaupt keine Stellungnahme vorliegt, vielmehr im ganzen eine Schilderung. Eine Schilderung nämlich der Widersinnigkeit, der Monstrosität, des Chaos unserer Zeit. Das Mittel der Schilderung ist das der Kontrastierung. Ich stimme keinen Wehklagen zu hinsichtlich der Fürsten, noch viel weniger erlaube ich es mir lächerlich zu finden, daß Kämpfe um Stundenlohnerhöhungen stattfinden, vielmehr wird jeder den Tenor heraushören, es sei unfaßlich, es sei nahezu erschütternd, es bedürfe dringend einer Feststellung, daß Arbeiter für eine Erhöhung ihres Stundenlohns um zwei Pfennig kämpfen müssen im gleichen Augenblick, wo ein Golfmatch im Carlton-Club des blütendurchfluteten Cannes die kapitalistische Welt in Atem hält. Ist also der Abschnitt aggressiv, dann ist er antizivilisatorisch, antikapitalistisch. (GW IV, 205 ff)

Berlin-Schöneberg, 19. Februar 1951

Benn an Friedrich Wilhelm Oelze

Prostituierte mich im NWDR[1] gestern mit »Urgesicht«; war mir gräßlich, bekam es nicht mehr über die Zunge, aber d'argent.

(UBO)

1 Nordwestdeutscher Rundfunk.

Das Unaufhörliche
Entstanden 1930
Erstdruck Mainz 1931

Benn an Paul Hindemith [Berlin], 8. Juli 1930

Ihre Aufforderung nun, einen Text zu machen, der für Sie in Betracht käme, ist für mich sehr ehrenvoll u. der Gedanke regt mich auch an. Aber ich bin im Augenblick körperlich u. geistig so ermüdet u. ohne Spannung, daß ich an keine Arbeit denken kann. (BR 37)

Benn an Paul Hindemith [Berlin], 29. Juli 1930

Dorthin erlaube ich mir, Ihnen zu schreiben, daß mir Ihre mir in das Exemplar von Cardillac von Ihnen eingeschriebene Aufforderung nun noch einige Male durch den Kopf gegangen ist und ich versucht habe, eine Art Text, von geringem Umfang und ohne jede Prätention, zu verfassen, den ich Ihnen der Einfachheit halber gleich anbei, ohne erst vorher bei Ihnen anzufragen, mitsende.

Dieser Text, genannt: »Das Unaufhörliche« ist kein Lehrstück, sondern mehr eine Dichtung. Der Name soll das unaufhörliche Sinnlose, das Auf und Ab der Geschichte, die Vergänglichkeit der Größe und des Ruhms, das unaufhörlich Zufällige und Wechselvolle der Existenz schildern, vielmehr lyrisch auferstehn lassen. Sie müssen entscheiden, ob es Sie interessiert, ob Sie es so oder in der Idee musikalisch glauben verwerten zu können. Sie können aber natürlich auch, ohne daß es mich im geringsten verletzt, sagen, daß es Sie garnicht interessiert, es ist ja keine große Arbeit von mir, nur ein Versuch. (BR 38)

Benn an Paul Hindemith [Berlin], 2. August 1930

Ich bin nahezu ergriffen, daß Sie auf meinen tastenden Versuch in den luftleeren Raum in einer für mich so belehrenden u. weiterführenden Weise antworten. Für mich wäre nun sehr wichtig zu hören, wie lang ungefähr nach Ihren Gedanken u. Plänen der Text sein müßte, von den Schreibmaschinenseiten, die Ihnen vorlagen, wie viele? Das muß ich wissen, um gruppieren zu können. Dann will ich versuchen, anhand Ihrer Anleitung meine geistigen Fähigkeiten zu prüfen. (BR 38 f)

Benn an Paul Hindemith [Berlin], 29. Oktober 1930

Ich werde nämlich aus äußeren und inneren Gründen nicht dazu kommen, jetzt meinen Text für Sie zu schreiben. Als ich neulich jenen reizenden Abend bei Ihnen war, stand mir alles bei unserer Unterhaltung so gegenständlich vor Augen, aber seitdem ist es mir völlig verschwunden. Ich bin im Augenblick mit so gegensätzlichen Dingen beschäftigt, daß ich mich nicht dorthin zurückfinde. Sie werden es ja auch zweifellos verstehen, wenn ich Ihnen sage, ich bin gerade in einer Periode, wo ich neuen Dingen auf der Spur bin und wo ich mich treiben lassen möchte, abwartend, zu welchen Resultaten ich komme, wo ich nicht ein mir momentan fremdes Erlebnisgebiet einschieben möchte.

Ich brauche Ihnen nicht zu sagen, wie ungeheuer reizend und charmant ich mir eine gemeinsame Arbeit mit Ihnen an sich vorstelle, wie glücklich ich wäre, einen Text gekrönt von Ihrer Musik vor mir zu sehen. Aber ich habe gefunden, daß es immer mit Strafe bedacht wird, wenn man solche Krisen unterbricht, durch die man hofft weiterzukommen und sich zu entwickeln. (BR 39 f)

Benn an Paul Hindemith [Berlin], 25. November 1930

Nehmen Sie es bitte nicht als Zudringlichkeit, wenn ich heute nochmals auf das Ihnen im Juli zugesandte Manuskript zurückkomme, das ich das Unaufhörliche nannte, und über das Sie mir so ausführlich schrieben. Ich habe es mir in letzter Zeit nochmal vorgenommen, um es zum mindesten dichterisch zu verbessern und zu ergänzen, und dabei befiel mich wieder der Gedanke, ob nicht doch daraus ein Motiv für Sie oder vielmehr für eine gemeinsame Weiterarbeit von uns beiden möglich wäre. Ich sende also Ihnen das Ganze nochmals zu und wäre Ihnen sehr verbunden, wenn Sie es unter folgendem Gesichtspunkt betrachteten:

1) ließe sich vom ersten Chortext aus, also das wäre (von) Seite 1 aus, ein Weg zum gemeinsamen Aufbau eines Chortextes finden? Also zunächst mal bis zu: »der selbe Ruf«.

2) meine Einfügung von Chor und Stimme ist nur ein Vorschlag

unter dem von Ihnen gegebenen Gesichtspunkt vorgenommen, daß ausschließlich der Chor selber, nicht eine Stimme, Träger der Musik sein kann.
3) bearbeiten doch bitte Sie mit einem Rotstift den vorliegenden Text so, falls Sie sich die Mühe nehmen wollten, daß Sie zusammenziehen und streichen, was Sie brauchen und nicht brauchen zu können glauben. Also, vielleicht einen Rotstrich von Seite 1 bis Seite 4 und dann bliebe vielleicht eine Seite Text bestehen. (Die Dichtung an sich braucht uns dabei garnicht zu stören, der verschaffe ich schon innerhalb der Literatur Geltung, soweit sie es erwarten kann.) Lassen Sie sich Zeit! Es eilt nicht! Seien Sie mir nicht böse wegen meiner Unbildung u. Schwerfälligkeit in Sachen der Musen. (BR 40 f)

Benn an Paul Hindemith [Berlin], 6. März 1931
Es täte mir schrecklich leid, wenn ich Ihnen durch meine Texte innere Schwierigkeiten, musikalischer oder weltanschaulicher Art, machte. Bitte äußern Sie sich doch ganz offen. Ich will gerne alles ändern, statt Ihnen hartnäckig und dickköpfig zu erscheinen. Ich finde unsere Zusammenarbeit so nett u. interessant, daß ich sie nicht belasten möchte. Ich bin Ihnen riesig dankbar, daß Sie alles Gedankliche, Sprachliche, Literarische des Textes so spontan u. augenblicklich verstehn. Ich bewundere das. Ich werde mir übrigens erlauben, Ihnen dieses kleine Buch über »Nietzsches Zusammenbruch« zu schicken, aus dem ich die Stelle in Abteilung Kunst entnommen habe. Sie werden sehn, wie ungeheuer erregend das ist.
(BR 42 f)

Benn an Paul Hindemith [Berlin], 22. Mai 1931
In Ihrem Pfingstfest zwischen Ihrem Kalmus und Ihren Maien überfalle ich Sie mit neuen Textstücken.
Nämlich 1) die von Ihnen vorgeschlagene »zynische« Figur. Ich habe sie mehr als den flachen Intellektualisten beschrieben, den *Relativisten,* den Nebbich-Typ, der um uns ist, wir führen also den Relativisten in die Musik ein, der Herausgeber der »Neuen Rundschau«, Rudolf Kayser, Schwiegersohn von Einstein, wird es mir nie verzeihn.

2) den *Knabenchor,* der sich ja an diesen Solisten anschließen soll. Dieser Chor nun hat seine Haken. Er ist literarisch ganz gut und wuchtig, aber er ist *gereimt.* Wie ist das? Können Sie das bei der Komposition nicht ignorieren? Stört Sie das direkt? Ich würde in dem bisher so kurzreihigen Text ganz gern einige Strophen dieser Art haben, es wäre herrlich, großartig, wenn Sie sie verwenden könnten, aber wenn es nicht geht, muß es bleiben. Die Frage ist mir insofern bedeutungsvoll, als ich ja nach wie vor die vier letzten Schluß*reihen* des Schlußchors auch genau so wie diese Knabenchorstrophe gliedern möchte, nur die letzten vier *Reihen,* das Vorhergehende ungereimt wie bisher. Können Sie nicht ein geniales Mittel finden, das zu ermöglichen, natürlich können Sie es. »Freude, schöner Götterfunken« reimt sich ja auch, ich habe gerade heute einen Ausschnitt der »Neuen badischen Landeszeitg.« geschickt bekommen, wo etwas von Ihrer mozartschen Fülle und Ihrer Frankfurter Wiege drinsteht, also müssen Sie auch Gereimtes komponieren können!
Nun fehlen also noch das Individualisten-Terzett und der Schlußchor. Das Terzett zwischen den Einleitungschören und dem Relativisten, nicht? (BR 43 f)

Benn an Paul Hindemith [Berlin], 24. Mai 1931
Es bleibt Ihnen nichts erspart, hier kommt auch noch ein Entwurf für den Schlußchor, damit Sie darüber sinnen können, wenn Sie durch die Sommerwelt, von zarter Hand, von zarten, allzu schwachen Gelenken gesteuert, heimfahren ... Die erste Reihe des Schlußchors knüpft an die letzte des Knabenchors, den Sie doch als Choral komponieren können, an. (BR 44)

Benn an Paul Hindemith [Berlin], 12. Juni 1931
Ich habe mich jetzt mal mit dem Terzett beschäftigt und sende Ihnen einen Entwurf. Ich muß ja immer erst eine Finte schlagen, um Sie hervorzulocken, damit ich sehe, auf was Sie reflektieren. Es ist also ein Individualterzett. Einzelnes werden Sie vielleicht verwenden können, sagen Sie bitte was. (BR 45)

Benn an Paul Hindemith [Berlin], 14. Juni 1931

Die zwei Einleitungsreihen für das Terzett, von denen Sie sprachen, die also eine Art Ansage für das Folgende sein sollen, könnten vielleicht folgende Fassung haben:

»Das Unaufhörliche:
unnahbar und verhängt –
und wir das Ich:
verzweifelt, todbedrängt.«

Ferner lege ich die Tenorarie bei. Sie ist freilich sehr einfach in Bezug auf Reim und Form, und Sie könnten sagen, sie gehöre eher zu dem Trompeter von Säckingen. Aber sie wäre mal was anderes in dem Oratorium, eine neue Note, eine weiche populäre Waldhornkantilene und ihr Inhalt ist insofern aktuell, als sie zum Thema hat den Übergang von der Land- zur Stadtbevölkerung, der sich in unserem Zeitalter abspielt, den wir alle empfinden und der uns veranlaßt, sonntags in den Spreewald, in den Ferien nach Thüringen zu fahren, um an den abhandengekommenen Brüsten der Natur zu spielen. 1870: 65 % der deutschen Bevölkerung *Land*bewohner, heute: 30 % (Lyrik mit Statistik).

Diese Arie stammt aus einem anderen Entwurf zu dem Terzett, in dem ich jeden der drei Solisten eine eigene Partie singen ließ, aber Sie meinten ja, alle zusammen wäre besser. Der Lage nach müßte diese Arie folgen auf Seite 1 meines Ihnen zugesandten Textes, also hinter

»unbekannten Gotte,
der uns unaufhörlich treibt –«

Armer Chef, der Sie noch so viel komponieren müssen, während ich mit dem Dichten nun fertig bin!! (BR 45 f)

Einleitung Benns zu »Das Unaufhörliche« 1931

I

Wir wissen von der Schöpfung nichts, als daß sie sich verwandelt –, und das Unaufhörliche soll ein Ausdruck für diesen weitesten Hintergrund des Lebens sein, sein elementares Prinzip der Umgestaltung und der rastlosen Erschütterung seiner Formen. Das ist gedanklich keine Entdeckung, jeder wird wissen, daß hinter diesem

Begriff Erlebnismaterial alter und neuer Menschheit steht. Heraklits Wogengefühl gehört hierher, daß alles fließt und daß es dieselben Flüsse nicht mehr sind, auch wenn wir in dieselben Flüsse steigen, ebenso wie der Schicksalsgedanke des Orients und der Hellenen, der darauf hinausläuft, daß auch über dem Göttergeschlecht, das die Menschen regiert, noch eine höhere weitertreibende Ordnung steht; in der deutschen Literatur ist dieser Gedanke klassisch geworden in Fausts berühmtem Wort: »Gestaltung, Umgestaltung, des ewigen Sinnes ewige Unterhaltung«, und aus unserem Jahrhundert steht Zarathustras großer Mittag über ihm: »du heiterer, schauerlicher Mittagsabgrund – wann trinkst du meine Seele in dich zurück« – dieser Mittag, dieser Abgrund »sich selber segnend als Das, was ewig wiederkommen muß: als ein Werden, das kein Sattwerden, keinen Überdruß, keine Müdigkeit kennt« denn »alles, was war, ist ewig, das Meer spült es wieder her« –, ist also das Unaufhörliche auch kein religiöser oder philosophischer Begriff, so will er doch ein universelles Prinzip sein, das seit Anfang in der Menschheit lebt und das Beziehung hat zum Schicksalhaften, daher beginnt der Text:

Das Unaufhörliche:
großes Gesetz.

Auf das Individuum angewendet ist das Unaufhörliche allerdings ein tragisches, schmerzliches Gesetz, denn das Individuum ist so, daß es das »Stirb« mehr empfindet als das »Werde«, daß es leidet, weil alles gleitet und vorüberrinnt, daher:

das Unaufhörliche:
der dunkle Trank.

Aber das Unaufhörliche ist nicht nur ein dunkles Prinzip, es zieht auch noch alles Dunkle an sich heran, es ist nicht optimistisch, es will nicht im Wohlstand leben, wo es angenehm ist, vielmehr:

wenn es in Blüte steht,
wenn Salz das Meer
und Wein der Hügel gibt,
ist nicht die Stunde,

sondern es lebt da, es verdichtet sich da zu einem Gefühl, wo die Dinge zu Ende gehn, wo ihnen »das Herz bricht vor Glück und Göttern«:

da ist wohl Farb und Stunde –,
es spricht aus Trümmern, aus vereinsamten Meeren der Mythe:
Säulen, die ruhn, Delphine,
verlassene Scharen,
die Hyakinthos trugen, den Knaben,
früh verwandelt
zu Asche und Blumengeruch –:
da wohl noch mehr.

II

Aber alle Mächte der Menschheit, die frühen wie die im Laufe der Entwicklung entstandenen, die primitiven wie die zivilisatorischen, lehnen sich gegen diesen Pessimismus auf. Die Frau fragt, soll man denn keine Kinder gebären, weil sie sterben müssen, – die Frau glaubt, daß die Liebe immer von neuem die Schöpfung sei:

frühe Stunde der Menschheit
unzerklüftet
ewig dem Herzen,
ewig der Liebe,

sie glaubt an die Liebe als die große Macht jenseits von Zeit und Untergang:

ohne Alter das Blut,
ohne Schatten der Traum,

– die Männer lehnen sich auf: ist denn die Wissenschaft, der logische Gedanke nicht etwas Großes, schafft denn der Mann, das Hirn der Höhe, nicht Ordnung, Gesetz, Dauer –; liegt denn nicht in der Kunst, sagen sie, eine tiefe, stetige Harmonie –; ist denn die Religion, sind denn die Götter nicht ewig, ewig dauernd und ewig gültig?

Ja, antwortet die Stimme des Unaufhörlichen, der Gedanke ist gewiß etwas Großes, aber:

im Kern der Dinge,
im Herz der weiten
gelaßnen Reihn
zerreißt der Worte
herrliche Formeln,

Zählen der Sterne,
der Blumen Namen:
Verwandlung.

Gewiß die Kunst ist das Wunderbarste, was die Erde besitzt, aber auch hier Vergänglichkeit:

Vergänglichkeit
von hellen Himmeln –,

und über den Göttern steht noch ein anderes, ein weitertreibendes Gesetz, eine höhere Ordnung, die auch über ihre Reiche und Geschlechter hinwegführt:

– wie viele Fluten
von Göttern nieder!
um alle Hügel
die tempelschönen
ruht Staub,
rinnt Asche
der großen Wesen.

Und nun die Liebe, dies Happy-End, diese zarte Stimmung der Fraun –: was ist sie für den Mann, – keine Liebe, keine Hingabe, erlöst ihn von dem dunklen lethischen Gedanken des Unaufhörlichen.

III

Was ergibt sich nun also aus dieser Lehre? Das Unaufhörliche, mit Tag und Nacht genährt, in seinem Lauf durch Milchstraßen und Jahrmillionen über Individuen, Völker, Rassen und Kontinente hinwegschauend – wie soll man ihm begegnen? Mit Asiens Weltabkehr, mit der alten Völker statischer Lehre von der Vernichtung der Tat; mit der Zivilisationsstaaten Kolonisationsaktivismus; mit des Individualisten Trauer über das Verhängnis des Bewußtseins, Sehnsucht nach der früheren Primitivität, Traum vom Untergang der weißen Rasse; mit der Melancholie des Großstädters, der aus den Maschinen- und Industriezentren zurückdenkt an Kindheit, Garten, agrarisch-patriarchalische Stimmungen; mit des Rationalisten Beschränktheit auf das sozial Behagliche, wirtschaftlich Einträgliche, gesinnungsmäßig platt-Opportunistische – wie begegnet der Mensch von heute dieser allgemeinen Trauer des Seins?

Wo steht er, wie verfährt er, wie hilft er sich in dieser Zeit, in der alle bisher gültigen, mit historischer Rechtfertigung versehenen Umgrenzungen des Ich, nämlich Individualitätslehre, Staat, abendländischer Kulturkreis, zu fallen scheinen; wie verfährt dieser trotz aller Biologie und Analyse immer noch unverändert rätselhafte, irrationale und unauflösbare Mensch? Eine sehr großartige Lösung wird sich für ihn wohl überhaupt nicht finden lassen in einer Zeit, die selber und als Ganzes innerhalb des universalen Menschheitsproblems mit ihrem spezifischen Intellektualismus keine der großartigsten Lösungen darzustellen scheint. Es wird sich vielleicht für ihn nichts anderes finden lassen, als was der Knabenchor zum Ausdruck bringen soll: daß nicht das Fleischliche, nicht Fraß und Paarung, für den Menschen der Triumph des Lebens ist, sondern daß trotz alles Geweses unserer Tage um das Materielle, um Komfort, Hygiene, Tempo, Rekord, Überwindung von Raum und Zeit, es innere Leistungen sind, für die wir das Bewußtsein eingeprägt erhielten, für Kräfte der Ordnung und des individuellen Verzichts. Es wird sich keine andere Perspektive finden lassen, kein anderer Ausweg aus Leben und Tod, als daß sich das Individuum wie die ganze menschliche Gemeinschaft immer wieder des unauflösbaren mythischen Restes ihrer Rasse erinnert und sich der Schöpfung übereignet, ihrem großen Gesetz, dem Unaufhörlichen.

(GW III, 594 ff)

Benn an Paul und Gertrud Hindemith [Berlin], 25. August 1931

Am Freitag betreibe ich wieder das unvornehme Geschäft eines Rundfunkvortrags. »Die neue literarische Saison.« Schade, daß Sie nicht zuhören, ich schließe: »nicht Entwicklung –: *Unaufhörlichkeit* wird das Menschheitsgefühl des kommenden Jahrhunderts sein –« Aha, wird der Fachmann denken, die Propaganda beginnt!

(BR 48)

Benn an Ewald Wasmuth [Berlin], 17. Dezember 1931

Hätte mich so sehr interessiert, was Sie zu der Aufführung [1] sagten!

1 Die Uraufführung des Oratoriums fand am 21. November 1931 in Berlin unter der Leitung von Otto Klemperer statt.

Die Sache hat mich sehr beschäftigt, die Sinnlosigkeit nämlich, gute Texte für Musik zu versuchen, das geringe Verständnis für Wortkunst, die direkten injurialen Anwürfe der Provinzpresse, der Fehlgriff im Grunde, mich der Musikwelt u. Kritik zu stellen, die für mich nicht, für die ich nicht zuständig bin. Hi[ndemith] will nun dringend mit mir weitermachen, eine Oper, aber ich kann mich nicht entschließen. Die Musik würde doch wieder die Situation äußerlich u. innerlich beherrschen, u. schließlich kann ich ja meine Verse oder Gedanken allein an den Mann bringen ohne Musik (BR 50)

Benn an Gertrud Zenzes [Berlin], 28. Dezember 1931
Sie wissen u. hören, daß es hier mit uns allen immer weiter bergab geht, das neue Jahr bringt sicher das Ende in irgendeiner Form. Wir dichten schon Oratorien u. wenden uns dem Überirdischen zu, den Text sende ich Ihnen. (BR 51)

Benn an Käthe von Porada [Berlin], 9. Juli 1933
Eine meiner Lieblingsstellen von mir ist jenes Sopransolo im 1. Teil des Oratoriums: »Wenn es in Blüte steht ...« u. s. w. So was kann man nicht machen, so was *entsteht*. Ewiger Traum, daß man etwas nicht macht, sondern daß es entsteht. (DT 121 f)

Berlin-Schöneberg, 24. September 1949
Benn an Friedrich Wilhelm Oelze
Im »Oratorium« habe ich einiges Formale korrigiert. In »Dir auch« ebenso. (UBO)

[Berlin-Schöneberg], 5. Juli 1951
Benn an Friedrich Wilhelm Oelze
Interessiert hat mich [...] einige Zeitungsausschnitte über die Aufführung des »Unaufhörlichen« in Frankfurt a. M. beim deutschen Sängerfest (in Gegenwart des Bundespräsidenten) zu bekommen (der stark Beifall klatschte, wie man las). Die Kritiker sind hinsichtlich des Textes freundlicher als es 1931 bei der Uraufführung war, sind sogar recht freundlich. (UBO)

Der Aufbau der Persönlichkeit
Erstdruck in Die neue Rundschau XLI, 11/1930

Vorbemerkung Benns 1933
Die in den beiden vorhergehenden Reden[1] zugrunde gelegte Auffassung vom Naturcharakter der Geschichte hätte keinen Sinn und keine Begründung, wenn sie nicht den Menschen als Wesen der Natur umschlösse. In diesem Aufsatz wird aus den Ergebnissen moderner Erfahrungs-Wissenschaft die Perspektive entwickelt, die den Menschen als reines Transzendenzprodukt zeigt, ihn, ohne darwinistische und lamarckistische, also intellektualistische Hypothesen anzuerkennen, als mutativ geschichtet, das heißt in immer wieder neuen transzendenten Akten und aus immer wieder neuen Schöpfungsimpulsen entstanden und ergänzt darstellt.
(GW I, 611)

Rede auf Heinrich Mann
Entstanden 1931
Erstdruck in Vossische Zeitung Nr. 75, 29. März 1931

[Hannover], 16. September 1936
Benn an Friedrich Wilhelm Oelze
Ich sandte Ihnen gestern: D[ie] Kl[eine] St[adt] von H[einrich] M[ann]. Die Unterstreichungen stammen aus der Zeit, wo ich das Buch aus Anlaß der zu haltenden Rede[1] noch einmal sehr gründlich las. (UBO)

Benn an Friedrich Wilhelm Oelze [Berlin], 24. Oktober 1941
Haben Sie die Möglichkeit, meine alte Rede auf H[einrich] Mann zu lesen? Dann tun Sie es bitte u. sagen Sie mir bitte, ob da nicht alles drin ist, was diese Jahrzehnte dann enthüllten. (BR 89)

1 »Der neue Staat und die Intellektuellen« und »Antwort an die literarischen Emigranten«.
1 Die Rede wurde am 23. März 1931 auf dem Bankett des Schutzverbandes Deutscher Schriftsteller zu Ehren von Heinrich Manns sechzigstem Geburtstag gehalten.

Benn an Friedrich Wilhelm Oelze [Berlin], 5. Dezember 1941
Anbei die Rede auf H[einrich] M[ann], die ich kürzlich erwähnte. Ich fand dieses traurige Exemplar in meinem Schrank, in den chaotischen Fächern der Vergangenheit, in denen ich manchmal etwas suche, meistens, ohne es zu finden. Bei der Gelegenheit lese ich auch manchmal alte Sachen von mir u. bin verblüfft, wie kühn manches war, aber sicher auch immer sehr abwegig und verwirrend. Erschütternd, was man damals zu sagen wagte u. was gedruckt wurde. (UBO)

Benn in »Eine Geburtstagsrede und die Folgen« [2]
Erstens der Versuch des Verfassers [3], Heinrich Mann und den Schutzverband zu veranlassen, von mir und meiner Rede öffentlich abzurücken, da sie Heinrich Mann nicht als Politiker, sondern, unzeitgemäß und nebensächlich, als Künstler gefeiert hätte. Ich vermöchte das nicht zu verhindern, aber die Voraussetzungen waren so, daß ich vom Schutzverband, dessen Mitglied ich nicht bin, gebeten war, die Rede zu halten, und zwar, wie Dr. Eloesser, der Präsident des Bundes, es bei unserer Unterhaltung darüber bei mir als selbstverständlich voraussetzte, ohne standespolitische Gesichtspunkte, seine Worte waren: »als Dichter über einen Dichter«. Das habe ich versucht nach Maßgabe meiner Kräfte zu tun, das habe ich so getan, wie jeder, der mich kennt, wußte, daß ich es tun würde. Und wenn man das in Deutschland und auf einem Fest der schriftstellerischen Welt nicht mehr tun kann, ohne von den Kollektivliteraten in dieser ungemein dreisten Weise öffentlich angerempelt zu werden, so stehen wir allerdings in einer neuen Metternichperiode, aber in diesem Fall nicht von seiten der Reaktion, sondern von einer anderen Seite her. (GW IV, 231)

Benn an Johannes Weyl Berlin, 5. Oktober 1946
Einmal kam es zu einem schweren Zusammenstoß mit Alfred Döblin, sein Inhalt wirkt heute kaum begreiflich. Ich hatte bei Heinrich

2 Erstdruck in Vossische Zeitung Nr. 88, 16. April 1931.
3 Werner Hegemann, der im Tagebuch Benns Rede zum sechzigsten Geburtstag von H. Mann (vgl. GW I, 410–418) angegriffen hatte.

Manns 60. Geburtstag auf Bitten des Deutschen Schriftstellerverbandes die Festrede beim Bankett gehalten –, eine feierliche Sache, bei der Thomas Mann und das ganze geistige Berlin anwesend waren. Es war das Jahr 1931. Ich hatte Heinrich Mann meine schrankenlose Bewunderung ausgedrückt. Die Rede stand damals in der Vossischen Zeitung, erregte heftige Debatten, vielleicht erinnern Sie sich daran. Diese Rede ist bis heute eine Arbeit, die ich als ein Positivum für mich in Anspruch nehme [...] (LPBD 169)

Benn [4] 20. April 1950

Ich habe mit Aufmerksamkeit studiert und durchdacht, was Sieburg in Nr. 7 vom 1. 4. 1950 der »Gegenwart« über den verstorbenen H[einrich] Mann geschrieben hat. Trotzdem halte ich die folgende Rede auf H[einrich] Mann, die ich zu seinem 60. Geburtstag in Berlin im Namen der deutschen Schriftsteller in Gegenwart von Th[omas] Mann und vieler anderer Prominenten hielt, aufrecht. Die deutsche Literatur meiner Generation ist in einem Maße von den frühen Romanen und Novellen von H. Mann abhängig, wie in keinem Land der Welt je eine Generation von einem Lebenden abhängig war. Diese Generation, ihr Stil, ihr Rhythmus, ihre Thematik ist nicht denkbar ohne den geradezu sensationellen Einfluß der ersten Bücher von H. Mann. Insofern kommt meiner Rede eine gewisse begrenzte historische Bedeutung zu.

Diese Aufrechterhaltung hat einen besonderen aktuellen Hintergrund. Wir – einzelne von uns, die Erfahrungen darüber besitzen – wehren uns dagegen, unsere künstlerischen Arbeiten durch politische Bemerkungen oder Stimmungen oder Stellungnahmen, die man uns nachweisen kann oder glaubt nachweisen zu können, als kompromittiert betrachten zu lassen. Wer Kunst macht, ist stigmatisiert, ist anfällig, ist im bürgerlichen Sinne nicht ernst zu nehmen. Wer Kunst macht, ist kein Stadtverordneter, lassen wir seinen Haß sich bewegen, wohin er will, wenn nur außerhalb dieses Hasses das Unvergängliche steht – Schönheit ist immer Verrat, Schönheit

4 Das folgende ist eine im Nachlaß gefundene Anmerkung zu der Rede. Das Typoskript, signiert GB und datiert 20. April 50, besitzt Frau Dr. Ilse Benn.

ist seltener als Uran, wer will kann ihr aus dem Weg gehn, wer politisch arbeiten will, kann über sie hinwegsehn, wer dem Tode nicht anheim gegeben sein will, um mit Platen zu reden, kann den Blick auf sie vermeiden.

Gewisse Typen aber haben nicht die Absicht, diesen Blick auf sie zu vermeiden. Ebensowenig wie den auf Hamsun, den auf Nietzsche wegen gewisser Sätze im Ecce Homo, wie auf Hölderlin wegen einiger Seiten aus Hyperion. Platen meint: die Schönheit – das ist Gorgo, das todbringende Haupt. Aber wir haben nur die Wahl: Gorgo oder das Nichts, Gorgo oder das Banale, die Gorgonen, eine von ihnen hieß Medusa und aus ihrem Haupt entsprang, gezeugt von Poseidon, Pegasus, das geflügelte Pferd. Und sagt der von Sieburg zitierte Vers Mörikes etwas anderes: »was aber schön ist, ewig erscheint es in sich selbst«. Daß bei H. Mann Schönheit ist, daran ist kein Zweifel. Daß hinter ihm D'Annunzio steht, ist evident, aber auch »Feuer« ist eine der unvergänglichen Schönheiten der Epoche. Daß H. Manns Option für den Osten auch mich mit Mitleid erfüllte, will ich bekennen. Aber er bleibt »der Meister, der uns alle schuf«.

Übrigens wird, wer die Rede liest, sofort inne werden, daß sie nur die frühen, die italienischen Werke des Autors zugrunde legt, als er sie nach Deutschland verlagerte, verlegte sich die Schönheit nicht mit. Eine Parallele zu dieser merkwürdigen Gebundenheit selbst großer Autoren an ein bestimmtes geographisches Milieu sind Conrad und Kipling, die ihren Rang nicht hielten, wenn sie Romane schrieben, die in London spielen, und Hamsun, wenn er sich in ein Zivilisationsmilieu begibt wie in »Das letzte Kapitel«.

(GW I, 623 ff)

Irrationalismus und moderne Medizin
Entstanden 1931 [?]
Erstdruck in Die neue Rundschau XLII, 12/1931

Vorbemerkung[1] 1933

Ein Arzt, in dem die Vorahnung der sich vollziehenden anthropologischen Verwandlung seit langem lebt, stellt sich die Frage, kann er es innerlich noch verantworten, den alten menschlichen Typ, den reinen Versorgungs- und Genußtyp, weiterzubehandeln und zu heilen, hat es Sinn, immer neue Heilmethoden zu erfinden und anzuwenden, um diesen Typ einer so niederen Gesellschaftsgesinnung wieder zuzuführen, die im Individuum nichts weiter sieht als Pferdekräfte, Muskulatur, Ware, Schlacke, Geschäft? (GW I, 613)

Goethe und die Naturwissenschaften
Entstanden 1931
Erstdruck in Die neue Rundschau XLIII, 4/1932

Benn an Ewald Wasmuth [Berlin], 17. Dezember 1931

Der *Goetheaufsatz* war schwer! Uff! Darlegen u. auseinanderfalten ist ja nicht meine Stärke, der ich mehr für Ausdruck u. Stoffvernichtung bin. 20 werden ihn zu Ende lesen, davon 10 sagen: dilettantisch, weil ich kein Privatdozent bin, 8: langweilig, weil es keine Verse sind. Die restlichen 2 sagen: ganz nett, aber ich hätte es besser gekonnt. (BR 50)

Vorbemerkung[1] 1933

Die Ablehnung des europäischen Intellektualismus beginnt bei Goethe. Sein Kampf gegen Newton war der Kampf gegen den Physikalismus, die instrumentell und formelhaft erzeugte Welt.

1 Vorbemerkung Benns zur Veröffentlichung in »Der neue Staat und die Intellektuellen«, 1933.
1 Das folgende ist die Vorbemerkung, die Gottfried Benn für die Veröffentlichung des Essays in »Der neue Staat und die Intellektuellen« (1933) schrieb.

Newton hatte Recht insofern, als er nichts hervorbrachte, was nicht andere Wissenschaftler nachprüfen konnten, er schuf jene Vorstellung von »objektiver Welt«. Wie wenig es eine solche gibt, wie sehr sie immer wieder der existentiellen und transzendenten unterliegt, zeigt zwar die heutige Stunde der Geschichte, aber in der Wissenschaft lebt sie grundsätzlich fort. Diese objektive, die antigoethesche Welt wird heute getragen von den sogenannten Realwissenschaften, das sind die naturwissenschaftlichen Einzelfächer. Als die einzige Forderung, die sie zu erfüllen haben, wird neuerdings von ihren Autoritäten hingestellt: Prophezeiungen zu ermöglichen. Prophezeiungen ermöglichen, also Erfolge berechnen, Chancen auskalkulieren –: das hat mit Erkenntnis gar nichts mehr zu tun, das sind reine Geschäftsprinzipien. Die Beziehungen zwischen Induktion und Industrie, über deren Anfänge dieser Aufsatz eindringlich spricht, sind damit am Schluß der Epoche jedenfalls ganz eindeutig. Goethe sah die Natur ohne Verwertungsspekulationen, antik, großartig und ohne die späte zivilisatorische Aufteilung in Idee und Realität. (GW I, 614 f)

Benn an Friedrich Wilhelm Oelze [Berlin], 17. August 1948

Einen Goetheaufsatz habe ich aber bestimmt nicht vor. Kenne den Altmeister nicht gut genug, ergötze mich nur privat an ihm. Der damalige Aufsatz war im Rahmen des geplanten Heftes der »Neuen Rundschau« bei mir bestellt u. in Auftrag gegeben. (UBO)

Benn an Egmont Seyerlen [Berlin], 8. Januar 1949

Der Goethe-Aufsatz, dessen Sie freundlicherweise gedenken, wird vom »Arche«-Verlag, Zürich, neu herausgebracht; ich weiß nicht, ob ich darüber verfügen kann. (UBS)

[Berlin-Schöneberg], 5. Juni 1949

Benn an Friedrich Wilhelm Oelze

Bekam heute endlich vom Archeverlag die Korrektur vom Goetheaufsatz, las ihn sogar, war erstaunt, daß er mir nicht mißfiel, vielmehr trotz 17 Jahre Zwischenzeit noch die Kernfrage zu beleuchten schien. – (UBO)

Benn an Ernst Robert Curtius Berlin, 7. Juni 1949

Ich habe den Arche-Verlag in Zürich gebeten, Ihnen, wenn kein fertiges Exemplar, so einen Umbruch meines Aufsatzes über »Goethe und die Naturwissenschaften« noch zuzusenden, der 1932 in dem berühmten Heft der »Neuen Rundschau« stand, das daneben nur Beiträge von Hauptmann, Th. Mann, Gide, Hesse, Ortega und Gundolf und Wassermann enthielt, und den die Arche jetzt als neuen Druck herausgibt. Er enthält das jetzt auch wieder hinsichtlich Jaspers aktuelle Thema Goethe und die induktiven Naturwissenschaften, wie mir scheint, trotz 17jähriger Zwischenzeit, in aller Problematik dargestellt. (BR 158)

[Berlin-Schöneberg], 20. Juni 1949

Benn an Friedrich Wilhelm Oelze

Schrieb ich Ihnen, daß ich auf Herrn Schifferlis Bitte hin ein – sehr kurzes – Vorwort noch verfaßte im Hinblick u. mit Bezug auf den Streit C[urtius] – J[aspers]. Ich blieb aber sehr zurückhaltend, »ohne mich in die Erörterung so großer europäischer Geister einschalten zu können –«. Das Buch soll nun in 3–4 Wochen erscheinen.

Mit Curtius stand ich in der vorigen Woche im mehrfachen Briefwechsel. Ich hatte ihm einen Abzug vom Archeverlag schicken lassen, damit er noch vor seiner Amerikareise ihn zur Kenntnis nimmt (da er dort doch über Goethe – 2000 m über dem Meer – »predigen« soll, wie er schrieb[)]. Netterweise bedankte er sich sofort u. schrieb nach der Lektüre: »Die Arche verdient ihren Namen, da sie solche Kostbarkeit wie Ihren Goetheaufsatz rettet.« Klingt erfreulich. (UBO)

Benn an Erich Pfeiffer-Belli [Berlin], 3. Juli 1949

Im Arche-Verlag in Zürich erscheint in diesen Tagen mein Aufsatz »Goethe und die Naturwissenschaften« neu, der 1932 sehr viel Beifall fand und jetzt aus Anlaß des Jaspers-Curtius-Streits wieder aktuell ist. Er ist vielleicht meine abgeklärteste und objektiv weittragendste Arbeit, die mir auch heute noch gefällt (was bei mir sehr selten ist). (BR 162)

Nachwort[2] 1949

Der im folgenden von Herrn Schifferli neu herausgegebene Aufsatz erschien 1932 in dem berühmtgewordenen Aprilheft der »Neuen Rundschau« (S. Fischer-Verlag, Berlin), an dem zur Feier von Goethes hundertstem Todestag folgende Autoren in folgender Reihenfolge mitgearbeitet hatten: Gerhart Hauptmann, Thomas Mann, ich, Gundolf, Emil Ludwig, André Gide, Hermann Hesse, Jacob Wassermann, Johannes V. Jensen, Ortega y Gasset, Rudolf Kayser. Der Glanz von fünf Nobelpreisträgern liegt über diesem Heft.

Das Thema, das mir zur Bearbeitung von der Redaktion übertragen war, ist heute von neuem aktuell durch die Auseinandersetzung zwischen Prof. E. R. Curtius und Prof. Jaspers, die die gesamte deutsche Öffentlichkeit ungewöhnlich erregt. Nach der Darstellung von Curtius in der Zürcher »Tat« ist einer der drei Punkte, die Jaspers als Versagen Goethes bezeichnete an erster Stelle: »Ablehnung der modernen Naturwissenschaft (Newton)«. Gerade hiervon handelt der vorliegende Aufsatz. Ohne mich in die Kontroverse so bedeutender europäischer Geister einschalten zu können, da ich dem Thema weder als professioneller Philosoph noch Biologe noch Goetheforscher gegenübertreten konnte, sondern ihm nur als Erleber und darstellender Schriftsteller gerecht zu werden versuchte, habe ich bei der jetzigen Betrachtung der Arbeit doch den Eindruck, als ob sie die in den Erörterungen der beiden Universitätskapazitäten zur Diskussion gebrachte Kardinalfrage nach dem Wesen und der Bedeutung der modernen Naturwissenschaften nicht völlig verkannt, – und ihre Behandlung liegt, um es gleich zu sagen, in einer Richtung, die der Curtiusschen nahekommt. Darüber hinaus wird aber dem Leser wahrscheinlich gegenwärtig werden, daß es sich um eine Frage handelt, die weder ein Philosoph noch ein Physiker beantworten kann, da es sich um eine jener Fragen handelt, auf die es eine Antwort überhaupt nicht gibt, vor der vielmehr Erlebnis und innere Erfahrung alles ist. (GW IV, 405 ff)

2 Die Ausführungen Gottfried Benns waren ursprünglich (vgl. Brief an Oelze vom 20. Juni 1949) als Vorwort gedacht, wurden dann aber vom Verleger versehentlich an den Schluß des Aufsatzes gesetzt (vgl. Brief vom 30. Juli 1949).

[Berlin-Schöneberg], 30. Juli 1949

Benn an Friedrich Wilhelm Oelze

Heute erhielt ich das 1. Exemplar des *Goetheaufsatzes*, aber mit persönlicher Widmung und Dankesworten von Herrn Schifferli, sodaß ich es nicht weiter an Sie senden möchte. Aber das nächste Exemplar sende ich an Sie. Verkehrt ist, daß das Vorwort (Curtius-Jaspers) als *Nachwort* steht u. dadurch, wie Sie merken werden, mit einem falschen Einsatz beginnt, obschon ich mehrfach bei Korrectur darauf hinwies. (UBO)

Benn an Ernst Jünger [Berlin], 8. Dezember 1949

Den beifolgenden Goetheaufsatz (s. Nachwort) aus dem Grunde, weil Ihre Theorie des Weiß (S. 14)[3] dem Goetheschen Weiß (s. mein Aufsatz S. 30/31) so sehr entspricht. (BR 183)

Benn an Peter Schifferli Berlin-Schöneberg, 26. April 1950

Der Aufsatz über Goethe würde wohl in Deutschland ein gewisses Interesse finden bzw. gefunden haben, aber nun ist seine Zeit vorbei, lassen wir ihn mitströmen in den Fluß, der in Lethe oder in den asphodelenumsäumten Hades mündet. (BBS 14)

Der neue Staat und die Intellektuellen

Entstanden 1933
Rundfunkrede, gehalten 24. 4. 1933
Erstdruck in Berliner Börsenblätter 25. 4. 1933

Vorwort[1] 1933

Das Resultat meiner fünfzehnjährigen gedanklichen Entwicklung stelle ich an den Anfang: die beiden Rundfunkreden für den neuen deutschen Staat. Sie haben mir eine Menge Zustimmung, aber auch eine Menge Bedrohungen, Angriffe, Beleidigungen eingebracht. Die Angriffe haben vielfach den gleichen Inhalt: ich sei früher links

3 Im Roman »Heliopolis« (1949).

1 Für die Veröffentlichung in den »Berliner Börsenblättern« schickte Benn das folgende Vorwort.

gewesen, jetzt riefe ich Heil Hitler. Es muß nun an sich schon ein kärgliches Vergnügen sein, das Gelingen, jemandem eine Wandlung »nachzuweisen«; so viel Reste von Mechanität, sturen Produktionsvorstellungen, inneren Verkümmerungsresten sprechen sich darin aus, daß man einem derart Genießenden nur ungern sachlich entgegentritt. Darum will ich auch nur kurz sagen, ich bin nie links gewesen, nicht eine Stunde, die Behauptung ist absurd. Das Schöpferische ist weder rechts noch links, sondern immer zentral. Ich habe immer das Leben gleich angesehen: als tragisch, aber mit der Aufgabe, es zu leben. Ein Satz, den ich vor mehreren Jahren schrieb, spricht es aus: »Das Leben ist ein tödliches Gesetz und ein unbekanntes. Der Mann, heute wie einst, vermag nicht mehr, als das Seine ohne Tränen hinzunehmen!« Dieses an der Antike gebildete Gefühl stand über jeder meiner Stunden.

Es steht auch über diesem Buch, in dem die neueren Arbeiten mit früher erschienenen vereinigt sind, um ein gemeinsames Thema durchzuführen: die seit langem sich vorbereitende Verwandlung des inneren deutschen Menschen, sein letztes Jahrhundert. Alles, was heute politisch und empirisch sichtbar wird und Form gewinnt, ist ja nur der Ausdruck dieser Verwandlung, sie selber ist jenseitig, kausallos, transzendent, eine innere Macht stößt in ihr vor. Antik ist die Härte, mit der ihr Vordringen angesehen wird ohne Rücksicht auf Individuen, Generationen, Leistungen, die sie vernichtet. Was vernichtet werden soll, ist, um es noch einmal ganz banal auszudrücken, der Intellektualismus und die in ihm verwurzelte Zivilisation. Das ist tausendmal ausgesprochen und wird täglich wiederholt. Diese Aufsätze aber sollen auf die innere Anstrengung hinweisen, mit der es erfolgte, und auf die Positionen, und es stellt sich heraus, daß die älteren die überlegenen sind.

Politisch – geistig – biologisch – es ist alles gar nicht mehr zu trennen –: man kann es auch so ausdrücken, die pastoralen Völker erheben sich gegen die artistischen, die panischen gegen die sublimierten, die primitiven gegen die überschichteten –: halt –: nicht die primitiven, sondern solche, die wieder primitiv werden wollen oder in Anbetracht neuer Wirtschaftsformen wieder primitiv werden müssen –, aber wird ihnen das gelingen nach der Triebaufspaltung durch die kolonialen und kosmopolitischen Jahrhunderte? Was heißt überhaupt primitiv? Ist überhaupt alles Intellektualismus, was im *Begriff* die Grundlage des menschlichen Geistes sieht, ist überhaupt alles *destruktiv*, was sich für das praktische politische Handeln nicht sofort als *konstruktiv* erweist, wo trennt sich der Gedanke von der Rasse und ihrem Recht, wo und wann darf die Geschichte ihn eliminieren –: das alles sind Fragen, alles das sind Kämpfe, das ist die Erschütterung, das ist die Krise, in der jedenfalls die heutige Generation für den Rest ihres Lebens steht. Alle politischen Anstrengungen des neuen Staats gehen daher auf das eine innere Ziel: Anreicherung einer neuen menschlichen Substanz im Volk, Grundlegung eines neuen opferfähigen Lebensgefühls, eines heroischen, weil es durch Abgründe und Verluste wird gehen müssen –, Anreicherung mittels der modernsten – oder wie wir sehen werden, urältesten – Methoden: Eliminierung und Züchtung. Man kann das alles gar nicht weittragend genug sehen. Ein Mißlingen fiele gar nicht mehr unter den Begriff der Katastrophe, solche Vorstellung gäbe es dann schon nicht mehr. Es müßten sich neue Begriffe bilden, in denen die Vernichtung von Jahrhunderten und die Zermalmung der weißen Rasse liegt. Nur der entschlossenste Ernst darf überhaupt an diese Dinge rühren, sie sind letal. Die vorgelegten Aufsätze versuchen jedenfalls, ununterbrochen diesen Ernst zu dokumentieren. (GW IV, 393 ff)

Wo keine Träne fällt
Entstanden 1933
Erstdruck in Die Literatur XXXVI, 8. September 1933

Benn an Ina Seidel [Berlin], 7. November 1933
Ich hätte Ihnen auch gerne ein Gedicht gesandt, im Oktoberheft der »Literatur«, »wo keine Träne fällt«, da es ausging von meiner letzten Karte an Sie[1] im Sommer: die Melancholie. Aber Lyrik ist so privat, man *muß auf sie stoßen,* zufällig oder schicksalhaft, sonst gelangt man nicht zu ihr. So unterließ ich es. (BR 56)

1 Vom 6. August 1933. Vgl. »Ausgewählte Briefe« 1957, S. 55.

Expressionismus
Entstanden 1933
Erstdruck in Deutsche Zukunft 5. November 1933
(unter dem Titel: Bekenntnis zum Expressionismus)

Benn an Käthe von Porada [Berlin], 7. November 1933
Bitte dirigieren Sie den Aufsatz an Kokoschka, der ihn als Antwort auf seinen Brief auffassen möge. Der Aufsatz erregt hier das allergrößte Aufsehen. Er ist ja auch grundlegend. Er hat mich viel innere Leistung gekostet. (DT 143 f)

Benn an Ina Seidel [Berlin], 7. November 1933
da ich gerade in Ihrem neuen Buch lese und von Ihrer Atmosphäre umfangen die Abende verbringe, erlaube ich mir, Ihnen diesen eben erschienenen Aufsatz zu senden, obschon er Ihnen fremd u. z. T. feindlich erscheinen muß. (BR 56)

Benn an Friedrich Wilhelm Oelze [Berlin], 24. November 1934
Die Worte im Anfang des »Expressionismus« [1] sind aus dem vorigen Jahr, als noch viel Glaube, Liebe, Hoffnung war, heute würde ich sie gewiß nicht schreiben. Heute würde ich schreiben: »die Fresse von Caesaren und das Gehirn von Troglodyten.« (VBO)

1 »Das Maß an Interesse, das die Führung des neuen Deutschlands den Fragen der Kunst entgegenbringt, ist außerordentlich« (s. »Kunst und Macht«, S. 59).

Rede auf Stefan George
Entstanden 1934
Erstdruck in Die Literatur XXXVI, 7. April 1934

Berlin S. W., 25. April 1934

Benn an Friedrich Wilhelm Oelze
Die Rede auf George, deren Schluß Sie in der DAZ [1] lasen, steht im Aprilheft der »Literatur« [2], sie steht mir schon wieder so fern, daß ich sie Ihnen nicht mehr schicke. (UBO)

Benn an Ina Seidel [Berlin], 26. April 1934
Ich will Ihnen nun gratulieren zu Ihrem schönen Vortrag im Aprilheft der »Literatur«, es berührt mich sehr, daß wir beide im gleichen Heft *eine* Gesinnung verkünden: Hände weg von der Kunst. Es ist mir eine Führung u. Bestätigung, daß ich mich darin nicht irrte, wenn ich es aussprach. (BR 57)

Berlin S. W. 61, 1. Januar 1935

Benn an Friedrich Wilhelm Oelze
Las eben die Georgerede [. . .] bin entsetzt! Was für ein deutsch! Schwerfällig, subaltern, »murklich«. Mein Gott, was für ein Biedermann bin ich! Offenbar kann man doch nur in Lyrik sprechen u. leben. (UBO)

1 Deutsche Allgemeine Zeitung, 14. April 1934.
2 Dort findet sich folgende Anmerkung:
»Hanns Johst als Präsident hatte Gottfried Benn beauftragt, bei der Trauerfeier der Deutschen Akademie der Dichtung für George die Gedächtnisrede zu halten. Die Feier fand aus äußeren Gründen nicht statt«.

Dorische Welt
Entstanden 1934
Erstdruck in Europäische Revue X, 6/1934
[gekürzter Vorabdruck]

Benn an Friedrich Wilhelm Oelze [Berlin], 13. Juni 1934
Die Schlußsätze aus »Dorische Welt« sind unsere gemeinsamen Bekannten[1]. Ich zitiere sie zum ersten Mal in meiner Rede auf H[einrich] Mann. (UBO)

Benn an Friedrich Wilhelm Oelze [Berlin], 18. November 1934
Es liegt schon alles wieder so weit hinter mir, kommt mir so ungelungen vor, so infantil[2]. (VBO 443)

Kunst und Macht
Erstdruck 1934

Benn an Ina Seidel [Oberstdorf/Allgäu], 30. September 1934
Von Ihnen erscheint ein Aufsatzbuch, von mir auch. In meinem stehn Sätze, die sehr bedenklich sind. Wenn man mich aus der A[kademie] entfernte – ich wäre so froh. Das Buch wird mir viele neue Feinde machen, ich sehe es voraus, aber die Jahre oder Monate, die man noch lebt, es lohnt sich wirklich nicht zu verkleistern u. zu verschmieren. Der Geist und die Kunst kommt nicht aus sieghaften, sondern aus zerstörten Naturen, dieser Satz steht für mich fest, u. auch, daß es eine *Verwirklichung* nicht gibt. Es gibt nur die Form u. den Gedanken. Das ist eine Erkenntnis, die Sie bei Nietzsche noch nicht finden, oder er verbarg sie. Seine blonde Bestie, seine Züchtungskapitel sind immer noch Träume von der Vereinigung von Geist u. Macht. Das ist vorbei. Es sind *zwei* Reiche. Solange man sich darüber täuschen kann, mag man es tun. Wenn man es aber nicht mehr kann, ist es zu Ende. (BR 61)

1 G. Flaubert, F. Nietzsche.
2 Der Essay »Dorische Welt«.

Benn an Nele P. Soerensen [Berlin], 25. Oktober 1934

Mein neues Buch ist erschienen u. erregt bereits große Mißstimmung. Ich bin ganz isoliert. Die Zeitungen nennen mich »eigenwillig«, »höchst eigenwillig« – das ist ein Verlegenheitswort u. soll heißen: »er ist uns etwas zu gefährlich, zu stark persönlich, zu ›genial‹ «. Wir wollen uns etwas von ihm distanzieren. Seine Nähe sendet kalte Strahlen aus, Todesstrahlen u. die dürfen wir unseren Abonnenten u. vor allem Inserenten nicht zumuten. Todesstrahlen – die gefährden das Geschäft, die Prosperity. – – – Und sie haben recht. Aber habe ich deswegen unrecht?? (MVB 40 f)

[Hannover], 24. April [1935]

Benn an Ellinor Büller-Klinkowström

In der Basler Zeitung am Ostersonntag ganz langer Aufsatz über mein letztes Buch. Natürlich mich mies gemacht, herabgesetzt, aber 4 Spalten immerhin u. sehr eingehend. Interessant, wie sie gewisse Zusammenhänge nicht wahrhaben *wollen,* z. B., daß der Staat die Kunst auch mitschafft, statt zu behaupten, daß er sie nur unterdrückt, das wollen sie nicht wissen. Das ist gegen ihr demokratisches – liberalistisches – pazifistisches Gefühl, das Macht immer als unethisch ansieht u. als feindlich (trotzdem sie ihr Kapital gern von ihr beschützen lassen) oder z. B. die Dämlichkeit: *Form* immer gleichzusetzen mit Starrheit, Sturheit, Erstarrung, Leblosigkeit. Also das, worüber ich mir den Mund fusselig geredet habe: daß Form die Erscheinung der Schöpfung ist, das wollen sie nicht wissen . . .
(DT 164 f)

Sein und Werden
Entstanden Januar 1935
Erstdruck in Die Literatur XXXVII (1934/35), 13. Februar 1935

Benn an Friedrich Wilhelm Oelze [Berlin], 30. Januar 1935

Als Ihr letzter Brief kam, vorgestern – – tausend Dank – – traf es sich wiedermal, daß ich gerade das, was Sie beschäftigte, in einem Aufsatz schrieb, beschrieb. Es ist über das bald erscheinende neue

Buch von Evola [1], (bei meinem Verlag), das ich besprechen soll. Im Märzheft der »Literatur«. Manches davon wird Sie berühren, da es zuerst in jenem Brief an Sie auftauchte im Herbst [2]. Er handelt von der Geschichte u. von der Lage des Geistes. Und von den Mönchen. Und dem Dualismus, den man nun endlich bekennen soll: transcendentes Leben oder Verwirklichungsleben. »Es giebt *zwei* Welten«, die unausgleichbar ⟨?⟩ geworden sind. Geist-verwirklichen; -- unmöglich, wie Wärme zurückentwickeln, verstößt gegen das Gesetz der Entropie. Darin ist Nietzsche überholt. Ziemlich apokalyptischer Aufsatz. Kein Kunststück, da Evolas Buch wirklich grandios ist. Man kann es nur in ganz große Linien setzen.

(UBO)

Benn an Friedrich Wilhelm Oelze [Hannover], 17. Februar 1935

Hier ist ein neuer Aufsatz [3]. Mit viel Ärger verbunden. Ich habe Leine ziehen müssen um meines Verlegers willen [4], das Buch kostet M. 9, also bedeutende Investierung von Kapital, ich darf es nicht gefährden. Daher gewisse Zusätze, Korrekturen u. selbst davon hat man, wie ich höre, noch zwei Sätze auf S. 8 gestrichen. (UBO)

Benn an Max Bense Berlin, 17. Februar 1935

Im Märzheft der »Literatur« steht ein Aufsatz von mir über das Buch von *Evola,* das jetzt erscheint u. das Sie vielleicht interessiert. Ich gehe dem Begriff der *Geschichte* zu Leibe, diesem Popanz. Habe allerdings sehr modifizieren müssen, Sie verstehn. (BR 63)

1 J. Evola, »Erhebung wider die moderne Welt«, Deutsche Verlags-Anstalt, Stuttgart–Berlin, 1935.
2 Vgl. Brief vom 24. 11. 1934, abgedruckt in »Merkur«, XV (1961), S. 444 ff.
3 »Zu einem Buch über Geschichte«.
4 Deutsche Verlags-Anstalt, Stuttgart. Verleger lehnte Druck ab. Da das Originalmanuskript nicht mehr vorhanden ist, sondern nur noch ein Fahnenabzug im Besitz von F. W. Oelze, der mit dem Druck identisch ist, lassen sich die zwei gestrichenen Sätze nicht mehr feststellen.

Benn an Friedrich Wilhelm Oelze [Berlin], 9. März 1935

Also Evola ist wohl noch nicht erschienen, ich habe auch noch kein Exemplar bekommen. Wer die Streichungen vorgenommen hat, weiß ich auch nicht. Ohne mich zu fragen! Rührend, Angst entschuldigt alles. Dies war die Geschichte, jetzt kommt »das Leben« dran. (UBO)

Gedichte
Erstdruck Januar 1936

Hannover, 10. November 1935

Benn an Ellinor Büller-Klinkowström

Nächstens erscheinen ein paar neue Gedichte von mir, in einer Art Folge oder Bändchen in einem ziemlich obskuren Unternehmen, das mich gebeten hatte (ich tue es absichtlich, um z. Z. nicht stark hervorzutreten u. aufzufallen). – Die werde ich Oelze widmen, mehr unseren Beziehungen, sie sind ja wirklich allmählich das einzige Geistige, das aus meiner früheren Welt in die jetzige hineinragt. Sonst ist doch alles tot u. man selber doch völlig abgehängt von d. Öffentlichkeit. Gott sei Dank, von *der* Öffentlichkeit.

(DT 172)

[Hannover], 8. Dezember [vermutlich 1935]

Benn an Ellinor Büller-Klinkowström

Natürlich hätte ich Dir, Mor, die Gedichte widmen sollen, aber das kommt noch. Der Unvergängliche wird sich nicht lumpen lassen.

(DT 177)

[Hannover], 26. Dezember 1935

Benn an Friedrich Wilhelm Oelze

Das Haus »am Saum des nordischen Meers« [1] ist das Haus, in dem meine Tochter lebt u. in dem ich oft, jährlich 2–3 mal, war, am Oeresund, dänisch, mit viel internationalem Verkehr, englisch orientiert. (UBO)

1 Entstanden 1935.

Benn an Friedrich Wilhelm Oelze [Hannover], 2. Januar 1936

Ein Leser machte mich auf einen Druckfehler aufmerksam, der mich besonders ärgert, da er eines meiner Lieblingsgedichte[2] betrifft. Nr. 2, Reihe 2, beginnt natürlich: »mi*t* Dir«; »mi*r* Dir« ist ja Quatsch. (UBO)

Benn an Friedrich Wilhelm Oelze [Hannover], 6. Februar 1936

Gedichtband[3] wird schon gedruckt. Titel vacat. Suche einen ganz bescheidenen, lautlosen, sind ja doch alles olle Kamellen u. interessiert niemanden. Vielleicht: »Stunden, Ströme.« (UBO)

[Hannover], 1. November 1936

Benn an Friedrich Wilhelm Oelze

Grauer Sonntag – –, Allerheiligen. Grauer Sonntag, – Allerheiligen, 1915, traf ich mich zum letzten Mal mit meinem kleinen Bruder in Brügge, ich kam von Brüssel, er aus der Flandernfront[4] ... saß mit mir in einem verdunkelten Café, schweigsam, hoffnungslos, vertiert, sämtliche Kameraden von 1914 tot, kein Tag Urlaub bisher, von einer unsäglichen Traurigkeit wir beide. Kurz darauf kam er nach Galizien u. fiel auf »Höhe 317«[5]. Immer an diesem Tag, grauer Sonntag, Allerheiligen: »Les Toussaints«, sagten die Belgier u. Franzosen, denke ich an ihn und diesen dunklen Nachmittag in Brügge. Ach, es ist ja alles unausdenkbar. (UBO)

2 »Noch einmal«, entstanden 1934.
3 Gottfried Benn, Gedichte. Das Gedicht. Blätter für die Dichtung. 2. Jg., 7. Folge Januar 1936. cf Gedicht: »Noch einmal«. Der Band enthält die folgenden Gedichte: »Die weißen Segel«, »Noch einmal«, »Am Saum des nordischen Meeres«, »Dein ist«, »Doppelkonzert«, »In Memoriam Höhe 317«, »Träume«, »Astern«, »Liebe«, »Ach, das Erhabene«, »Tag, der den Sommer endet«, »Turin«, »Einst«, »Das Ganze«.
4 Im gleichen Brief wird von diesem Bruder noch gesagt, daß er Kriegsfreiwilliger gewesen wäre, an 140 Schlachten und Gefechten, darunter Langemark, teilgenommen habe; er sei 22 Jahre gewesen, habe sehr französisch ausgesehen, weder E. K. erhalten noch Unteroffizier geworden.
5 »In memoriam Höhe 317«; zuerst veröffentlicht in »Eckart« X, 1/1934.

Ausgewählte Gedichte 1911–1936
Erstdruck Stuttgart, Berlin März 1936
2. »gereinigte« Ausgabe Stuttgart, Berlin
[November? Dezember?] 1936

Benn an Friedrich Wilhelm Oelze Hannover, 13. Januar 1936
Eine mich sehr begeisternde Idee von Ihnen ist die, die ich gerne in Anspruch nehmen würde, daß *Sie* die Gedichte für die geplante Sammlung [1] aussuchen! Wollen Sie es tun? Etwa 50 Gedichte, denke ich. Haben Sie die »Literatur« Oktober 33 mit 10 Gedichten? [2] »Literatur« November 34? [3] Oratorium das Unaufhörliche? Daraus möchte ich einiges nehmen (Sopransolo I Akt; Terzett, Einleitungschor, Schlußchor). Wollen Sie sich damit beschäftigen? Es wäre mir unendlich viel wert! (UBO)

Benn an Friedrich Wilhelm Oelze [Hannover], 19. Januar 1936
Wie finden Sie es, wenn ich dem Gedichtband (natürlich Deutsch. Verl. Anst.) einen Titel gäbe, einen Vers, der etwas aussagt, bzw. etwas aussagen soll oder möchte? Wenn ich ein Motto für diese Sammlung mir bedenke, ein Stichwort für dies Panoptikum lyricum, einen Ruf über sie alle, wäre es vermutlich:

entweder: »Leben ist Brückenschlagen
über Ströme, die vergehn«
(aus »Schleierkraut«)
oder: »Du mußt dir alles geben
Götter geben dir nicht –«
oder: »Dein ist Leiden u. Denken
so empfängst du das Sein«
oder: »Dennoch die Schwerter halten
vor die Stunde der Welt«

1 »Ausgewählte Gedichte, 1911–1936, 1. Aufl. März 1936.
2 Enthält die Gedichte: »Dennoch die Schwerter halten«, »Wo keine Träne fällt«, »Studium zum Oratorium«, »Du mußt dir alles geben«, »Das Unaufhörliche«, »Sils Maria«, »Die Schale«, »Ein Land«, »Immer schweigender«, »Durch jede Stunde«, »Mann« (S. 12–15).
3 Enthält die Gedichte »Am Brückenwehr I–IV« (S. 72–73).

Aber alles keine Buchtitel u. nicht als Nennung zu verwerten, am ehesten noch: »dennoch die Schwerter halten« – Wie denken Sie? Eine naive Frage, werden Sie denken! Soll ich dem Mann auch noch seine Gedichtbände nennen! Allerlei! Von den letzten Gedichten, Ihren, haben folgende aus meinem Kreis den ersten Preis erhalten:

Einst
Träume
Turin (UBO)

Benn an Friedrich Wilhelm Oelze Hannover, 24. Januar 1936

Habe Ihnen unendlich zu danken, lieber Herr Oelze. War keine »List«, in keinem Wort. Ihre Reihe ist sehr gut. Ich nahm gestern Abend daraufhin den Gedichtband[4] vor, las die des I Teils, die ich seit 10 Jahren nicht mehr las; war verblüfft, stand vor Rätseln. Nämlich, daß ja ganz entschieden einmal in meinem Kopf u. Gedankenleben Originalität, fast Genialität war, und gleichzeitig tiefe, tiefe Trauer, daß man das [alles], ja eigentlich gerade das, was wirklich originell war u. auf neue Zusammenhänge u. Überschichtungen des Gefühls deutete, heute vollkommen verleugnen muß, streichen, fallen lassen. Ich saß lange, bis hoch in die Nacht, u. wollte die Absicht des Buches aufgeben. Unendliche Scham über meinen Abstieg und zu langes Leben, Über-leben, unendliche Trauer über den Verrat, den ich an mir zu begehen plante, warf mich um. Was für eine ungeheuere Fraglosigkeit eigenen Seins, eigener Wurzeln, eigener Früchte, Sicherheit ohne zu zaudern, vielfach: ohne zu wissen; Greifen u. Finden, Sehn u. Ausdruck finden ganz für sich allein, in seine eigene, noch nie erschienene, von niemandem geteilte, Welt hinein, Herabholen u. Ausrichten neuer Räume der Gestaltfindung. Ich spreche wie von einem Toten, nein nicht: wie *zu* einem Toten. Wie ohne jede Scham ist dieses Leben, das ich führe, gegenüber dem Zustand von einst. Bodenloser Gram befiel mich. Ich fand Gedichte, die ich seinerzeit als sehr maniriert [u.] ⟨?⟩ beiläufig ⟨?⟩ empfand, gestern ganz besonders interessant: »Plakat«. »Instrument«. »Psychiater«[5]. Wie bin ich bloß auf so

4 Gesammelte Gedichte. Verlag Die Schmiede. Berlin 1927.
5 Vgl. GW III, 39, 387, 385; GW I, 39.

unglückliche Vergleiche, Worte, Zusammenstellungen, Erlebnisse gekommen, wie beweglich muß noch alles in mir gewesen sein, jung, unbeschwert, leichtsinnig, schwärmerisch.
Ich werde vielleicht den Band mit einem Gedicht beginnen, das ich sehr liebe u. nach ihm den ganzen Titel nehmen: *Karyatide*. Gefiel es Ihnen? Ich bin noch nicht sicher, aber vielleicht. Im Wesentlichen chronologische Ordnung. Nur Anfang u. Schluß stilisiert.

I

I Karyatide
II Kretische Vase
III Das späte Ich
IV Hebbel
V Ikarus
Mutter
Krebsbaracke
Curettage
Gesänge
D-Zug
Pappel
Untergrundbahn
O Nacht
Synthese

II

Trunkene Flut
Palau
Meer u. Wanders[agen]
Osterinsel
Theogonien
Orphische Zellen
Erst wenn
Einzelheiten
Dänin II
Wie lange noch
Dir auch
Aus Fernen, aus Reichen
Nebel
Schleierkraut
Dunkler
Entwurzelungen
Selbsterreger
Stunden, Ströme
Vision des Mannes
Sieh die Sterne, die Fänge
usw.

Es werden mehr als 50 Gedichte werden. Mit dem Oratorium wohl 65–70.

Nett wäre, ein Parallelband *Prosa* dazu mit den markantesten Essays aus allen Jahren:

Saison
Problematik des Dichterischen

Genieproblem
Aufbau d. Persönlichkeit
Urgesicht
Goethe
Dorische Welt
Expressionismus
Sein u. Werden. (Evola)

Der Gedichtband: »Trunkene Flut«.
Der Prosaband: »Urgesicht«. (UBO)

Benn an Friedrich Wilhelm Oelze Hannover, 27. Januar 1936

Der Gedichtband steht mir sehr fern, ich muß mich zwingen, mich mit ihm zu beschäftigen. (UBO)

[Hannover], 21. Februar 1936

Benn an Ellinor Büller-Klinkowström

Schrieb ich Dir, daß zu m. 50 Geb. mein Verlag einen Gedichtband von mir macht, die neuen alle u. etwa die Hälfte aus dem alten Band[6]. Dazu Teile aus dem »Unaufhörlichen«. Lyrische Auslese, Spätlese, ausgewählte Gedichte. Weiß bloß keinen Titel. Weißt Du einen? Würde gern statt »Ausgewählte Gedichte« etwas Suggestiveres nehmen, weiß aber nichts[7]. »Stunden, Ströme« oder »Karyatide« (das als 1. Gedicht)

je ne sais rien. Schrieb dazu einen Prolog[8], der nicht ohne Gefahr ist. Die augenblickliche »Bennlage«. Gereimte Weltanschauung. Erste Reihe:

Prolog
Verfeinerung, Abstieg, Trauer –,
dem Wüten der Natur,
der Völker, der Siegesschauer
folgt eine andere Spur:
Verwerfen von Siegen

6 solche Verse,
sehr ablehnend,
individualistisch,
tragisch, absolut u.
innerlich?

6 »Gesammelte Gedichte«, Berlin 1927.
7 Es blieb bei diesem Titel.
8 In späteren Ausgaben unter dem Titel »Valse Triste«.

und Thronen:
die große Szene am Nil,
wo der Feldherr der Pharaonen
den Liedern der Sklavin verfiel.

Gemeint ist »Aida«
wußtest Du das?

Aber wer außer mir kann das alles noch verteidigen, aussprechen, darstellen in Germany? (DT 179 f)

Benn an Frank Maraun [Hannover], 12. April 1936
Und vor allem: in der nächsten Woche erscheint bei der D[eutschen] V[erlags] A[nstalt] ein Band: »Ausgewählte Gedichte«, 1911–1936, aus Anlaß meines 50. Geburtstages. Dieser Band enthält alle die neuen Gedichte, neben ebensoviel alten. Im ganzen etwa 75 Gedichte, es sind etwas über 100 Seiten ... Der Band beginnt mit einem *Prolog*, gereimte Weltanschauung à la Benn, der gänzlich im Gegensatz steht zum Reichskultursenat und zu allem, was heute als Kunst und Aufbau gilt. Er beginnt:

»Verfeinerung, Abstieg, Trauer –«

er führt dies als schöpferisches Prinzip vor. – Wissen Sie, ich mache diese subalterne Kunstpolitik nicht mehr mit. Ich bin 50 Jahre, – soll man mich erschießen. (BR 68)

Benn an Tilly Wedekind [Hannover], 8. Mai 1936
Denke Dir, im »Schwarzen Korps« schlimme Pöbelei gegen mich, wegen Geburtstag u. dem Gedichtband. »Ferkelei«, »Nachfolger jener, die man wegen ihrer widernatürlichen Schweinereien aus dem Hause jagte« u. s. w. Mir zugeschickt mit einem Zettel dran: »geiler Mistfink«, anonym. In meiner jetzigen Situation natürlich sehr schlimm u. ich weiß im Moment nicht, was ich unternehmen soll. Kann mich Stellung u. alles kosten. Am besten wohl, ich ignoriere es, aber wenn es jemand liest, was dann? Das ist das Vaterland! (DT 93 f)

Benn an Tilly Wedekind [Hannover], 9. Mai 1936
Bei mir sehr peinliche Situation, da V.[ölkischer] B.[eobachter] die

Sache aus dem »Schwarzen Korps« aufgegriffen u. weiterverarbeitet hat. Dienstliche Meldung heute von mir beim Gen.[eral] erfolgt. Sehr möglich, daß ich verabschiedet werde! Diese Lumpen u. Stinktiere hätten dann wieder einen der verhaßten Künstler umgelegt: Ich bin in einer scheußlichen Lage. Habe mich an H[anns] J[ohst] gewendet, ob er mir eine Ehrenerklärung abgeben will. Sonst unweigerlich Ehrengericht gegen mich (3 alte Majore dabei u.) mit fraglichem Ausgang. Ich habe große Zweifel, daß J. reagiert. Er ist ja vom selben Schlag. Also wieder von vorn anfangen, aber mit der peinlichen Belastung der Entlassung aus der Armee. Was soll ich machen? Habe Nenndorf abgesagt, melde mich Montag vielleicht krank. Hab's satt. (DT 94)

Benn an Tilly Wedekind [Hannover], 10. Mai 1936

Wenngleich dieses Lausepack es ja nicht verdient, daß man ihretwegen telefoniert, die Feder anrührt, sich Sorge macht. Allesamt – eine Herde von Stinktieren, die sich sicher fühlen, weil man gegen ihren Gestank nicht ankann. Ich warte nun, ob J.[ohst] mir eine entsprechende Erklärung sendet. Sehr sicher bin ich in der Richtung nicht. Er ist zu sehr verbunden u. verhandelt mit allen, namentlich mit Ro[senberg]. Im übrigen bin ich ja in der schwierigen Lage, daß mich die führende Schriftstellergilde alten Schlags (: Strauß, Kolbenheyer, Schäfer, Münchhausen, Blunck usw.) *genau* so abfallen ließen u. zugrunde richten würden wie diese andere Richtung. Völlig isoliert; auf das Wohlwollen von Herrn J. angewiesen, so verbrachte ich ja schon die letzten Jahre. Nun, bekomme ich das Telegramm nicht, lasse ich die Sache ihren dienstlichen Lauf nehmen. Beantrage gegen mich eine Ehrengerichtliche Untersuchung, ob meine persönliche Ehre dadurch angegriffen ist u. ich gehn muß. Nun stelle Dir vor: Ein Ehrengericht von 3 alten Majoren, die über Lyrik, meine Gedichte, zu Rate sitzen. Was soll da herauskommen? Doch nichts Gutes! Im günstigsten Fall erklären sie, daß meine *persönliche* Ehre unangetastet ist, aber daß es besser sei, ich gehe, da ein Offizier sich solchen Angriffen nicht aussetzen kann. Darin haben sie meiner Meinung nach auch recht. Ich werde bestimmt gehen müssen [. . .] Das alles nimmt mich sehr mit, natürlich. Bin kaputt, schlafe schlecht. Aber nichts kann mich darin beirren, daß alle jene

armselige Schlucker, wenn nicht Lumpen, sind u. die geistige Vertretung, die ich sozusagen übernommen habe, das Gültigere ist. Übrigens sind ja zum Glück aus Anlaß meines Geburtstags ganz erstaunlich viele u. *gute* Presse-Aufsätze erschienen, sogar die »Germania« ganz groß, viele Provinzzeitungen, die mir im Moment viel nützen.
Ja, so stehn die Dinge. Kampf, Kampf, Kampf bis zur Vernichtung. Alle diese Schlachten: die Hegemann-sache vor Jahren in Sachen H.[einrich] M.[ann], dann die beiden Münchhausenskandale, Herr Werner Deubel im vorigen Jahr, als Du mich noch nicht kanntest, Krach mit den Marxisten: Becher u. Kisch – u. entsprechender »Gedanken«-austausch – ein Feldzug von Pöbeleien, Angriffen, Hetzen, bald mag ich nicht mehr. Na, weiter! Für wen eigentlich? Für mich nicht. Ich weiß es selber nicht mehr. (DT 95 f)

Benn an Frank Maraun [Hannover], 11. Mai 1936

[. . .] ich habe Ihnen viel zu danken. Für Ihr Telegramm, Ihre Wünsche und Ihren Aufsatz. Dieser wird mir vielleicht die Existenz retten. Sie haben wohl die letzte Nummer vom »Schwarzen Korps« gelesen, wohl auch die schwererwiegende Übernahme des Angriffs vom V. B. vom 8. 5. Das bedeutet natürlich für einen Offizier den Abschied, wenn er sich nicht rehabilitieren kann. Wer soll mich in dem Fall rehabilitieren? Wer Offizieren klarmachen und beweisen, daß meine Gedichte keine Ferkeleien sind sondern wertvoll? Ist schon je jemandem solche Aufgabe gestellt worden? Nun, ich bin dabei, sie zu lösen, um meine Existenz, die ich mir hier mühsam aufgebaut habe, zu behalten.
Was bedeutet dieser Angriff eigentlich in seiner brutalen, eigentlich unerklärlichen Schwere? Er bedeutet doch nur, hier ist *Kunst* und wenn das Kunst ist und die deutsche Öffentlichkeit das als Kunst ansehen darf, dann ist das keine, die wir propagieren, angeblich »züchten«, die nordische, sieghafte, die aber erst kommen soll. Es ist wohl ein Stoß von Rosenbergs Seite her, ähnlich der Bekämpfung von Barlach, Hindemith u.s.w.
In meiner Abwehr habe ich Ihren Aufsatz vielen Dienststellen vorgelegt, er ist zur Zeit im Kriegsministerium Gegenstand großer Aufmerksamkeit. Ich muß sagen: die Militärs benehmen sich *fabelhaft*.

Sie können natürlich mir nicht folgen, nicht alles »verstehen«, aber sie haben Respekt vor Haltung, Leistung, Ernst und tiefen Abscheu vor gemeinen, hundsföttischen Angriffen. Was daraus wird, ist noch nicht zu übersehen. Gutes kann nicht viel herauskommen. Entweder legt mich die SS um oder ich muß doch hier gehen. Eine tolle Lage! [...] Ich bin ein öffentliches Ferkel. (BR 70 f)

Benn an Tilly Wedekind [Hannover], 16. Mai 1936
Gestern kam die Antwort aus Berlin in der bewußten Sache von der Stelle im R.[eichs] kr.[iegs] Min.[isterium], die für mich so wichtig ist. Nun, von der Großartigkeit meines Gen.[erals] keine Spur! Die Sache ist wohl durch das Telegramm von J.[ohst] erledigt, aber man denkt dort doch sehr kleinlich u. sieht bei mir die Schuld, gibt mir ästhetische Vorlesungen über das Schöne in der Kunst(!), gut gemeint, aber ärgerlich dumm. (DT 97)

Benn an Frank Maraun [Hannover], 7. Juni 1936
[...] die Sache mit dem »Schw.[arzen] K.[orps]« ist 100% gut für mich verlaufen. Großartiges Eintreten von Johst für mich mit allen seinen Rängen, Titeln und Ämtern. Von Goebbels eingefordertes Gutachten der R.[eichs] Sch.[rifttums] K.[ammer] völlig auf meine Seite getreten. Das R.[eichs] K.[riegs] M.[inisterium]: Pöbeleien so niedrigen Charakters und von so offensichtlich ehrabschneiderischer Art können die Ehre eines Offiziers nicht beleidigen! Es hat sich ja dann auch der Verfasser herausgestellt, jedenfalls wird er an allen beteiligten Stellen einschl. Pro.[paganda] Mi.[nisterium] dafür gehalten: Y. den ich zusammen mit Johst und Schlösser 1934 wegen falscher Rechnungslegung aus dem Vorstand jener »Union n.[ationaler] Schr.[iftsteller] entfernte.
Es bleibt mir nur übrig, Ihnen lieber Herr Maraun, herzlich und aufrichtig zu danken für Ihren gütigen Einsatz für mich. Der Artikel im 8-Uhr-Abendblatt war wohl das Schönste, was ich je gelesen habe. Er hat vielen ganz hervorragend gefallen, bis nach Paris. Ich wollte, ich könnte es Ihnen einmal vergelten. (BR 73)

Benn an Friedrich Wilhelm Oelze [Malente], 9. August 1936
Sonderbar mit dem Gedicht! Es war über 2 Frauen gemacht und

Gurlitt[9] machte *eine* daraus u. es wirkt besser, ruhiger, geschlossener.
Ja in der Tat: ich werde den Titel ändern[10] u. sagen: »Auf deine Lider senk ich Schlummer«. Bitte schreiben Sie mir ihr Urteil über diese Änderung. Muß es an *zwei* Frauen sein? Wäre eine drollige Beweisung dafür, wie sehr bei Kunstmachung etwas ganz anderes herauskommt als »gemeint« war, soweit es einer Beweisung bedürfe. (UBO)

Benn an Friedrich Wilhelm Oelze [Malente], 13. August 1936

Die Angriffe gegen mich gehen wieder los[11]. Vor einigen Wochen schon in 2 Zeitungen[12] gleichartige Artikel, der eine überschrieben: »Was wir restlos ablehnen«, der zweite: »Was uns keine Freude macht«. Beide nach einem Leisten gearbeitet, sicher aus der gleichen Quelle, beide schließend: »Wie ist es möglich, daß heute, 1936, noch sowas erscheinen darf«. Nun bekomme ich heute aus Berlin vom Verlag neue Sachen. Der Stellv[ertreter] d[es] F[ührers], Überwachung des Schrifttums, hat einen infamen Brief an den Verlag geschrieben u. um Aufklärung ersucht, Höhe der Auflage des Gedichtbandes u. Drohungen gegen mich angeraten, die sowohl K. Z. (Konzentrationslager) sein können als auch anderes. Ich rühre keinen Finger mehr. Lasse die Dinge jetzt ruhig sich entwickeln ...

(UBO)

Benn an Friedrich Wilhelm Oelze [Malente], 14. August 1936

Der *Stellvertreter d*[es] *F*[ührers] fordert meinen Verlag auf, unverzüglich aus dem Propagandaumschlag[13] zu streichen: »warnender Seher u. Führer in eine neue Gemeinschaft«. Hinsichtlich meiner Person: »Glaubt er wirklich im Ernst, einen Beitrag zur deutschen Kultur geleistet zu haben? Das müßte dann als ein bedenkliches Zeichen von Mißverstehn ausgelegt werden«. (UBO)

9 Manfred Gurlitt (1890), Emigrant, lebt in Tokio. Gurlitt vertonte das Gedicht »Auf deine Lider senk ich Schlummer«, entstanden 1936.
10 Ursprünglicher Titel nicht mehr feststellbar.
11 Hinsichtlich des Gedichtbands »Ausgewählte Gedichte«.
12 Die Titel der Zeitungen waren nicht mehr zu ermitteln.
13 Betrifft den Text auf dem Schutzumschlag des Gedichtbandes.

Benn an Friedrich Wilhelm Oelze [Malente], 15. August 1936

Dies die Vorderseite[14]. Mein Zimmer war nach hinten im 2. Stock. Blick über 10 km Seen, Hügel, Wald. Es war reizend hier, still, einfach, gartenreich. (UBO)

Benn an Tilly Wedekind [Hannover], 13. Oktober 1936

Von der bestimmten Stelle ist jetzt ein schriftlicher Bescheid an meinen Verlag gekommen 4 Gedichte müssen entfernt werden: nämlich D-Zug. – Untergrundbahn. – O Nacht – Synthese. Dann kann das Buch »stillschweigend u. ohne Propaganda« (!) weiter vertrieben werden.

Ich bin nicht sicher, daß ich darauf eingehe. Mir wäre es lieber, sie verböten es ganz. (DT 99 f)

[Hannover], 15. Oktober [1936]

Benn an Friedrich Wilhelm Oelze

Der Stellvertreter d[es] F[ührers] hat den schriftlichen Bescheid an meinen Verlag gesandt über den Gedichtband von mir. Es müssen entfernt werden: D-Zug, Untergrundbahn, O Nacht, Synthese. Dann darf das Buch: »still schweigend u. ohne jede Propaganda weiter vertrieben werden«. (UBO)

Benn an Ewald Wasmuth Hannover, 18. Oktober 1936

[...] mit dem Tage meines 50. Geburtstages begann eine Welle von Angriffen gegen mich, öffentlichen in den extremen Parteiorganen, nichtöffentlichen in der Gestalt von Schriftverkehr mit meinem Verlag von seiten hoher u. höchster Parteiinstanzen, die mich innerlich sehr mitnahm u. äußerlich mit enormen Schreibereien, Eingaben, Erwiderungen in Anspruch nahm, so daß ich meine eigenen wichti-

14 Der Briefumschlag enthält Ansichtskarte mit dem Kurhotel Louisenhöhe in Malente-Gremsmühlen. Auf der Bildseite stehen die oben angeführten Sätze Benns. Die Rückseite enthält in der Bennschen mit Tinte geschriebenen Handschrift das Gedicht »Spät im Jahre«, das sich vom Text in den »Ausg. Gedichten« nur in der letzten Zeile unterscheidet: »selbsterlöst« heißt hier noch »icherlöst«. Am Fuß der Rückseite steht: »H. Fr. Oe. Abschied von Malente 15/8. 36 Be.«

gen Dinge sowohl aus Apathie wie aus Erregung liegenließ [...] Ich persönlich schweige gänzlich. Selbst mein Verlag mag z Z in seinen eigenen Zeitschriften meinen Namen nicht bringen. Dieser Gedichtband, der zu meinem 50. Geb. erschien, ist die Veranlassung. »Ferkel«, »widernatürliches Schwein«, »warmer Bruder«, »Judenjunge«, »dreckige Schmierereien« – dies alles öffentlich gegen mich vorgebracht. Die Sache ist – bei meiner augenblicklichen Position – bis zum R.[eichs] K.[riegs] M.[inisterium] gegangen, wo ich allerdings glänzend rehabilitiert wurde. Aber 4–5 Gedichte müssen entfernt werden, dann dürfen meine Bücher »stillschweigend u. ohne Propaganda« weiter vertrieben werden. Ich habe mich noch nicht entschlossen, einzuwilligen. (BR 74 f)

[Hannover], 1. November 1936[15]

Benn an Friedrich Wilhelm Oelze

Voraussichtlich werde ich 6 Seiten in dem Gedichtband renovieren müssen u. werde da auch die neuen einsetzen[16]. Fortlassen werde ich »Spät im Jahre« –, das mit den Blicken in jedem Vers. Das ist etwas morsch. (UBO)

Benn an Egon Vietta Hannover, 8. November 1936

[...] ich habe Ihnen für eine ganze Reihe Äußerungen verschiedener Art, für Anregungen und freundliche Gesinnung zu danken. So auch jetzt wieder für den neuen Aufsatz, den Sie beilegten. Habe

15 Diesem und dem vorhergehenden Brief zufolge kann die zweite »gereinigte« Ausgabe der »Ausgewählten Gedichte« erst nach dem Datum dieses Briefes erschienen sein, während das Exemplar im Besitz von Dr. Oelze eine handschriftliche Widmung des Dichters enthält mit der Überschrift: 2. V. 1886–2. V. 1936. Demzufolge sind alle bisherigen Angaben über die Veröffentlichung dieser 2. Ausgabe unrichtig; alle Unterlagen der DVA sind durch Kriegseinwirkung vernichtet worden.

16 Die von den Nazis beanstandeten Gedichte: »Mann und Frau gehen durch die Krebsbaracke«, »D-Zug«, »Untergrundbahn«, »O Nacht –«, »Synthese«; die Titel der neu eingesetzten Gedichte in der 2. Ausgabe: »Leben – niederer Wahn«, »Wer allein ist –«, »Spät im Jahre –«, »Suchst du –«, »Auf deine Lider senk' ich Schlummer«, »Anemone«, »Einsamer nie«.

ich den Grundgedanken, von dem Sie ausgehen, wirklich gedacht, formuliert und so dargestellt, wie Sie es sagen? Die Antwort darauf würde einen ganzen Essay erfordern, den ich heute nicht an Sie schreiben kann. Ich möchte aber doch noch einmal auf den Satz hinweisen, von dem ich glaube, daß er bis heute nicht überholt ist, und daß ihn auch das ganze Jahrhundert nicht überholen wird. Es ist der von mir oft zitierte Satz Nietzsches, daß die Kunst die letzte metaphysische Tätigkeit innerhalb des europäischen Nihilismus sei. Solange die biologische Gesamtlage so ist, wie sie vorliegt, also bis zur nächsten Mutation, wird die Kunst bleiben. Wobei es mir fraglich erscheint, ob in Anbetracht der offenbar nicht mehr beeinflußbaren Erbmasse der Art noch eine neue Mutation erfolgen kann.
Darf ich noch einmal bei dieser Gelegenheit auf den Aufsatz zu sprechen kommen, den Sie im Mai-Heft der Literatur über meinen Gedichtband veröffentlichten. An diesem Aufsatz hat mich Ihre kritische Einstellung besonders lange beschäftigt, nämlich das, was Sie als Formglätte und eine gewisse Gefühlsamkeit bezeichneten. Könnten Sie mir wohl ein Beispiel nennen? Ich habe mir lange überlegt, was Sie damit meinten. Im allgemeinen ist es doch immer gerade die Kälte und der Intellektualismus, die man an mir bemerkt. Wenn Sie mir gelegentlich hierüber einen Satz schreiben würden, würde es mich außergewöhnlich interessieren. (BR 75 f)

Benn an Friedrich Wilhelm Oelze B[erlin], 15. Juli 1939
Und der Blick von der Bahn über die Seen bei Malente, an denen ich vor 3 Jahren einige gedichtgebärende[17] Wochen verbrachte, an die ich mit Rührung zurückdenke. (UBO)

Benn an Astrid Claes [Berlin], 22. September 1954
»Einsamer nie« [18] – auf einem Hügelgasthof auf einem der kleinen Höhenzüge bei Hannover (Deister, Ith, Solling), hingefahren mit Autobus, wie ich das damals immer tat. Nachmittag, Ernteende.

17 Nach Angabe von F. W. Oelze wahrscheinlich die folgenden Gedichte: »Spät im Jahre«, »Suchst du«, »Anemone«, »Wer allein ist«, die dann in die 2. Ausgabe der »Ausgewählten Gedichte« übernommen wurden.
18 Entstanden 1936.

Bei mir eine Dame aus Paris, die mich 2 Stunden in Hannover besuchen wollte, aber dann eine Woche blieb, weil das alte berühmte Hotel Kaster ihr so gut gefiel. Ende August 1936. (BR 277 f)

Zweiundzwanzig Gedichte
Erstdruck 1943 (Privatdruck)

Benn an Friedrich Wilhelm Oelze Hannover, 13. Januar 1936
Oh, Herr Oelze, was für einen wunderbaren Brief haben Sie Ihrem Buddha beigelegt, ich bezog mich nicht auf ihn, da ich ihn noch immer las [. . .] Es geht uns allen gleich, eingemauert in die Betriebsbelange und Bezugsbelügungen des Machtsystems. Auch Ihrem Hausgott ging es so, ich stellte ihn auf ein Bücherregal, über ihm hing ein alter Regulator (Ich liebe Uhren). Grotesk. Gestern in einer Nachmittagsstunde belebte sich alles u. trat hervor, der ganze Widersinn. Ich dachte: *Interieur:* [1]

Schöner Gott
Unter der Pendeluhr
welch ein Spott
in Deine Lotosflur!

Schläge, Schreiten
Stunden und Stunden-sinn
vor Ewigkeiten,
Rätsel u. Anbeginn.

Ein Ziel, ein Zeigen,
Wirken um wann u. wen,
Wo Götter schweigen
und Sonn' u. Mittag stehn,

1 Das Gedicht, 1936 entstanden, trägt diesen Titel.

und lächeln allen
und Alles ist sich nah –
die Zeiger fallen,
und nur der Gott ist da

Aber die Zeiger fallen nicht immer, meistens treiben sie uns herum, wir müssen Uniform anziehn u. Sie Frack u. Zeitungen lesen u. auf die Electrische lauern, u. abgespannt sein u. mißmutig und Sonntags selbst heizen u. kochen u. die Bräute betrügen, eine immer mit der andern –, das ist das Werk der Uhren, die wir noch dann ⟨?⟩ selber aufziehn. – (UBO)

[Hannover], 31. Januar 1937

Benn an Ellinor Büller-Klinkowström

Was man erlebt u. treibt, so realistisch angesetzt, ist nach 3 Wochen durchstoßen. Alles Seidenpapier, Papiermaché, Attrappe. Dies Durchstoßen seiner selbst, immer wieder, ist ein seltsames Problem. »Bis Du Dich selbst vergißt, so treiben es die Mächte[2] –«, welche? (DT 187)

Benn an Ellinor Büller-Klinkowström [Hannover], 2. Februar 1937

Die Reihen: »bis du dich selbst vergißt ...« sind ein Einfall von G. B. gelegentlich anliegenden Oelzebriefs, den zurückerbitte. Könnte ein Gedicht werden, wenn ich noch einige Reihen weiter so dunkel u. in solcher Höhe halten könnte. Muß abwarten. (DT 188)

Benn an Friedrich Wilhelm Oelze [Berlin], 31. Dezember 1937

Da Sie der große Experte sind, kritzele ich Ihnen zum Geburtstag folgende kleine Skizze hin: »Die Züge deiner« [...] (UBO)

2 Die beiden ersten Zeilen des Gedichts »Die Gefährten«. Im Besitz von Dr. Ilse Benn Typoskr. einer noch nicht druckfertigen Fassung, dat.: 29. III. 1937. Erstveröff. im Privatdruck Zweiundzwanzig Gedichte, 1943.

MONOLOG

Entstanden 1941

Erstdruck in: Zweiundzwanzig Gedichte 1943

Benn an Friedrich Wilhelm Oelze [Berlin], 24. April 1941

In einem mittelalterlichen englischen Band fand ich ein Fragment eines Monologs [3]. Der Autor scheint mir eine Mischung von Theodor Körner u. Marlow zu sein. Er schildert Zeiten u. Zustände, die zum Glück vorüber sind. Die Übersetzung stammt von mir; Sie wissen, ich kann kein Englisch, vielleicht können Sie Verbesserungen anbringen. (UBO)

Berlin-Schöneberg, 15. August 1949

Benn an Friedrich Wilhelm Oelze

Nochmals hinsichtlich Gedichte: Wie denken Sie über »Monolog«? Steht bisher nirgends. 1886 werde ich Ihnen korrigiert zusenden. (UBO)

[Berlin-Schöneberg], 19. November 1949

Benn an Friedrich Wilhelm Oelze

Wie wäre es mit einem Gedicht, das in keiner Ausgabe steht, dem ich aber in gewisser Weise anhänge: dem *Monolog*, dessen Beginn ja zwar politisch und dessen ganzer Inhalt ja sehr aggressiv und zeitbestimmt ist, das aber sprachlich mir nicht ohne Gehalt erscheint. Und da die wackeren Holländer doch wahrscheinlich ganz gern etwas Antifaschistisches lesen, wäre es vielleicht am Platze [4] [...] (UBO)

Benn in Lyrisches Intermezzo in »Doppelleben« 1950

Also ich saß in der Bendlerstraße, und zwischen Akten und Gutachten kehrte ich gelegentlich zur Lyrik zurück. Ich veröffentliche im folgenden einige Verse [Gedicht »Monolog], die ich in der be-

3 Das ist offensichtlich eine verschlüsselte Ausdrucksweise, die Benn zu seinem persönlichen Schutz verwandte. Dem Brief liegt ein Typoskript des Gedichts »Monolog« bei.

4 Herr Italiaander hatte bei Oelze um die Erlaubnis gebeten, ein Gedicht von Benn in Holland veröffentlichen zu dürfen.

rühmten Straße, in der Keitel, Fromm, Canaris ihre Dienststellen hatten, verfaßte und die in keine der neueren Gedichtsammlungen von mir übernommen sind. Sie zeigen, wie ich damals, auf der Höhe der Siege, dachte. Ich publizierte sie in einem kleinen Gedichtheft, das ich im August 1943 auf eigene Kosten drucken ließ unter dem Titel »22 Gedichte« und das ich an meine Bekannten verschickte. Ich könnte dies Heft als Beweis meiner illegalen antifaschistischen Tätigkeit vorlegen, aber diesen Ehrgeiz habe ich nicht. Da aber manche meiner Bekannten, die sie damals lasen, sie in den jetzigen Sammlungen vermissen, stehen sie hier. Auch könnte man andernfalls sonst vielleicht denken, daß ich sie wegen neuerer »veränderter politischer Verhältnisse« unterdrückte. (GW IV, 109)

Benn an Friedrich Wilhelm Oelze [Berlin], 29. September 1941

»– Sträuße, doch die Blätter fehlen
Krüge, doch wie Urnen breit –:
Asphodelen,
Der Proserpina geweiht –«

[datiert 29/9/41 u. signiert G. B] [5] (UBO)

Benn an Friedrich Wilhelm Oelze [Berlin], 19. April 1943

Nachdem ich Ihnen vor 2 Tagen schrieb, daß das Bewußtsein die Narzissenfelder haßt [6], habe ich weiter dies bedacht u. mir gedacht:

5 Auf der Rückseite einer die farbige Reproduktion von Henri Matisse »Asphodèles« enthaltenden Postkarte ist die erste handschriftliche Fassung des Gedichts (Tinte) geschrieben.
Noch die kürzlich angefertigte, gründliche Arbeit von Harald Steinhagen »Die Statischen Gedichte von Gottfried Benn. Entstehung und Interpretation«, Diss. Tübingen (1968) erklärt: »Handschriftliche Entwürfe sind nicht überliefert. Das Entstehungsdatum des Gedichts ist nicht bekannt; es wird zum ersten Mal in der Titelliste für den Privatdruck der »Zweiundzwanzig Gedichte« genannt, die Benn vermutlich im Juni 1943 zusammengestellt hat.« (S. 245)
Und S. 246 Anm.: »Es ist anzunehmen, daß Benn jenes ›Asphodelen‹-Stilleben von Henri Matisse als Vorlage benutzt hat«.

an einem solchen Bewußtsein stimmt etwas nicht, jedenfalls soll man ihm bei der geschichtlichen Lage nicht das Wort reden. Ich korrigiere mich daher mit dem folgenden Lehrgedicht:

Mittelmeerisch

[Es folgt der Teil des Gedichts, der sich nur im Setzen der Satzzeichen, nicht im Text selber, von der veröffentlichten Version unterscheidet: So z. B. I, 1: Ach – aus; I, 4: Fluch.; II, 1: Strömt; III, 4: Titan, –; IV, 4: ford're; IV, 4: weit:]

Auch dies gehört in das Kapitel: Ausdruckswelt. Hinzufügen möchte ich, daß tatsächlich in den Rückständen der roten Rosen ein kieselhartes Element: Titan gefunden wird und daß der letzte Vers eine Vertauschung der 4. u. der 2. Strophe zuließe, wodurch er vielleicht lyrisch gewönne, aber andererseits erläutert die jetztige ⟨?⟩ 2. Reihe die halbe Trauer der 1. (UBO)

Benn an Friedrich Wilhelm Oelze [Berlin], 7. August 1943

Es liegen von mir noch vor: [1] 22 Gedichte, die Ihnen z. T. bekannt sind[7] u. die jetzt durch einen Bekannten von mir in einen Privatdruck gehn, ich wollte sie gern noch gedruckt vor mir sehn. Gegebenenfalls werden Sie sie erhalten; falls Sie Interesse dafür haben, wenden Sie sich bitte im Falle meines Nichtmehrvorhanden-

6 Im Brief vom 17. 4. 43 hieß es: »Es freut mich, aus ihm [Oelzes Brief vom 5. 4. 43] zu entnehmen, daß Sie äußerlich doch nicht unangenehm installiert sind in dem neuen Wohnort und von seiner Umgebung die Glücke der Blumen und die zweifellos unbegreiflichen Wunder der Natur in sich aufnehmen können. Ein Narzissenfeld, ein Magnolienbaum! An wen verschwendet, in was zerstreut –: an ein Bewußtsein, das so grundsätzlich allem diesen fremd ist u. an ihm leidet und doppelt mit ihm die Tristesse seiner unausgleichbaren Existenz erlebt!«

7 Es sind die Gedichte: »Verse«, »Gedichte«, »Bilder«, »Verlorenes Ich«, »Wenn etwas leicht«, »Gärten und Nächte«, »Welle der Nacht«, »Die Gefährten«, »Ein später Blick«, »Ist das nicht schwerer«, »Asphodèles«, »Nachzeichnung«, »Alle die Gräber«, »Interieur«, »Die Züge Deiner«, »In einer Stadt«, »Monolog«, »Du trägst«, »Ein Wort«, »Mittelmeerisch«, »Unanwendbar«, »Abschied«.

seins an Herrn Friedrich Vorwerk, [Berlin] Friedenau [...], eine Art Lector u. literar. Agent, mit dem ich in Verbindung stehe [...] (UBO)

Benn an Gustav Kilpper Landsberg a. Warthe, 17. Oktober 1943
Dann erlaube ich mir im Hinblick und in Erinnerung an das freundliche Interesse, das Sie meiner Person immer entgegengebracht haben, anbei ein kleines Heft zu schicken, das ich durch Vermittlung eines Bekannten auf eigene Kosten und in eigener Verantwortung habe drucken lassen. Ich wollte gerne das noch zusammengefaßt gedruckt vor mir sehen, was ich aus den letzten Jahren retten wollte. Es sind nur wenige Exemplare und sie gehn nur an einen ganz kleinen Kreis von Bekannten, es werden kaum mehr als ein Dutzend sein. Warum ich diese Vorsichtsmaßregeln treffe, werden Sie begreifen, falls Sie sich die Mühe nehmen, darin zu blättern. Es ist darin nichts politisch gemeint, aber trotzdem natürlich Mißdeutungen sehr wohl aussetzbar. Ich bitte Sie daher, das kleine Heft auch nur persönlich zu verwenden und es nicht aus der Hand zu geben. (BR 92)

Benn an Gustav Kilpper Landsberg (Warthe), 28. Oktober 1943
[...] haben Sie vielen Dank für Ihren freundlichen Brief vom 25. ds. Mts. Ihre Worte der Zustimmung tun mir wohl, ich habe im ganzen 9 Hefte verschickt, mehr Bekannte und Anhänger, denen ich trauen könnte, besitze ich nicht mehr. (BR 92)

[Landsberg], 10. November 1943
Benn an Friedrich Wilhelm Oelze
Darf ich noch einmal auf die 22 Gedichte zu sprechen kommen. Ich hätte Ihnen gerne eine nettere Widmung hineingeschrieben [8], die mehr Ihrer eigenen mitproduzierenden Teilnahme an dem Allen entsprach, aber als ich das scheußliche grüne Heft sah mit dem groben Druck u. der unsoignierten Setzung, als ich mir dann sagte, daß

8 Die Widmung lautet: »Der Excellenz im Hotel Claridge aus einer östlichen Kaserne. 13. X. 43 G. B.«

ich es trotz der Gefahr[9], die es für mich ja doch bedeutete, kaum einem halben Dutzend von Bekannten schicken würde, mehr Interessenten habe ich dafür nicht mehr, erschien mir die Unternehmung so fragwürdig, daß ich sie bagatellisieren mußte. Statistisch gesehen, hat die meisten Punkte erhalten: Abschied, – nach den Antworten, die ich erhielt. (UBO)

Benn an Friedrich Wilhelm Oelze L[andsberg], 10. Mai 1944

Beiläufig und um mich von der Prosa zu erholen, einige klassizistische Strophen[10], Ergebnis aus den Notizen eines Tages, – zu Zeiten braucht man nur in die Luft zu fassen und holt ein! (UBO)

[Berlin-Schöneberg], 2. November 1949

Benn an Friedrich Wilhelm Oelze

Eine Menge Kritiken sind erschienen [. . .] Mein Bruder, der Kirchenpräsident, brachte mir ein evangelisches Sonntagsblatt aus der Pfalz, in dem ich als Christ geschildert bin und als einer, den sein Weg zum Heiland geführt habe [. . .] Bemerkenswert eine Kleinigkeit: diese frommen Christen erlauben sich eine kleine Korrektur in dem Gedicht »Verlorenes Ich«[11], indem sie im vorletzten Vers, 2. Reihe statt »*den* Gott« setzen: »an Gott«, was den Charakter des Verses stark verändert. Amüsant und rührend! (UBO)

[Berlin-Schöneberg], 18. Juli 1950

Benn an Friedrich Wilhelm Oelze

Nun ist die Nacht vorbei – ich liebe diese Nächte, wo man um 3 aufsteht, sich ans Fenster stellt und in jenes Grün sieht, das ich in

9 Diese bestand nicht nur wegen des Schreibverbots, sondern vor allem im Hinblick auf das Gedicht »Monolog«, das Benns Ablehnung des Dritten Reichs scharf und unmißverständlich zum Ausdruck brachte. Überhaupt zeigt sich in all diesen Jahren in sehr vielen Briefen die Angst vor der Kontrolle, vor dem Beobachtetwerden. Immer wieder taucht die Frage auf: Ist der Brief geöffnet, kontrolliert worden, warum ging er so lange usw. usw.
10 Vermutlich das Gedicht »Abschied«. Entstanden 1941.
11 Entstanden 1943.

»Nachzeichnung« [12] zu fassen suchte. Meine Frau hat aus Anlaß meiner letzten Gedichte wieder ein erschreckend wahres Wort gesagt: »man sieht, daß in dir nichts mehr drin ist und nichts mehr draußen« – es wird stimmen. Die Leere! Wie füllt man die Leere? Mit Arbeit, mit Liebe und mit Sünden – versuchen wir es mit allen Dreien! (UBO)

Benn in »Probleme der Lyrik« 1951
Und nur aus lokalen Gründen, da ich gerade vor Ihnen stehe und davon rede, füge ich eine persönliche Erinnerung an, nur um Sie auf die Langsamkeit der Produktion hinzuweisen: in meinem Gedichtband »Statische Gedichte« ist ein Gedicht, das besteht nur aus zwei Strophen, aber beide Strophen liegen zwanzig Jahre auseinander, ich hatte die erste Strophe, sie gefiel mir, aber ich fand keine zweite, endlich dann, nach zwei Jahrzehnten des Versuchens, Übens, Prüfens und Verwerfens, gelang mir die zweite, es ist das Gedicht »Welle der Nacht« [13] – so lange muß man etwas innerlich tragen, ein so weiter Bogen umspannt manchmal ein kleines Gedicht. (GW I, 516)

12 Entstanden 1943.
13 Entstanden 1943.

Statische Gedichte
Erstdruck Zürich 1948
Wiesbaden 1949 (um drei Gedichte vermehrt)

Benn an Friedrich Wilhelm Oelze [Berlin], 21. Dezember 1941
Ich revanchiere mich wieder mit Gedichten [1]. Eines kennen Sie. Ich nenne sie zusammen: »Biographische Gedichte«. Sie haben bestimmt nicht die Losgelöstheit von eignem Ich, die große Gedichte haben u. haben sollen; aber Lyrik ist Existentialkunst – voilà.
(UBO)

CHOPIN
Entstanden 1944
Erstdruck in: Statische Gedichte 1948

Benn an Friedrich Wilhelm Oelze [Berlin], 22. Januar 1948
Hinsichtlich der »Statischen Gedichte« habe ich einige Konzessionen an die Stimmung der Eidgenossen machen müssen. Der Verleger [2] bat mich abzusehn von: Chopin, Monolog, Clemenceau, St. Petersburg, 1886 ... Gegen die Ablehnung von Chopin habe ich auf das Bestimmteste protestiert und ich glaube, daß es miterscheinen wird. (UBO)

Benn an Friedrich Wilhelm Oelze [Berlin], 27. Februar 1948
Das Chopingedicht wird in meinem neuen Band stehn, wie mir der Verlag mitteilt. (UBO)

1 »Verse«, »Gedichte«, »Bilder«, »Unanwendbar«, »Du trägst«, »Ein Wort«, »Abschied«, an Oelze geschickt, Typoskript bestehend aus acht einzelnen Blättern, deren erstes als Titelblatt beschriftet ist: Biographische Gedichte von Gottfried Benn.
Mit Ausnahme von »Du trägst« sind diese Gedichte alle in den Band »Statische Gedichte« aufgenommen worden, nachdem sie bereits im August 1943 in den »Zweiundzwanzig Gedichten (1936 bis 1943)« veröffentlicht worden waren. »Du trägst«, von Hermann Heiß vertont, wurde 1958 in »Primäre Tage« wieder abgedruckt.
2 P. Schifferli, Arche Verlag, Zürich.

Benn an Edgar Lohner [Berlin], 19. Februar 1952
Die Chopin-Worte[3]. In der Klabund-Rede sind sie das Originalzitat von Chopin. In dem Chopin-Gedicht verwende ich diese Worte lyrisch frei. (BR 227)

ACH, DAS FERNE LAND –

Entstanden 1945
Erstdruck in: Statische Gedichte 1948

Benn an Friedrich Wilhelm Oelze [Berlin], 21. Dezember 1941
Ich las die sehr schöne Biographie der Duse von Olga Signorelli[4]. Auf ihrem Grabstein steht: »begnadet, verzweifelnd, vertrauend«. Aus einer Armut ohne jeden Vergleich stieg sie auf, sah nach nichts aus, nicht hübsch, keine gute Figur, fast immer tief verschuldet u. krank u. als das Schiff, das ihre Leiche im Frühjahr 1924 aus USA zurückbrachte, durch Gibraltar fuhr, flaggten die Schiffe aller Nationen halbmast und in Genua empfing den Sarg die Königin. Seltsam! (UBO)

Benn an Friedrich Wilhelm Oelze [Berlin], 24. Dezember 1941
Und was die Duse angeht, so unterließ ich den Abschnitt zu beenden, ich hätte fortfahren müssen, daß offenbar das einzige Phänomen, das die Völker unaufhörlich beschäftigt, erfüllt, qualvoll bestürmt, die Kunst ist, sie allein. – (UBO)

3 Es handelt sich um das Zitat: »Meine Versuche sind nach Maßgabe dessen vollendet,/was mir zu erreichen möglich war.« (Vgl. GW III, 189 und GW I, 407). Das Zitat, wie überhaupt viele Stellen des Gedichts, sind dem Buch von Guy de Pourtalès »Der blaue Klang. Friedrich Chopins Leben« entnommen, das 1928, von Hermann Fauler übersetzt, im Urban Verlag in Freiburg i. B. erschien. In einer im Arche Verlag, Zürich, 1956 erschienenen Neuauflage des Buches findet sich das Zitat auf S. 281: »[. . .] Das übrige soll dem Feuer übergeben werden, denn ich respektiere die Öffentlichkeit sehr, und meine Versuche sind nach Maßgabe dessen vollendet, was mir zu erreichen möglich war [. . .]«
4 »Eleonora Duse, Leben und Leiden der großen Schauspielerin.« Autorisierte Übersetzung v. H. Kiel. Berlin, o. J.

[Berlin-Schöneberg], 7. August 1949

Benn an Friedrich Wilhelm Oelze

Ein anscheinend junger, italienisch-schweizerischer Schriftsteller schickte mir eine Bildkarte aus Asolo, wohin er nach Lektüre des Dusegedichts gereist sei. (UBO)

L[andsberg] a W, 25. Dezember 1944

Benn an Friedrich Wilhelm Oelze

Zum Geburtstag sende ich Ihnen eine Folge neuerer Gedichte, von meiner Frau köstlich auf Pergament gesetzt[5] – Sie brauchen sie nicht gut zu finden. Durchschnittlichkeiten in gehobenem Ton, was der Deutsche im Allgemeinen als Dichtung empfindet, ist es nicht. Aber Rühmenswertes nehme ich auch nicht dafür in Anspruch. (UBO)

[Landsberg/Warthe], 18. Januar 1945

Benn an Friedrich Wilhelm Oelze

Die neuen sachlichen ⟨?⟩ Gedichte könnten auch in meinem Essayband stehn und [ich] habe mir sehr wohl überlegt, ob sie in den Essayband gehören. Zunächst habe ich davon abgesehen, da diese Gebilde in einem Essayband etwas Anderes bedeuten u. eine andere Richtung einschlagen, als ich mit ihnen eigentlich wollte. Sie sollen, zwischen anderer u. bewährter Lyrikform, sagen: dies ist auch Lyrik, so sieht sie heute *vornehmlich* aus, so ist sie echt ⟨?⟩, nämlich Wirklichkeit so angeordnet u. zum Ausdruck gebracht, daß sie phantastischer wird als sogen[annte] Phantasie. Z. B. in 1886. Während Chopin noch mehr ein altes Gedicht ist, wie Sie richtig empfinden, alt im Stil (allerdings bei mir neu: Oktober 1944), mehr ein Gedicht im lyrischen Sinne. Bei den amerikanischen Romanciers

5 Auf dem ersten Blatt dieses Typoskripts, dem Titelblatt, wird zum ersten Mal die Bezeichnung »Statische Gedichte« verwendet. Das zweite Blatt bringt das Inhaltsverzeichnis u. die Titel der folgenden Gedichte:
»Die Form«, »Der Traum«, »Dann«, »Chopin«, »September«, »5. Jahrhundert«, »Nasse Zäune«, »Clemenceau«, »Ach, das ferne Land«, »1886«, »Kleines süßes Gesicht«, »Überblickt man die Jahre«, »O gib«, »Statische Gedichte«.

(z. B. Dos Passos) finden Sie ähnliches: plötzlich im Text ein Lebenslauf, ganz für sich stehend, nur als Ausdruck u. Kurve, als – Ranke (»nach Rankengesetz«). Man könnte sogar *statistisches Gedicht* sagen. In dieser Richtung liegt meinem Gefühl nach etwas echt Modernes. Clemenceau[6] ist mir was wert wegen der letzten Reihe, die ich großartig finde: »auf mein Grab ...«[6a] [...]
Mein liebstes Gedicht ist »ach das ferne Land«, das war eine Augenblickssache u. steht mir nahe. In »September« sind soweit orphische ⟨?⟩ Elemente, als sie heute erträglich u. sprachlich faßbar sind. Sie beobachten ⟨?⟩ ja wohl auch ohne meinen Hinweis, daß mir daran lag, neue Themen, neue Wirklichkeiten in die fade deutsche Lyrik zu bringen, fort von Stimmung u. Sentiments zu Gegenständen u. diese mit seinem eigenen Bild zu füllen. Damit beantworte ich auch Ihre Frage nach Anlässen zu »Nasse Zäune«[7] u. »September«. Kein Altdorfer oder Breughel! Habe keinen hier. Der Zaun steht vor meinem Fenster in der Lehmannstraße und ich betrachte ihn täglich, u. der September war in den kleinen Gärten u. Feldern, 5 Minuten von unserer Wohnung hier, »hinten raus«, wie wir sagen, wenn wir spazierengehn, da waren die Balsaminen und Kürbisse u. auch die Maurergesellen, die an einem Hausgrund bauten.
Dann lieb ich: »Leukée, die weiße Insel des Achill« –, erscheint mir gelungen. – »Überblickt man die Jahre«[8] ist eine Karikatur auf G. B. 1928, eine melancholische Karikatur; ich wog ab, was mit der 8reihigen Strophe, die mir einmal viel bedeutete u. die so viele Nachahmer fand, heute noch anzufangen sei. Nun, nicht viel! Stumpfsinn und eine Tristesse, die heute nicht mehr viel wiegt.

(UBO)

Benn an Johannes Weyl Berlin, 28. März 1946

Ich verfaßte in den letzten Jahren 1) einen Gedichtband, 30 Ge-

6 »Clémenceau«, entstanden 1944; wurde 1958 übernommen in die Sammlung »Primäre Tage«.
6a Vgl. GW III, 443: »auf mein Grab den Marmor aus Hellas«.
7 Entstanden 1945; wurde 1958 übernommen in die Sammlung »Primäre Tage«.
8 Entstanden 1943; wurde 1958 übernommen in die Sammlung »Primäre Tage«.

dichte, recht interessante darunter, sicher das Ganze von hohem Rang [...] (BR 99)

[Berlin-Schöneberg], 2. Mai 1946

Benn an Friedrich Wilhelm Oelze

Der junge Verleger[9] hier, der die »Statischen Gedichte«[10] herausgeben wollte, hat zum 2. V. 5 Exemplare fertiggestellt, Privatdruck sozusagen, u. mir 1 – nur 1 – davon geschenkt. Ich kann Ihnen also keines senden, vermache Ihnen aber mein Exemplar[11]. Sie kennen wohl alles daraus mit Ausnahme eines – einer abwegigen Impression: »St. Petersburg, Mitte des Jahrhunderts –« (UBO)

9 Karl H. Henssel.

10 Der im Besitz von Ilse Benn befindlichen Kopie ist folgende Bemerkung vorangestellt: »Gottfried Benn, seit 1932 ordentliches Mitglied der Preußischen Akademie der Künste, der sogenannten Dichterakademie, 1933 in seinem bekanntgewordenen »Offenen Brief an die literarischen Emigranten« die politische Lage allzu idealistisch beurteilend, 1936 im ›Schwarzen Korps‹ literarisch bloßgestellt und von der Öffentlichkeit denunziert, 1938 aus der Reichsschrifttumskammer ausgeschlossen, hat nach 1936 nichts mehr veröffentlichen können. Die folgenden Gedichte sind in den Jahren geschrieben, einige von ihnen, darunter ›Monolog‹ illegal gedruckt und vertrieben.« Inhalt: 1. »Ach, das ferne Land«; 2. »Chopin«; 3. »Verse«; 4. »Gedichte«; 5. »Bilder«; 6. »Welle der Nacht«; 7. »St. Petersburg, Mitte des Jahrhunderts«; 8. »Dann«; 9. »Monolog«; 10. »V. Jahrhundert«; 11. »Clemenceau«; 12. »September«; 13. »Nachzeichnung«; 14. »Wenn etwas leicht«; 15. »Gärten und Nächte«; 16. Die Gefährten«; 17. »Ein später Blick«; 18. »Verlorenes Ich«; 19. »Ist das nicht schwerer«; 20. »Henri Matisse«: »Asphodèles«; 21. »Ein Wort«; 22. »Mittelmeerisch«; 23. »Unanwendbar«; 24. »1886«; 25. »Kleines süßes Gesicht«; 26. »O gib«; 27. »Der Traum«; 28. »Abschied«; 29. »Alle die Gräber«; 30. »Die Form«; 31. »Statische Gedichte«.

11 Dies unterblieb. F. W. Oelze besitzt kein solches Exemplar.

ORPHEUS' TOD

Entstanden 1946

Erstdruck in: Statische Gedichte 1948

[Berlin-Schöneberg], 31. August 1946

Benn an Friedrich Wilhelm Oelze

Haben Sie Ovids »Verwandlungen« zur Hand? Von »Orpheus u. Eurydike« fand ich immer den 2. Teil auffallender als den bekannten 1. Dabei eine Studie dazu – für das Archiv![12] [...] Ich war in dieser Woche 2 Tage in Neuhaus a[n] [der] E[lbe], um nach dem Grab meiner Frau zu sehen. Eine wahrhafte Fahrt über den Styx! Ein Unternehmen auf Leben u. Tod. Verhungern, verschleppt werden, im überfüllten Coupée niedergeschlagen werden – – alles da [...] Neuhaus liegt 12 km von der Bahn u. in der Nacht kommt man an u. in der Nacht fährt man fort [...] Soweit[13] ich noch einen menschlichen Wunsch in Bezug auf die Realitäten dieser Erde habe, ist es der, neben dem Grab meiner Frau in Neuhaus begraben zu werden [...]

In der Skizze zu Orpheus sind die Dinge sehr hart neben einander gesetzt u. sie müssen studiert werden u. bedacht vom Leser. Eine Zumutung! Aber Gedichte sind wahrscheinlich immer eine Zumutung, das ist ihr Wesen. (UBO)

Berlin-Schöneberg, 4. Oktober 1946

Benn an Friedrich Wilhelm Oelze

O.[rpheus] wird – – nach Ovid tatsächlich von den Frauen getötet, mit Steinen beworfen, verwundet, zermalmt, da er sie zu beschlafen offenbar ablehnt. Ein sonderbarer Gedanke innerhalb der griechischen Welt! Nicht klar wird aus Ovids Darstellung, warum seine Natur bezwingende Macht, die ihm in seinem Gesang verliehen war u. die zunächst soweit ging, die kahlen Berge usw. seines Aufenthalts zu beleben u. zu belauben, die Tiere zu bändigen u. anfänglich auch die Wurfgeschosse u. Hacken, die die Frauen nach

12 Das abgeschlossene Gedicht lag dem Brief bei.

13 Das folgende ist die Fortsetzung dieses Briefes, datiert aber 1. September 1946.

ihm schleuderten, zu besänftigen u. unschädlich zu machen, dann plötzlich nachläßt u. seinen Tod [ermöglicht]. Das ist der Inhalt des Ovidischen Gesangs. Alles Einzelne ist natürlich nicht von Ovid; die Große, Gefleckte usw., die Totenklage sind natürlich nicht in ihm enthalten. Dagegen, daß ihm dann die Leier entsinkt, sie den Fluß hinabtreibt u. dann von den Ufern ihr Gesang gewissermaßen aufgenommen wird, ist in der Ode enthalten. Auch der absonderliche Ausdruck: »nackte Haune« findet sich in der Vossischen Übersetzung – – ein Ausdruck, der mir in seiner, allerdings befremdenden, Kompactheit gut verwendlich erschien.
Das Ganze ist eine Stilstudie von mir, den episch erzählten Vorgang auf eine Messerschneide zu bringen, in einem Moment – – einem stilistischen Moment – – zu liquidieren; es ist ein »mit-dem-Rücken-an-der-Wand-Stil«, – – unbeweglich, nicht im erzählerischen Fluß, den Vorgang dar[zu]stellen, vielmehr ein expressives Aprèslude zu fabrizieren. (UBO)

[Berlin-Schöneberg], 4. November 1946

Benn an Friedrich Wilhelm Oelze

Ich schließe daher heute das ›Orpheus‹ Thema ab, indem ich Ihnen die Stelle aus Ovid [14] zitiere, Ihnen das Weitere überlassend:

». . . . . die Geräte der Arbeit
bleiben zurück; und es liegen, zerstreut durch verlassene Felder,
Lastende Haun (!), Jäthacken und langgeklauete Karste.
Als die verwilderten solches geraubt, und zerrissen die Stiere
trotz dem drohenden Horn , . .« (UBO)

Benn an Edgar Lohner [Berlin], 19. Februar 1952

»Haune« ist ein Wort, das ich in meinem Leben nie gehört hatte, bis ich es in Ovids »Verwandlungen« in seinem Gedicht »Orpheus« in der Übersetzung von Johann Heinrich Voß fand. Es erschien mir ein gutes Wort, ich forschte ihm nach, jedoch ohne Erfolg. Da ja aber Johann Heinrich Voß ein sehr starkes und originelles Übersetzungsgenie war, muß er das Wort gekannt haben, und es muß damals, zumindest in Norddeutschland, gebraucht worden sein.

14 Vgl. Ovid, Metamorphosen, XI, 34 ff. (Orpheus' Tod).

Ich nehme an, daß es mit Huhn garnichts zu tun hat, sondern man muß nach der Stelle annehmen, daß es sich auch um eine Art Waffe gehandelt hat oder um einen Gegenstand der Feldbearbeitung, also auch eine Art Hacke oder vielleicht ein Eisen vom Pflug. In Berlin ist der Ausdruck ganz unbekannt.
Hacke ist Feldhacke. Vielleicht haben Sie die Möglichkeit, sich Ovids Verwandlungen, die ja ein wunderbares Buch sind, aus einer Bibliothek zu leihen, Sie werden dann an dieser Stelle sehen, daß es sich um Waffen gehandelt haben muß, mit denen die rasenden Weiber Orpheus töteten. (BR 227)

[Berlin-Schöneberg], 12. September 1946

Benn an Friedrich Wilhelm Oelze

Ich wage Sie um Ihr Urteil zu bitten, ob ich zu den »Statischen Gedichten« »Reise« u. »Orpheus' Tod« hinzunehmen soll. Aus den »22 Gedichten« habe ich ja manche fortgelassen. Jetzt sind es 31 Gedichte, und dann wären es 33. Natürlich wird schon allein der Titel: »Statische Gedichte« Anstoß erregen in einer Zeit, die sich in einer – wenn auch sinnlosen – Bewegung zutreffend als ihr besonderes Verdienst u. ihre politische Forderung ansieht. (UBO)

GEWISSE LEBENSABENDE I-II

Entstanden 1946

Erstdruck in: Statische Gedichte 1949

[Berlin-Schöneberg], 15. Oktober 1946

Benn an Friedrich Wilhelm Oelze

Die »leere Stelle« im Schwan vom Avon verpflichtet mich zunächst zu einem großen Dank dafür, daß Sie und Ihre Gattin sich mit dem Produkt beschäftigen. Ich fürchte allerdings, daß mir im Augenblick nichts Besseres als Ersatz dafür einfällt. Die Verse sind salopp, aber sie sollen es sein. Sie sollen die ganze Nonchalance ausdrücken selbst dem eigenen Werk gegenüber, die Gleichgiltigkeit gegen das eigene Ich, die Vergeßlichkeit selbst den produktiven Strömen gegenüber, die einen vielleicht einst erfüllten. *Leer* ist es geworden, Gleichgiltigkeit herrscht: Ruhm, Größe, Kränze – kein Gefühl mehr dafür, die Harfe hängt in der Weide, – Schweigen. Vielleicht noch darauf achten, daß Verse *gefüllt* sind, Gefallen – zu viel Aufmerksamkeit gegenüber dem Publikum, zu viel Zartheit gegenüber der eigenen Person! Leer! Zu Ende! Solipsistischer Nihilismus; letzte Objectivität, fast schon Beziehungslosigkeit in Bezug auf sich selbst, Herabsehn aus großer Höhe auf sich selbst wie der Falke in einen Abgrund. Die Zeit nimmt einen bereits in ihrem Strom mit dahin, mit hinab u. man ist immer noch da u. sieht zu: – was war man? Keine Ahnung! Was dachtest Du? Mir unbekannt! Wer dachte in Dir? Nicht zu ergründen! »Ich glaube, das ist von mir« – aber vielleicht auch von einem andern, jenem fernen Collectiv, das überall am Werke ist, am unbekannten Werke. Und auch die folgenden Reihen mit Dante sind in keiner Weise überheblich, nein, lässige Feststellung, Überblicken am Kamin [,] den Blick in das rauchende u. zu Ende brennende Feuer, vielleicht ist es anmaßend, vielleicht auch nicht, über allem eine Trauer u. eine Müdigkeit. (A propos: vergessen Sie auch nicht, daß ja der folgende Vers vorbereitet werden mußte, der letzte, mit dem großen Affengebiß! Ein Poem ist ein schwieriges Werk, alles muß in einander verzahnt werden, eine furchtbare An- u. Ausgleichsarbeit, bis alles zusammenpaßt u. stimmt, dazu können auch leere Stellen nötig sein, um eventuell gefülltere stärker hervortreten zu lassen. Man will ja mit einem Gedicht nicht ansprechend sein, gefallen, sondern es soll die Gehirne spannen u. reizen, aufbrechen, durchbluten, schöpferisch machen) [...] seien Sie gütig u. gnädig mit den armen Herstellern so labiler Gebilde, die Zahl der Worte ist beschränkt, jeder Ausdruck sehr erkämpft, jeder Vers trägt Spuren dieser Fugenarbeit u. nicht in jedem kann die Totalität der Planung und Vision sein.

(UBO)

QUARTÄR I-III

Entstanden 1946
Erstdruck in: Statische Gedichte 1948

Benn an Friedrich Wilhelm Oelze [Berlin], 21. November 1946
Erlaube mir, ohne wichtigtuerisch sein zu wollen, darauf hinzuweisen, daß in »Quartär«, letzte Strophe, es *Geschichte* heißt, nicht

Geschichten, Sie verstehen. Ich bitte gehorsamst, das Wort zu unterstreichen, d. h. es soll – in jener fernen Zukunft, wenn sie die Gestirne herbeiführen sollten – *gesperrt* gedruckt werden. (UBO)

Benn an Edgar Lohner [Berlin], 19. Februar 1952
Jazz vom Rio (del) Grande[15]. Einen Grund hierfür kann ich nicht angeben, ich brauchte diesen Vers, seinen Inhalt und seinen Rhythmus. (BR 227)

Benn an Peter Schifferli Berlin-Schöneberg, 23. November 1947
für Ihren Brief vom 3. X. 47, über Herrn Hürsch[16], den ich gestern erhielt, erlaube ich mir Ihnen sehr zu danken. Es ist mir eine außerordentliche Freude und Ehre, daß Sie einen Gedichtband von mir verlegen wollen, und ich spreche Ihnen meinen Dank dafür aus.
Ich werde das Manuskript in wenigen Tagen zusammenstellen und Herrn Hürsch zur Weiterleitung übergeben. Ich folge Ihrem Vorschlag, etwa 50 Gedichte auszusuchen, als Titel denke ich an: »Statische Gedichte« –, statisch ist ein Begriff, der nicht nur meiner inneren ästhetischen und moralischen Lage, sondern auch der formalen Methode der Gedichte entspricht und in die Richtung des durch Konstruktion beherrschten, in sich ruhenden Materials, besser noch: in die Richtung des Anti-Dynamischen verweisen soll. Gelänge es mir, diesen Eindruck zu verwirklichen, würde es zeigen, daß aus meiner chaotischen expressionistischen Generation, deren einziger Überlebender ich wohl bin (Trakl, Heym, Werfel, Hasenclever, van Hoddis, Else Lasker-Schüler sind tot, allein Joh[annes] R. Becher lebt, aber er ist andere Wege gegangen) – doch eine innere Klärung hervorgehen konnte, die nicht abfallende Ermüdung der produktiven Kräfte bedeutet, sondern schöpferische Bändigung der schweren existentiellen Zerwürfnisse und Krisen, mit denen meine Generation aus konstitutioneller Anlage und durch die

15 Lohner, der mit C. Corman das Gedicht ins Englische zu übersetzen versuchte, hatte bei Benn angefragt, warum er das grammatisch falsche »del« eingefügt habe.
16 Erhart Hürsch lebte damals als Korrespondent mehrerer Schweizer Zeitungen in Berlin.

exorbitanten äußeren Verwicklungen von Anfang an zu kämpfen hatte. Statik also heißt Rückzug auf Maß und Form, es heißt natürlich auch ein gewisser Zweifel an Entwicklung und es heißt auch Resignation, es ist anti-faustisch, – aber ich berufe mich auf die oberste Instanz: »vergebens werden ungebundene Geister nach der Vollendung reiner Höhe streben.« Mögen Sie meine Bestrebungen nicht von vornherein als vergebens empfinden ... (BBS 7 f)

Benn an Friedrich Wilhelm Oelze B[erlin], 24. November 1947
Nun hat sich inzwischen der Schweizer Archeverlag bei mir gemeldet mit einem ungemein netten Brief. Die Sache geht in Ordnung. Ich werde dort einen Gedichtband erscheinen lassen, 40–50 Gedichte. Die neueren. Titel bleibt wohl: »Statische Gedichte« [...] Das ist also dann mein Come back –, wie es abläuft, bleibt abzuwarten. Auf viel Interesse kann ich nicht rechnen, mein Bild wird das der Jahre 1912–1930 bleiben, u. Alles Spätere wird man als Nachlese betrachten. (UBO)

Benn an Peter Schifferli Berlin-Schöneberg, 29. April 1948
Mein persönlicher Wunsch in den letzten Jahren war eigentlich der gewesen, gleichzeitig mit drei verschiedenen Bänden wieder aufzutreten, nämlich einem Gedichtband, einem Essay-Band und einem Prosa-Band, jeder zu ungefähr 200 Seiten, um die drei Richtungen meiner Produktion vorführen zu können. Aber diesen Wunsch habe ich ja aufgeben müssen, und ich muß Schritt für Schritt vorgehen, und der erste Schritt sind Sie und die »Statischen Gedichte«, und dafür danke ich Ihnen sehr. (BBS 12)

Benn an Ina Seidel Berlin, 4. Mai 1948
Ich meinerseits hätte mich wohl im Sommer bei Ihnen gemeldet mit einem neuen Gedichtband, der von mir in der Schweiz erscheint, wo ich einen sich überraschend für mich interessierenden Verlag gefunden habe. Jahre des Schweigens und der Ausgeschlossenheit sind gut, – sie erst führen einen zu den Einsichten, zu denen man zu gelangen voraussichtlich bestimmt war. (BR 123)

Benn an Egmont Seyerlen [Berlin], 18. Mai 1948

Anbei als Gegengruß aus dem neuen Gedichtband: »Statische Gedichte«, dessen Korrektur ich jetzt aus Zürich erhielt, einige Stücke, – erwarten Sie nicht zu viel davon. Ich persönlich bin z. Z. mehr auf Prosa gestellt u. gestimmt, meine neuen Prosasachen sind entschieden frappanter und avantgardistischer als die Lyrik. Aber in der Schweiz muß ich mich zunächst etwas als *sanfter Heinrich* einführen lassen, um nicht sofort Anstoß zu erregen. (UBS)

Benn an Friedrich Wilhelm Oelze [Berlin], 19. Mai 1948

Inzwischen erhielt ich Korrektur von »Stat[ische] Gedichte« u. sandte sie zurück. Nicht mein Fall. Halte nichts davon. On verra. Nur eine Art Anstand gegen mich u. meine Existenz hält mich davon ab, sie zu kassieren. Sie beugen sich über Stellen u. Flecke zu Abspannung u. Trauer meines Lebens u. das will ich nicht verleugnen. Gehalten an die Prosa des entschieden potenteren u. stößigen ⟨?⟩ neueren Prosagehirn[s] fallen sie als Produktion ab [...]

(UBO)

Benn an Friedrich Wilhelm Oelze [Berlin], 22. November 1948

Sehr interessiert hat mich, was Sie über den Gedichtband schrieben. Als ich neulich im Radio von den Gedichten vorlas, bemerkte ich, daß ich überhaupt nur noch die stillen, in sich gekehrten, von denen Sie einige erwähnen, über die Lippen bekomme, alle anderen sind mir fremd und widerstehn mir. (UBO)

Benn an Ernst Robert Curtius Berlin, 25. November 1948

Sie müßten anders sein, als ich Sie mir vorstelle, wenn Sie nicht ebenso wie ich es als sehr übel empfänden, wenn jemand, den Sie durch Zusendung einer Arbeit auszeichneten, dadurch antwortet, daß er Ihnen nun seinerseits eine Produktion von sich schickt. Das tat ich mit meinem Gedichtband, nachdem ich von Ihnen Ihre so überaus interessante Einleitung für Ihr Buch (Merkur 47/4) erhalten hatte. Ich möchte also richtigstellen, daß das ein zufälliges Zusammentreffen war, die Gedichte waren gerade in meine Hände gelangt, nur sehr wenige Exemplare, u. ein Band war Ihnen schon vorher zugedacht. (BR 128)

Benn an Fritz Werner [Berlin], 28. November 1948

Was die Frankfurter »Neue Woche« am 20. 11. über den neuen Gedichtband schrieb, haben Sie bei Ihrer Vielseitigkeit vielleicht gelesen. (BR 129)

Benn an Erich Reiss [Berlin], 19. Dezember 1948

Ihnen, Erich, geht ein kleines Buch von mir von meinem neuen Verleger zu, das Ihnen Grüße u. Gedanken von mir überbringen soll. Ich komme hier wieder etwas in Schwung, was gut u. nützlich ist, da die Praxis – wie alles in Berlin – völlig zum Erliegen kommt! Finster hier, – im wörtlichen Sinne! Keine Kohlen! (BR 131)

Benn an Erich Reiss [Berlin], 12. Januar 1949

Bekamen Sie die »3 alten Männer«? Der Schweizer Gedichtband ist gut besprochen. Sie erhalten ihn auch. Ich selbst bekomme keine Exemplare, da postalisch unmöglich! (BR 132)

[Berlin-Schöneberg], 22. Februar 1949

Benn an Friedrich Wilhelm Oelze

Die Gedichte. Sicher ist der jetzt erschienene Band kein ganz glücklicher Start. Aber da ich mich ja mühsam vorarbeiten mußte, blieb mir nichts übrig als Schifferlis Plan anzunehmen. Ich wäre ganz froh, wenn bald ein neuer Band mit anderen, älteren erschiene. (UBO)

Benn an Fritz Werner [Berlin], 4. März 1949

Für anliegende 2 M. senden Sie mir bitte 2 Nummern der »Gegenwart« Nr. 4 vom 15. II. mit dem wunderbaren Aufsatz von Sieburg über meine Gedichte. Dank Ihnen beiden nach jeder Richtung. (BR 136)

Benn an Erich Reiss Berlin, 5. März 1949

[. . .] Aber ich werde Ihnen Sanfteres senden, Lyrik, mein Schweizer Verleger hat alles Düstere und Kalte aus meinem Gedichtband fortgelassen und einen sanften Heinrich aus mir gemacht, in der Schweiz ist dafür mehr Sinn, da will man von Tragik und Schärfe nichts wissen. Dafür habe ich wunderbare Kritiken darüber erhalten. Mich persönlich berührt das alles nicht mehr; wenn man 12 Jahre verboten war und ganz allein auf sich gestellt, stellt man sich innerlich ganz um und sagt, ihr könnt mir alle am Abend begegnen. (BR 139)

Benn an Alfred Vagts [Berlin], 6. März 1949

Ich erlaubte mir, Ihnen im Dezember einen kleinen neuen Band[17] von mir durch den Verlag senden zu lassen. Ich persönlich konnte es nicht tun und Ihnen eine Widmung einschreiben, da wir ja nur nahezu gewichtslose Postsachen aus Westdeutschland hierherbekommen können. Ich werde mir ferner erlauben, Ihnen einen neuen Gedichtband zu senden, der in einem Schweizer Verlag erschien und jetzt in einem deutschen Verlag in Lizenz herauskommt. Sie brauchen das alles nicht schön zu finden, ich beobachte, daß drüben bei Ihnen doch eine ganz andere Art, Leben und Welt zu sehen besteht als bei uns, die wir die Dinge scharf und bitter, eben abendländisch sehn. Betrachten Sie die Sendungen nur als Dank und Ovation für Sie und zur Erinnerung an Ihr altes Land. (BR 141 f)

[Berlin-Schöneberg], 27. März 1949

Benn an Friedrich Wilhelm Oelze

Das Gedicht »Acheron« stammt wohl aus dem vorigen Jahr. Es ist ein Traum, ein wirklicher, vom ersten bis zum letzten Wort erfolgter Traum. Nie in meinem Leben wäre ich darauf gekommen, nie habe ich etwas darüber gelesen oder gedacht, daß man Kindern ein Lid herunterziehn könnte, um Kokainsalbe oder dergl. darein zu applizieren. Aber in dem Traum sah ich es als vollkommen realen Vorgang. Sehr merkwürdig diese produktive Tätigkeit in Träumen in Richtungen u. mit Inhalten, die nie in der erlebten Wachwelt vorhanden waren. Beinahe unbegreiflich. (UBO)

[Berlin-Schöneberg], 2. April 1949

Benn an Friedrich Wilhelm Oelze

Daß Sie sich die Mühe machten, mir das Gedicht: Überblickt man die Jahre – abzuschreiben, ist überaus nett von Ihnen. Das Gedicht

17 »Drei Alte Männer«.

gefällt mir nicht, sein Pessimismus ist mir zu trivial und leierkastenmäßig. Ich glaube nicht, daß ich es in eine Sammlung aufnehmen werde. (UBO)

Benn an Armin Mohler [Berlin], 26. November 1949

Ihre Bemerkungen über die »Statischen Gedichte« sind mir interessant, ganz verstehe ich Ihre Meinung nicht. Lyrisch habe ich mich eigentlich doch nicht so gewandelt? Nehmen Sie vielleicht nicht hauptsächlich Anstoß an dem Wort *Statisch* und erblicken darin eine Absage an Revolution, Dynamik, Avantgardistisches? Aber liegt in der Kunst nicht alles allein in der Form, nicht im Inhalt und hat nicht vielleicht unser olympischer Urgroßvater recht, wenn er lehrt: »vergebens werden ungebundene Geister nach der Vollendung reiner Höhe streben« –? Ich erlaube mir, Sie auf einen Vers in den »Stat[ischen] Gedichten« hinzuweisen, der eigentlich mein Bekenntnis zu diesem Thema ist:

Form nur ist Glaube und Tat,
die erst von Händen berührten
und dann den Händen entführten
Statuen bergen die Saat[18].

Damit aber auch die Ihnen näherstehenden Schädelstätten und Orphischen Zellen zu Ihrer Verfügung sind, erlaube ich mir, Ihnen das gerade neu erschienene Buch der früheren Gedichte zu übersenden, in dem sie enthalten sind. (BR 182)

Drei Alte Männer
Entstanden 1948
Erstdruck Wiesbaden 1949

[Berlin-Schöneberg], 17. Februar 1948

Benn an Friedrich Wilhelm Oelze

1) Wissen Sie, was in 3 A[lte] M[änner] Palais Grimaldi bedeutet?

18 Vgl. Gedicht: »Leben – niedern Wahn« (»Statische Gedichte«, 1948, S. 73; GW, III, 134) Zeile 3 beginnt hier mit »und«, in der gedruckten Fassung dagegen mit »doch«.

Es ist das Schloß, das sich Picasso gekauft und ausgemalt hat und das als moderner Wallfahrtsort in den interessierten Kreisen gilt.
2) Wissen Sie, was Muskel heißt: musculus = Mäuschen (wegen der entspechenden Bewegung unter der Haut) – dies zu S. 40. (UBO)

Benn an Friedrich Wilhelm Oelze [Berlin], 17. August 1948
– anbei kleine Sache[1]. Als Sonder- u. Spezialdank für herrliche Sendungen. Soll Ihnen zugeeignet werden, im Druck, wenn Sie nichts einzuwenden haben [...] (UBO)

Berlin-Schöneberg, 22. August 1948
Benn an Friedrich Wilhelm Oelze
Gleichzeitig sandte ich ihm[2] als Beitrag die *»3 Alten Männer«* – mit der Bemerkung, da er sich großzügiger Weise mit mir sogar in Gefahr habe begeben wollen, schickte ich ihm etwas, das unpolitisch und unpolemisch sei und das seine Destruktion sanft verschleiere. Ob er es haben will, bleibt abzuwarten, vielleicht erscheint es ihm auf dem Hintergrund dieses so aggressiven Briefes[3] vom 18. 7. zu farblos u. melancholisch. (UBO)

Benn an Friedrich Wilhelm Oelze [Berlin], 8. September 1948
Die 3 alten Männer sind keine Realitäten, ich habe keinen Kreis, es sind drei Bewegungsvorwände des unglücklichen G. B., u. der junge Mann ist auch nur eine Staffage, ein Nagel in der Wand, um meine Schnitzereien daran aufzuhängen u. in Beleuchtung zu bringen. (UBO)

[Berlin-Schöneberg], 22. November 1948
Benn an Friedrich Wilhelm Oelze
Ich habe nun über den Essayband neue Pläne entworfen, die ich Herrn Niedermayer schrieb[4]. Nämlich: ich habe zu dem ersten Ge-

1 Das Manuskript: Drei Alte Männer.
2 Hans Paeschke, Herausgeber der Zeitschrift »Merkur«.
3 »Berliner Brief 1948«.
4 Gottfried Benn hatte vorher mit dem Verleger des Arche Verlags, Herrn Schifferli, Verhandlungen hinsichtlich der Veröffentlichung eines Essaybandes geführt.

spräch der drei alten Männer ein zweites[5] verfertigt, ein etwas längeres, in dem ich noch einmal mein gleißnerisches Pfauenrad schlage, es ist nicht so weich und wohl auch nicht so geschlossen wie das erste, aber enthält noch einmal viele Probleme der letzten Jahre. Ich schlage nun vor, den Band mit diesen beiden Gesprächen zu beginnen und den Band etwa »Gespräche und Studien« zu nennen und nach den Gesprächen einige Stücke aus dem Ihnen bekannten Manuskript[6] zu bringen, allerdings auch das »Kunst und Drittes Reich«, an dem ich hänge und das das Schicksal meiner Generation noch einmal entrollt. Abgesehen davon will ich eigentlich alles Politische fortlassen und mehr das Literarische und Gedankliche auswählen. Da ich die Frage des provozierten Lebens in dem zweiten Gespräch erörtere, kann der Aufsatz dann fortbleiben. (UBO)

Benn an Heinz Friedrich Berlin, 12. Dezember 1948
Ich hörte – telefonisch – von Herrn Niedermayer, daß er Ihnen Abzüge meiner neuen Arbeiten gesandt hat. Bitte beachten Sie vor allem die »3 Alten Männer«, in denen alle Problematik meiner Generation nochmals aufgerollt ist. (BR 131)

Benn an Friedrich Wilhelm Oelze [Berlin], 3. Januar 1949
Ich selber habe noch kein Exemplar gesehn, nur in 3 Briefen die Bogen. Ich hätte lieber: *Zwei Gespräche* gesehn als: *Gespräche,* ist konkreter. (UBO)

Benn an Egmont Seyerlen [Berlin], 8. Januar 1949
Ich wollte eigentlich einen der Drei A[lten] M[änner] mit »Lamoral« anreden lassen in Erinnerung an Sie, ließ es aber, weil ich den Stil des ganz Unindividuellen, Persönlichkeitslosen, Collektiven nicht unterbrechen wollte. Selbst Vorname ist schon ein Persönlichkeitszug, der altmodisch wirkt. Näheres darüber im »Ptolemäer«, der jetzt erscheint. (UBS)

Benn an Nele P. Soerensen [Berlin], 15. Januar 1949
Über die »3 Alten Männer« bist Du sicher entsetzt; auch in Deutsch-

5 Vgl. GW, II, 394–412.
6 »Roman des Phänotyp«.

land ist man bestürzt über die Kühnheit der »Formeln« ... Was aber wird, wenn »der Ptolemäer« erschienen ist, das weiß ich nicht. Ich fürchte da manches. Aber es muß sein, entweder man macht Kunst oder man soll schweigen. (MBV 75)

Benn an Gustav Kilpper Berlin, 22. Januar 1949
haben Sie vielen Dank für Ihren freundlichen Brief vom 3. I., den der Verlag an mich gelangen ließ, und die in ihm enthaltenen wohlwollenden Worte für die Alten Männer. (BR 132)

[Berlin-Schöneberg], 3. Februar 1949
Benn an Friedrich Wilhelm Oelze
Ich habe den Eindruck, daß ausländische Bekannte, denen ich die 3 A[lten] M[änner] zusenden ließ, betroffen sind von dem Umstand, daß weder Schuld noch Sühne, Umerziehung und Besserungsversicherungen aus Deutschland in dem Band zu finden sind. Offenbar ist für sie alle, einschließlich meiner Tochter, das Problem Deutschland ganz allein auf diesen Fragenkomplex abgestellt und sie rechnen mit Innehaltung dieses ihres Programms. Andere Sphären stehn uns nicht zu, es ist für uns hybrid, allgemein oder metaphysisch oder ästhetisch zu denken. Sie wünschen *ihre* deutsche Frage dargestellt, nicht unsere Weiterentwicklung anzuhören.
(UBO)

Benn an Gertrud Zenzes [Berlin], 5. Februar 1949
Bekamst Du nun die »3 Alten Männer«? oder stehe ich auf einer schwarzen Liste u. werde nicht ausgeliefert? Gewisse Emigranten in N.Y pöbeln meinen Verleger schon furchtbar an. (BR 134)

[Berlin]-Schöneberg, 2. März 1949
Benn an Friedrich Wilhelm Oelze
Leider wird mich die Kritik Ihres Doktorfreundes über gewisse Stellen in den 3 A[lten] M[ännern] nicht mehr zur Umkehr bringen. Ich schreibe ja keine Keuschheitslegenden und keine Belletristik, meine Idealität ist eine andere als die von Mimosen. Sogar den »wertvollen Teil« meiner Leser froissiere ich gern, und ich gebe zu, daß mir ein kavalleristischer Ton lieber ist als einer aus Glas-

perlenspielen: – dagegen »eiskalt« und »Zoten« gleichzusetzen, das höre ich gern. Meine Frau schließt sich auch den Ausführungen Ihres Bekannten nicht an, unter Männern kann man ruhig so reden, dagegen moniert sie aufs Erbittertste das Pflaumenmus auf Seite 8 als banal und unverständlich, – so sind die Ansprüche verschieden. (UBO)

Benn an Erich Reiss — Berlin, 5. März 1949

Was die Literatur und die »Drei Alten Männer« angeht, so kennen Sie vermutlich den scharfen Tabak nicht, der jetzt hier üblich ist, mit der Belletristik ist es vorbei und die großen Erfolge mit den dicken Romanen gibt es nicht mehr, es ist alles sehr auf die äußersten Formeln gebracht der allgemeinen bitteren und zynischen Stimmung zufolge. (BR 139)

Berlin-Schöneberg, 23. März 1949

Benn an Friedrich Wilhelm Oelze

Interessant ist mir, aus Briefen u. Erzählungen [...] zu entnehmen, daß die 3 A[lten] M[änner] nirgends auf viel Gegenliebe stoßen. Ändert aber nichts an meiner Meinung, daß sie gut sind. Die Leute wollen aus Büchern und Arbeiten immer etwas in die Hand bekommen, eine Moral, eine Aussicht, eine Sentenz, eine »Synthese«. Gerade das aber will ich nicht. Heute kann nur alles in der Schwebe bleiben, sonst ist es unecht u. unzeitgemäß. (UBO)

Benn an Margret Boveri — Berlin, 20. April 1949

Ich will mich aber auch bei Ihnen nicht einschleichen, darum sende ich Ihnen anbei noch ein kleines neues Buch problematischen Charakters: »Drei Alte Männer«, das jüngsten Datums ist. Ich bin mir vollkommen klar darüber, daß ich – wie kürzlich ein Kritiker schrieb – »der große Umstrittene und Überlebende zweier Weltkriege« bin, und das möchte ich durchaus bleiben, nur keine offenen Arme, die einen aufnehmen wie Belletristik und Keuschheitslegenden –, Eindrücke hinterlassen und Keime ausstreun – mehr kann die Kunst von heute nicht. (BR 151 f)

Benn an Erna Pinner — [Berlin], 16. Juli 1949

Du hast ja an den 3 Alten Männern gesehen, daß ich meiner radikalen Sprach- und Gedankenrichtung treugeblieben bin und ich bin wohl der einzige in Deutschland, der den Mut (und infolge seiner Praxis, der ärztlichen) die Möglichkeit hat, den Dingen so ins Auge zu sehen, wie sie sind, so erbarmungslos, so nihilistisch und doch nicht ganz hoffnungslos. (BR 163 f)

Benn an Marguerite Schlüter [Berlin], 17. Oktober 1955

Zunächst bitte nur zu den 3 A. M.[7]

1) schreiben wir also: Ma*c*pherson.
2) S. 22. Gemeint war:
   – »Schläfen, zarte kindliche; süße Worte.«
   zarte kindliche gehört also zu Schläfen.
3) Es muß wohl heißen: »Die Gestalt im Dunkel« – (DT 239)

7 Bezieht sich auf die Neuauflage der »Drei alten Männer« (1948), die im November 1955 erschien.

Trunkene Flut, Ausgewählte Gedichte
Erstdruck Wiesbaden 1949
(2. Auflage um 5 Gedichte vermehrt 1952)

[Berlin-Schöneberg], 25. März 1949

Benn an Friedrich Wilhelm Oelze

ich schreibe heute wegen der Gedichte[1]. Nochmals meinen besten Dank für Ihre Mühe. Ein Band älterer Gedichte bei N[iedermayer] würde ja nun doch etwas anders aussehn müssen. Ich wundere mich bei Ihrer Auswahl z. B. über die »Schale«; »ein Land«; »Doppelkonzert« (dies vor allem, weil Sie Tosca doch ganz abscheulich finden müssen bei Ihrer musikalischen Einstellung) – alles 3 Gedichte, die mir etwas leicht und dünn vorkommen. Ich vermisse: die kubistische Sphäre (»Selbsterreger«; »Blüte des Primären«; »es ist in Sommertagen«; »Orphische Zellen« (120); »D-Zug«; »Englisches Café«; »Synthese«; »die Dänin I«; »Das späte Ich«; »Trunkene Flut«; »Nachtkafé S. 32; »Meer- u. Wandersagen«; »Theogonien«; »Grenzenlos«; »Entwurzelungen«; »Schleierkraut«; »Betäubung«; »Regression«; »Wie lange«.

Von denen von Ihnen erwähnten: »Überblickt man die Jahre« – besitze ich keine Abschrift u. weiß nichts mehr davon.

Und der »Monolog«?? Den vermissen einige Leute in den »Statischen Gedichten«, die ihn aus den 22 Gedichten 1943 kannten.

Schwierige Auswahl! (UBO)

[Berlin-Schöneberg], 2. April 1949

Benn an Friedrich Wilhelm Oelze

Und damit sind wir bei dem leidigen Thema eines weiteren Gedichtbandes von mir. Die Schwierigkeit erblickte ich darin, daß, wenn Herr N[iedermayer] jetzt liebenswürdigerweise einen 48 Seitenband schnell herausbringen würde, doch es nur wieder eine fragmentarische Sache wäre, denn ein wirklich repräsentativer Band müßte doch vielleicht das Doppelte umfassen. Wäre nicht dieser umfangreichere Band dann im Herbst ratsamer. Ich bin unschlüssig

1 Oelze war gebeten worden, für einen geplanten Band mit älteren Gedichten eine Auswahl zu treffen.

und weiß es nicht. Und wie sollte man den kleinen jetzigen Band nennen? Wüßten Sie einen Titel? »Plakat« ist ein Gedicht, das ich auch ganz gut finde. »Nachtcafé« würde ich Ihnen gerne opfern, ob »Synthese« weiß ich nicht, jedenfalls in den größeren gehörte es hinein. Übrigens erinnere ich mich, schrieb damals, als es erschien, eine Berliner Zeitung: »das einsamste Gedicht seit Nietzsche«.

(UBO)

Berlin-Schöneberg, 4. April 1949

Benn an Friedrich Wilhelm Oelze

anbei ein Entwurf von mir, der Ihre Auswahl u. meine Ideen kombiniert [. . .]

1) Titel entweder:

Trunkene Flut

oder

Das späte Ich

oder

Der Sänger

Untertitel für jeden Fall: Gedichte um 1920

Je nachdem, müßte dann das 1. Gedicht das Titelgedicht sein.

2) Ich habe hinter jedes Gedicht die Zahl der Seiten gesetzt, die es erfordert. Ferner die Seitenzahl aus den älteren Ihnen zugänglichen Bänden, nämlich dem der Schmiede u. dem der D. V. A. Stuttgart. Zu Ihrer schnelleren Orientierung habe ich den Schmiedeband mit I bezeichnet

3) Sofern ein Band von 48 Seiten erfolgen soll, muß man eine engere Auswahl treffen,

4) Den »Prolog« aus Band II habe ich »Valse triste« genannt, er gefällt mir u. ich möchte ihn drin haben, mit dem Titel »Prolog« aber wäre es unverständlich.

5) Als einziges ungedrucktes könnte »die Himmel wechseln ihre Sterne« [2] als vorletztes stehn

6) Auf der Rückseite meines Bogens habe ich diejenigen verzeichnet, die im Falle einer 3 (= 3 x 24 = 72 Seiten) hinzukommen könnten

2 »Epilog 1949«, 3.

7) Wäre zu überlegen, ob man nicht für jedes Gedicht eine neue Seite nimmt, sondern sie fortlaufend setzt (mir wäre das egal.)
8) Auch bei dieser Fassung wären die Gedichte, die 1912 meinen sogenannten Ruhm begründeten (Morgue, Nachtcafé), nicht vorhanden; vor allem die berühmte »Krebsbaracke« fehlte
9) Als Schlußgedicht finde ich »Regressiv« sehr geeignet, übrigens standen diese Verse eingemeißelt auf dem Sockel der Büste von mir, die von H. G. Wolf stammte u. im Hamburger Museum für Kunst u. Gewerbe (Director: Sauerland) bis 1933 stand
10) Die Reihenfolge der Gedichte ist durchaus Korrekturen zugängig. Die ganze Sache ist rein historisch, meine Natur ist ja, eher auszustreuen als zu sammeln u. eher das Vergessen als das Einprägen zu pflegen [...]

1.) Trunkene Flut 2 (10), 2) Das späte Ich 2 (15), 3) Kretische Vase 1 (12), 4) Du mußt dir alles geben 2 (13), 5) Valse triste 2 (5), 6) Karyatide 1 (9), 7) Orphische Zellen 2 (39), 8) Gesänge 1 (23), 9) D-Zug 2 (24), 10) Engl. Café 2 (I, 54), 11) Der junge Hebbel 2 (21), 12) Pappel 1 (27), 13) Der Sänger 1 (I, 103), 14) Untergrundbahn 1 (26), 15) Palau 2 (31), 16) Dänin I, II 5 (I, 152–155), 17) Nebel 1 (50), 18) Dir auch 1 (47), 19) Wie lange noch 2 (45), 20) Aus Fernen, aus Reichen 2 (48), 21) Finale 1 (I, 133), 22) Schleierkraut 1 (51), 23) Osterinsel (37) 2, 24) Schutt 2 (I, 105), 25) O Nacht – (28) 2, 26) Entwurzelungen 1 (55), 27) Selbsterreger 1 (56), 28) Betäubung 1 (I, 176), 29) Grenzenlos 1 (I, 178), 30) Meer- u. Wandersagen 2 (33), 31) Einst 1 (99), 32) Dein ist – 1 (90), 33) Träume, Träume 2 (93), 34) Das Ganze (100) 1, 35) Sopransolo (62) 1, 36) Doppelkonzert (92) 1, 37) Dunkler (53) 1, 38) Erst wenn (41), 1, 39) Einzelheiten 1 (42), 40) Sieh die Sterne, die Fänge (104) 1, 41) Die Himmel wechseln ihre Sterne 1, 42) Regressiv 1 (I, 188), Terzett u. Tenorsolo 2 (63), Lied 1 (64), Knabenchor 1 (65), Synthese 1 (30), Theogonien 2 (35), Plakat 2 (68), Das Instrument 1 (70), Ikarus I 2 (78) (UBO)

Berlin-Schöneberg, 7. April 1949

Benn an Friedrich Wilhelm Oelze

Seien Sie nicht böse, aber mich hat der Gedanke, sehr bald einen

Gedichtband der älteren Gedichte herausgebracht zu sehn, weiter verfolgt [...] es wäre zu machen, was die künstlerische Seite angeht. Anbei die Auswahl, die aus 30 Gedichten zu 46 Seiten bestünde, unter dem angegebenen Titel. Die Auswahl ist getroffen unter dem alleinigen Gesichtspunkt künstlerischen Rangs u. aesthetischer Wirkung

[Es folgt auf einem Extrablatt mit roter Tinte geschrieben:]

Trunkene Flut. Gedichte um 1925

1. Trunkene Flut 2; 2. Das späte Ich 2; 3. Karyatide 1; 4. Orphische Zellen 2; 5. Gesänge 1; 6. Der Sänger 1; 7. Palau 2; 8. Selbsterreger 1; 9. Grenzenlos 1; 10. Aus Fernen, aus Reichen 2; 11. Schleierkraut 1; 12. Nebel 1; 13. Dir auch 1; 14. Dänin I, II, 5; 15. D-Zug 2; 16. Englisches Café 2; 17. Wie lange noch 2; 18. Entwurzelungen 1; 19. Betäubung 1; 20. Valse triste 2; 21. Synthese 1; 22. Du mußt dir Alles geben 2; 23. Finale 1; 24. Noch einmal 1; 25. Meer- u. Wandersagen 2; 26. Kretische Vase 1; 27. Schutt 2; 28. Einst 1; 29. Sieh die Sterne 1; 30. Regressiv 1. (UBO)

[Berlin-Schöneberg], Ostern 1949
[Datum d. Poststempels: 18. April 1949]

Benn an Friedrich Wilhelm Oelze

Ich beeile mich zu bitten, den Gedichtband vorläufig auf sich beruhen zu lassen. Herr N[iedermayer] scheint mir im Augenblick nicht gestimmt, sich mit neuen G. B.s einzulassen, eine gewisse Enttäuschung über den geschäftlichen Teil der Sache klingt mir aus seinem letzten Brief entgegen. Aber ich habe ihn wahrhaftig seinerzeit eindringlich u. selbstlos vor mir gewarnt. (UBO)

Benn an Max Niedermayer [Berlin], 28. Mai 1949

[...] Ich beschäftige mich jetzt mit der Zusammenstellung des Gedichtbandes der früheren Gedichte. Aber – erschrecken Sie nicht, es werden wohl 100 Seiten werden. Titel: »Trunkene Flut«, Gedichte zwischen 1920 und 1930. (Das ist der Titel des ersten Gedichts.) Einige Gedichte aus früheren u. aus späteren Jahren schmuggle ich mit hinein, aber dann ist alles Wesentliche drin, das ich zur Zeit herausgeben möchte. (LPBD 268)

[Berlin-Schöneberg], 29. Mai 1949

Benn an Friedrich Wilhelm Oelze

Ich stelle den Gedichtband zusammen ohne Rücksicht auf Bogenzahl, wohl 100 Seiten. Titel: Trunkene Flut. (UBO)

[Berlin-Schöneberg], 6. Juni 1949

Benn an Friedrich Wilhelm Oelze

Sie können durchaus nicht in Ihre »heimatlichen Schatten« zurück, vielmehr im Gegenteil sende ich Ihnen in den nächsten Tagen das von mir fertiggestellte Manuscript des Gedichtbandes zu mit der unverschämten Bitte, es zu studieren u. dann an Herrn Niedermayer weiterzuleiten. Ich habe kein reguläres Manuscript gemacht aus Zeitmangel, sondern sauber getippt die Titel u. Seitenzahlen aus den beiden Bänden[3], die Sie besitzen. Werfen Sie bitte einen Blick hinein. Herr N[iedermayer] kann dann, wenn er es von Ihnen hat, seinen Setzer anweisen, es zur Korrektur zu bringen, ich werde Herrn N[iedermayer] die beiden Bände zuschicken, dann kann er selber studieren u. etwaige Wünsche äußern. (UBO)

[Berlin-Schöneberg], 20. Juni 1949

Benn an Friedrich Wilhelm Oelze

Arzt u. Kreißsaal werden nicht gebracht[4]. Über »Rosen« haben Sie nichts geschrieben, erheben also wohl keinen Einspruch [...] N[iedermayer] hat die Sachlage wohl nicht ganz erfaßt: er fragt, ob die Epilog-Gedichte auch aus 1920–1930 stammen oder später. Meiner Meinung nach ist doch durch die Bezeichnung *Epilog 1949* klar, daß diese Verse jetzt für das Buch gemacht sind, als Zusammenfassung u. Stimmung heute dem ganzen Gedichte u. Gedenke gegenüber. Ich hatte doch wohl »wo du gewohnt, gewacht« auch in die Epiloggedichte gesetzt? (UBO)

3 »Ausgewählte Gedichte 1911–1936«, Deutsche Verlagsanstalt, Stuttgart, Berlin März 1936 und »Ausgewählte Gedichte 1911 bis 1936«, Deutsche Verlagsanstalt, Stuttgart, Berlin (November? Dezember?) 1936.

4 Auf Vorschlag von Oelze und Niedermayer, dem Benn sich anschloß.

[Berlin-Schöneberg], 7. August 1949

Benn an Friedrich Wilhelm Oelze

Ob ich die beiden Gedichte[5] noch verwerte, weiß ich nicht. Ich müßte dann ja den Untertitel: »Gedichte etwa zwischen 1920 u. 1930« ändern. Gefällt mir überhaupt nicht sehr. Aber irgendwie wird man doch darauf hinweisen müssen, daß der Band die älteren enthält. Sehr entzückt bin ich von dem ganzen Band nicht, dessen Fahnen-Korrektur jetzt bei mir eingegangen ist. Er tritt doch in eine völlig *veränderte* geistige Situation, verändert in Bezug auf Inhalte u. Methoden; soll man sich sagen lassen: überflüssige Reminiscenzen u. vergreiste Substanzen? Wie gesagt, ich bin etwas schwankend geworden. (UBO)

[Berlin-Schöneberg], 22. September 1949

Benn an Friedrich Wilhelm Oelze

Herr N[iedermayer] schickte mir heute die 2. Korrektur der Gedichte[6] [...] Meine Gedanken sind folgende: 1) ich möchte, daß unter »Ausgewählte Gedichte« im Titelblatt in Klammern steht: (bis 1935, mit Epilog 1949). 2) ich möchte, daß zwischen den Gedichten bis 1935 ein leeres Blatt kommt, damit die Epiloggedichte einzelnen ein Blatt haben wie die übrigen.

Das bedeutet einen Bogen Papier mehr als bisher (ein Bogen ist 16 Seiten). Also muß ich dem Vorschlag von N. folgen und einige weitere hinzufügen, um den Bogen zu füllen, – außerdem frage ich mich auch, warum ich einige Gedichte eigentlich fortgelassen habe, sie könnten ganz gut auch herein, – nämlich:

Ikarus 1–3, GG S. 78–81

Die weißen Segel, A. G. S. 85

Reise, GG. S. 75 – dann wäre der Bogen schon voll.

Zu: Reise bemerke ich, daß Herr Schäder[7] sie in seinem Vortrag

5 »Nasse Zäune« und »1886«, die nicht in den Gedichtband aufgenommen, sondern später veröffentlicht wurden: »Nasse Zäune« zuerst in »Primäre Tage« (1958), »1886« in verkürzter Form in »Doppelleben« (1950), S. 183–186. Der Originaltext dieses Gedichts befindet sich im Archiv von Oelze.

6 »Trunkene Flut«.

7 Professor Heinrich Schäder aus Göttingen.

am Dienstag[8] hat vortragen lassen und daran seine Bemerkungen knüpfte, er sie also interessant fand.
Zu: Die weißen Segel –, würde ich Sie um die Erlaubnis bitten, in diesem Band die Widmung an Sie fortzulassen, da ja das Rosengedicht Ihrer Gattin gewidmet ist und dann zweimal Oelze mir zu tautologisch erscheint.
Ich würde die Gedichte an folgende Stellen einsetzen:

Ikarus zwischen Hebbel und Mutter, also S. 27.

Reise zwischen Englisches Café und Schutt, also S. 31.

Die weißen Segel zwischen Valse triste und Wie lange noch, – also als S. 39. (UBO)

Berlin-Schöneberg, 24. September 1949

Benn an Friedrich Wilhelm Oelze
In Bezug auf Jahreszeiten müssen wir es wohl bei der summarischen Angabe lassen, von der ich gestern schrieb: (bis 1935), nähere Gruppierungen scheinen mir zu schwierig zu sein, da alles durcheinander geht, z. B. »Finale« ist meines Erinnerns sehr früh. Dagegen würde ich auch die »Dänin I, II« an früherer Stelle bringen z. B. in die Nähe von »Dir auch« oder die 8zeiligen der Osterinselgruppe [...] (UBO)

[Berlin-Schöneberg], 28. September 1949

Benn an Friedrich Wilhelm Oelze
Also, ich meine, man soll nun den Band ruhig als »Trunkene Flut« laufen lassen. Lyrik ist doch schließlich immer romantisch u. sentimental, u. Weigands Buchtitel[9] sind mir völlig unbekannt u. vermutlich anderen auch, u. wenn sich der Band als solcher nicht von der Popularlyrik abhebt, nützt ihm ein sachlicher Titel, in Ihrem Sinne, auch nichts. (UBO)

8 Im Nachtprogramm des NWDR (Nordwestdeutscher Rundfunk) am 20. September 1949 abends 23–24 Uhr.
9 Oelze hatte angedeutet, daß der Titel »Trunkene Flut« zu sehr an den Titel des Romans »Die rote Flut« von Wilhelm Weigand (1862–1949) erinnere.

[Berlin-Schöneberg], 28. September 1949

Benn an Friedrich Wilhelm Oelze

Ich persönlich bin so sehr mit neuen Fragen u. Versuchen beschäftigt, daß ich mich für diesen Gedichtband im Augenblick nicht sehr interessiere, er muß, so gut oder schlecht es geht, seinen eigenen Weg machen. (UBO)

[Berlin-Schöneberg], 9. Oktober 1949

Benn an Friedrich Wilhelm Oelze

Wenn ich am Titel nichts änderte, so nur, weil ich wiedermal zu müde war, um principiell über das ganze Buch nochmal nachzudenken. (UBO)

[Berlin-Schöneberg], 15. Oktober 1949

Benn an Friedrich Wilhelm Oelze

in Ergänzung meines heutigen Vormittagsbriefes, mit der Bitte um Entschuldigung für diese 2. Post:

1) vorhin kam die Endkorrektur der Gedichte.

Ich hätte zu bemerken:

a) bei »Wie lange noch«, S. 49

müßte, wenn am Schluß Anführungsstriche stehn, solche auch am Anfang stehn. Ursprünglich, in nascendi, war das Gedicht als Sprechen einer Frau an den Mann gedacht, darum standen bisher » «. Man kann sie natürlich auch fortlassen [...]

b) Ich fände es hübscher, wenn S. 106 der Titel »Epilog 1949« u. dann S. 107 nicht mehr, sondern dann die 5 Gedichte folgten (also ohne die Überschrift auf S. 107). Bitte entscheiden Sie. Mir scheint es proportionierter, als wenn S. 106 leeres Blatt. (UBO)

Benn an Max Niedermayer [Berlin], 16. November 1949

Also morgen wird wohl die Trunkene Flut bei mir eintreffen und ich freue mich darauf. Nun wird wahrscheinlich wieder das Spiel einsetzen, daß die einen sagen, dieser Mann soll lieber nicht dichten, sondern Aufsätze schreiben und die anderen werden sich äußern, wenn einer im Grunde so lyrisch und sentimental ist, warum ist er dann gedanklich so kalt und abstrakt. Und die dritten werden sagen, das wollen wir nicht mehr wissen, abgelebt wie Rudolf Baumbach oder wie Chimu. (BV 34)

[Berlin-Schöneberg], 19. November 1949

Benn an Friedrich Wilhelm Oelze

Ich finde auch, Herr N[iedermayer] hätte ruhig etwas dickeres Papier für die Trunkene Flut nehmen sollen, jetzt ist der Band dünner als die Statischen Gedichte, auch der grüne Anstrich oben gefällt mir nicht sehr – grün ist nicht trunken, sondern Kater. (S. 10 ein m ausgesprungen: I*m*. S. 97 nicht dämmend, sondern dämme*r*nd).

(UBO)

Benn an Frank Maraun [Berlin], 20. November 1949

Sie werden wohl »Trunkene Flut« bekommen haben, jedenfalls teilte mir Herr Niedermayer es mit, und Sie sehen sich auf dem Umschlag mit Ihrem hybriden Urteil über die dann folgende Lyrik. Ich würde gerne Herrn *Glaeser* ein Exemplar mit Widmung senden, weiß aber seine Adresse nicht, können Sie sie mir sagen?

(BR 180)

[Berlin-Schöneberg], 16. Mai 1950

Benn an Friedrich Wilhelm Oelze

Wenn ich überhaupt an Kritiker schriebe und Kritiken als Anlaß von Kontroversen nähme, würde ich ihn [10] fragen, was er mit dem Ausdruck »Asphaltgeilheit« meint und welche Verse aus der Tr[unkenen] Fl[ut] ihm diese Impression beigebracht haben. Erstens kann ich mir kein Wesen vorstellen, das auf Asphalt geil ist und zweitens finde ich, daß die Tr[unkene] Fl[ut] so ausgewählt ist, daß alle meine radikalen Neigungen darin keine Darstellung finden. Aber wer Gedichte liebt, deren Titel »an meine Lampe« und »an meinen gläsernen Briefbeschwerer« sind, kann wohl nicht anders, als die meinen verächtlich finden. Nun, laß sie drehn und stäuben, und meines Wanderns Gemütsruhe werden sie nicht stören.

(UBO)

10 Karl Korn, der in einem Artikel (FAZ?) die Gedichte von Gan besprach und Benn »einiges auswischt«, wie es an anderer Stelle im Brief heißt.

ROSEN

Entstanden 1946

Erstdruck in: Trunkene Flut 1949

[Berlin-Schöneberg], 1. Juni 1946

Benn an Friedrich Wilhelm Oelze

Ich denke öfter an Ihren Garten [11], in den Sie von den zwei Terassenstufen aus steigen. Da ich ihn nicht malen kann u. keine Phantasie besitze, trachte ich ihn in einem kleinen Vers zu erfassen, den ich Ihrer Gattin [...] in ihre [...] Hände lege.

Ein Dank wäre ja viel Belastung für diese kleine Melodie – geschrieben auf den letzten Bogen des bürgerlichen Papiers [12], das mich so viele Jahre begleitet hat [13]. (UBO)

[Berlin-Schöneberg], 10. Juni 1946

Benn an Friedrich Wilhelm Oelze

Im Rosensong, bitte beachten: in der 1. Reihe Vers 2 u. 3 vo*n* (n wie Nebukadnezar); in der 3. Reihe: vo*r* (r wie Romeo). Bei meiner Schrift ist alles möglich. (UBO)

[Berlin-Schöneberg], 14. Juni 1949

Benn an Friedrich Wilhelm Oelze

Ferner möchte ich das Gedicht *Rosen* (das mir im Laufe der Jahre infolge Ihrer etwas ablehnenden Kritik manches Kopfzerbrechen gemacht hatte) doch in den Band einfügen, vielleicht gegen Ende, etwa als 10 vor Schluß. Ich habe keine Abschrift der Aufstellung hier, die ich Ihnen schickte, und werde dementsprechend an N. dazu Anweisung geben. Ich hänge an diesem kleinen melancholischen Gedicht, ich weiß nicht warum, vielleicht in Erinnerung an die Zeit seines Entstehens, des Moments seiner Konzeption, der Trauer, in der ich mich damals befand oder gottweiß warum. Wenn ich es mir

11 In Bremen-Oberneuland.

12 Bezieht sich auf einen Block altes Büttenpapier.

13 Beilage: handgeschrieben u. signiert.
(G. B.) Gedicht »Rosen« mit einer Widmung am Fuß des Blattes: »Für Frau Charlotte Stephanie Oelze und den Garten in Oberneuland« 30. Mai 1946.

heute ansehe, habe ich auch nur gegen die letzte etwas farblose und konventionelle Reihe etwas einzuwenden, sonst finde ich es zart und lyrisch. Ich habe auch daran gedacht, es unter die Epilog-Gedichte als etwa 3. einzusetzen, aber ich werde das doch wohl nicht tun, weil die Epiloggedichte stimmungsmäßig in sich geschlossen sind, nämlich sehr persönlich und alle auf den Ich-ton eingestellt. (UBO)

[Berlin-Schöneberg], 27. Juni 1949

Benn an Friedrich Wilhelm Oelze
»Rosen« – Sie rieten seinerzeit ab, sie in die »Statischen Gedichte« zu übernehmen: zu zart, zu melancholisch. Daher stehn sie nicht drin. (UBO)

[Berlin-Schöneberg], 8./10. Mai 1950

Benn an Friedrich Wilhelm Oelze
Ich verweise ferner auf das Gedicht »Rosen«, von dem Sie einmal schrieben, in die Statischen Gedichte würden Sie vielleicht »das zarte, melancholische Gedicht Rosen« nicht aufnehmen – dann war Ihnen diese Bemerkung entfallen – also auch Sie sind dieser charakteristischen, allgemein verbreiteten Zeiterscheinung des Vergessens mitverfallen. (UBO)

EPILOG 1949

Entstanden 1949
Erstdruck in: Trunkene Flut 1949

[Berlin-Schöneberg], 14. Juni 1949

Benn an Friedrich Wilhelm Oelze
Zu meiner Sendung Gedichte möchte ich folgendes bemerken. Ich habe mich entschlossen, den Epilog 1949 nicht nur aus dem etwas glatten einen Gedicht [14] zu machen, das ich dem Manuscript bei-

14 »Es ist ein Garten«.
15 I »Die trunkenen Fluten fallen«; II »Ein breiter Graben aus Schweigen«; III »Ein Grab am Fjord ...«; IV »Es ist ein Garten«; V »Die vielen Dinge«. Typoskripte dieser Gedichte, mit dem Titel »Vier Privatgedichte«, befinden sich im Besitz von Dr. Oelze, der sie am 15. Mai 1949 empfing.

legte als – glaube ich – 60., sondern die beifolgenden 5 Gedichte[15] zusammen mit dem Titel Epilog 1949 zu bezeichnen. Es wären also die Nummern zu streichen, die ich in den Band als solchen eingesetzt hatte und die Nummern dementsprechend zu ändern.

(UBO)

Benn an Max Niedermayer [Berlin], 20. Juni 1949

Das Gedicht: »wo du gewohnt, gewacht« ist ja wohl in den Epiloggedichten drin, muß also an der vorher eingesetzten Stelle natürlich verschwinden. Die *Epiloggedichte* 1949 sind nicht zwischen 1920–1930 entstanden, sondern eigens für dies Buch aus dem letzten Jahr gesammelt, – als Rückblick auf das alles, das ganze Gedichte und Gedenke von G. B. – u. was dabei herausgekommen ist oder *nicht* herausgekommen ist, namentlich das letztere! Sich selber zu überblicken, auf sich zurückzublicken, ist nicht überall angenehm u. wärmespendend. Aber in dieser unserer Zeit wird wohl Großartiges u. Geschlossenes, das sich von allen Seiten bestaunen läßt, nicht zu schaffen sein. (BV 26)

[Berlin-Schöneberg], 26. Oktober 1949

Benn an Friedrich Wilhelm Oelze

Zum Glück hat seine [Niedermayers] Sekretärin im ersten Epiloggedicht – letzter Vers, erste Zeile – noch einen Fehler entdeckt, nämlich statt Farben: (Flammen) gesetzt, was ich gemeint hatte, nein, schon wieder verkehrt: *Fragen* – damit es sich auf geschlagen reimt (wie primitiv ist eigentlich diese ganze Dichterei!) (UBO)

[Berlin-Schöneberg], 25. Mai 1950

Benn an Friedrich Wilhelm Oelze

Gestern abend um 10 sandte N. W. D. R. zehn Minuten lang die 5 Epiloggedichte aus »Trunkene Flut«, die ich auf Band gesprochen hatte. Meine Frau hörte zu, war sehr angetan, ich saß in meiner Kneipe und zischte mein Bier, von Patienten hörte ich, es sei ergreifend gewesen, zum Schluß kam schöne Musik. (UBO)

Der Ptolemäer
Erstdruck Wiesbaden 1949

Inhalt:
Weinhaus Wolf
Entstanden 1937
Roman des Phänotyp
Entstanden 1944
Der Ptolemäer
Entstanden 1947

WEINHAUS WOLF
Entstanden 1937
Erstdruck in: Der Ptolemäer, Wiesbaden 1949

Benn an Friedrich Wilhelm Oelze [Hannover], 26. April 1937
Daneben arbeite ich privat. Ob was Gescheites herauskommt, weiß ich noch nicht. Eigentlich ist es nur eine Zusammenfassung alles dessen, was in unseren Briefen, den Hannoverschen Briefen, der letzten zwei Jahre stand. (UBO)

Benn an Friedrich Wilhelm Oelze [Hannover], 20. Juni 1937
Das »Weinhaus W[olf]« ist ein Dreck. Reine Spucke. Muß es noch lange bearbeiten, wenn es überhaupt was werden soll u. kann.
(UBO)

Benn an Friedrich Wilhelm Oelze Berlin, 17. Mai 1938
Wir haben nun im Verlauf der letzten 2 Jahre über bestimmte Themen soviel geredet und in unseren Briefen geschrieben, daß wir sie eigentlich einmal zusammenfassen und abschließen müssen. Ich werde mir daher erlauben, Ihnen in den nächsten Tagen meine letzte größere Arbeit, nämlich »Das Weinhaus Wolf«, in dem einzig vorhandenen Schreibmaschinenexemplar zu übersenden. Eigentlich ist es nur eine Zusammenstellung unserer Briefe, an der Sie ebenso beteiligt sind wie ich. Meine Frau hatte die große Freundlichkeit, die Abschrift herzustellen und schenkt sie Ihnen als

Eintrittsgeschenk in unsere, Ihre und meine, Freundschaftsverbindung. Bitte danken Sie ihr.
Das Manuskript selbst bitte bewahren Sie auf. Es wurde von mir hergestellt, ich meine die Arbeit selbst, im Frühjahr 37 in Hannover. Ich hatte es bis jetzt nicht fertiggeschrieben; jetzt aber möchte ich es los sein, um mich anderen Dingen zuzuwenden. Weitere opera posthuma! Wenn Sie das eine oder das andere aus der Arbeit interessiert, wird es mich freuen. Wir saßen ja ein paarmal in dem Weinhaus, erinnern Sie sich?
Nehmen Sie Dank u. Gruß für die mich bereichernde Art unserer Beziehungen. (UBO)

Benn an Friedrich Wilhelm Oelze [Berlin], 29. Juni 1938
A propos »Weinhaus W[olf]« hat sicher wieder manchen Druckfehler. Zum Schluß z. B., was Sie einmal zitierten: »u. beobachte es *bis* zu Ende«. Bitte: *bis* einfügen. Klingt besser. (UBO)

[Landsberg], 22. Dezember 1943
Benn an Friedrich Wilhelm Oelze
Heute früh kam W[einhaus] W[olf] [...] wenn es doch etwas weniger Düsteres und Dumpfes berge, nicht diese an Gegenstände u. Figuren herangekneteten Gedanken! Das kann ich nicht, das sollte ich lieber lassen, sage ich mir heute. Wenn ich mich heute erinnere, wie viel Schwierigkeiten, wie viel langwierige Arbeit mir diese 15 Seiten machten, wird mir ganz grau ums Herz, daß dann nichts Besseres herausgekommen ist. Nur überwältigt mich die Gleichförmigkeit u. Unität aller meiner Gedankengänge innerhalb dieser letzten 10 Jahre. Denn auch in der jetzt abgeschlossenen u. versiegelten »Ausdruckswelt« kommt das Gleiche zur Sprache. »Wiederholungszwänge« – einerseits Stumpfsinn u. Mangel an Elan, andererseits ein Verfahren, eine zweifellose Methode, Stil zu machen und Kunst d. h. Wirklichkeit (Kunst-Herstellung von Wirklichkeit) zu fabrizieren –: also auch hier ein Dilemma wie in allen geistigen Dingen [...] (UBO)

ROMAN DES PHÄNOTYP

Landsberger Fragment

Entstanden 1944

Erstdruck in: Der Ptolemäer, Wiesbaden 1949

Benn an Egmont Seyerlen [Landsberg], 16. April 1944

Ließ nichts von mir hören, da vollbeschäftigt mit Abfassen von Roman, der nicht seinesgleichen hat, selbst nicht unter meinen Werken, erst etwa 1914 ist etwas da, was schmerzliche Scham hieß. (UBS)

Landsberg/Warthe, 3. Mai 1944

Benn an Friedrich Wilhelm Oelze

Ja, es ist ein Fesselballon [1] oder eine Klausur. Was momentan dabei herauskommt, ist mir selber eine Überraschung. Nämlich etwas, was nicht mehr in den Essayband gehört, da es diesen bereits hinter sich läßt, sondern (!) eine neue Seite bringt. Es ist eine Prosasache freier Art. Der Name ist verblüffend: »Roman des Phänotyp«. Sie können sich nichts dabei denken, mit Recht, u. darum setze ich das zu Anfang auseinander. Es ist natürlich kein Roman in irgendeinem schon bekannten Sinne. Es hat mit Liebe garnichts zu tun. Es ist ein Roman nach Innen, der Roman der tatsächlichen inneren Schichten in uns, aber dies nicht analytisch, sondern ausgedrückt, real vorhanden, wobei natürlich Inhalt und Form schon wieder identisch ist, ja das ist eigentlich das ganze Problem: daß es Inhalt nicht giebt, nur Ausdruck u. Form, bzw. nur Inhalt als Ausdruck u. Form. Aber, wie gesagt, es ist in keiner Weise theoretisch, vielmehr von äußerster Realistik, nämlich seelischer Tatsächlichkeit: nur so kann der heutige Typ, eben der Phänotyp, sein u. sich ausdrücken. Ich brauch Ihnen nicht zu erwähnen, daß, wenn auch nur der leiseste Eindruck des von mir Gemeinten in einigen zu Erkenntnis

1 Im Brief vom 6. März 1944 hieß es: »Mir geht es in Bezug auf das Gefühl der Existenzlosigkeit genau so wie Ihnen, ich komme mir vor wie in einem Fesselballon, die Berührung mit der Erde ist sehr flüchtig u. nur noch artifiziell. Dieser Fesselballon ist hier besonders deutlich, da die Kaserne hochliegt, über dem Warthe- u. Netzegau schwebt u. ich sie kaum noch verlasse, wochenlang nicht.«

wird, eine gewisse Unterlagenentziehung für Vorhergehendes eintreten müßte, dann gibt es keine psychologischen Romane usw. mehr. Das ganze Ding wird nicht lang, vielleicht 100 Seiten (also der 200 Seiten-Roman Ihrer Observanz ist noch nicht einmal erreicht!); kurze Abschnitte, die Titel werden Sie amüsieren: z. B. »Der Stundengott«; »Ambivalenz«; »Gestützt auf Pascal«; »nicht pessimistisch das Ganze«; »Bedenken gegen Nietzsche«; »Völliger Gegensatz zu Schifferkreisen«, »Summarisches Überblicken«, »Stadtpark«, »geographische Details« »Blöcke«, »Statische Metaphysik« – kurz: buntes Allerlei. Bedenken Sie: eine Art Roman (ohne Handlung) und vor allem ohne tragende Figur, er geht ja davon aus, daß es individuelle Züge nicht mehr giebt, warum also ⟨aber?⟩ durch Gestalten etwas ausdrücken, wenn gerade die Gestalt abhanden gekommen ist? Das ist die technische Schwierigkeit. Das Hilfsmittel dagegen ist der neue Begriff: existentiell, den ich groß herausstelle. Sie sehen: höchst problematisch alles, eine Bezirksbombe an Abwegigkeiten u. Excentric. (UBO)

Landsberg/Warthe, 7. Mai 1944

Benn an Friedrich Wilhelm Oelze

Sie sitzen auf dem Montmartre u. heranschwirrt der Phänotyp aus dem Warthebruch, bereits in jenes formale Nichts aufgelöst, das er kommen sieht, jene Ambivalenz, von der er einmal sagt: »Trauer und Licht, u. beides angebetet, wie still das alles in mir ruht u. dann die endenden Sommer mit dem Violett der Distel u. der schwefelgelben, der heißen süßen Rose Diane Vaincue«. (UBO)

[Landsberg/Warthe], 31. Mai 1944

Benn an Friedrich Wilhelm Oelze

Meine Arbeiten sind von Stimmungen getrübt. Dieser Phänotyp wird doch wohl nur ein »Landsberger Fragment«. Seine Anlage ist: ein Fächer, radical strahlen die einzelnen Ansätze aus, keine Bewegung; ein Held, der sich wenig bewegt, ein Roman im Sitzen; stellen Sie sich eine Torte vor, die Stücke gehn alle nach Innen zusammen u. gleichen sich im Teig u. sind mit den gleichen Früchten belegt. Chronologie u. Psychologie sind ja eben das, was ich auszuschalten suche. Zwei ähnliche Versuche sind mir aus der Literatur bekannt: »Paludes« von Gide u. »*Bebuquin*« von Einstein. Namentlich der Letztere schaltete auch Zeit u. Psychologie aus, aber ließ die Handlung nicht fort, der Held mußte noch allerlei betreiben. Das war inkonsequent. Auch daß er überhaupt noch einen Namen hatte, war paradox. Jetzt ist die Lage anders. Schwierig alles u. vermutlich sinnlos u. das Ganze bleibt outsider. (UBO)

Landsberg/Warthe, 12. Juli 1944

Benn an Friedrich Wilhelm Oelze

Der Phänotyp ist abgeschlossen, er wird die von Ihnen bestimmten 100 Seiten im Druck haben, und er wird das einerseits Gelösteste und andererseits Concentrierteste sein, was zur Zeit innerhalb Europas zu liefern ist. Wo ich ihn unterbringe, weiß ich noch nicht, um ihn sicherzustellen. (UBO)

Landsberg/Warthe, 14. August 1944

Benn an Friedrich Wilhelm Oelze

Den Phänotyp habe ich schon wieder vollständig vergessen, weiß nicht mehr, was er eigentlich bedeuten sollte, [. . .] (UBO)

L[andsberg] a. W., 22. Januar 1945

Benn an Friedrich Wilhelm Oelze [2]

Der »Roman des Phänotyp« ist soweit fertig. Hier ist die Folge innerlich notwendig. Im Verlauf eines Vierteljahres niedergeschrieben u. dann liegen gelassen, wäre es schon möglich, daß ich einiges ändern würde, aber das Ganze ist ein Fragment u. kann so bleiben. Ich denke: 1) »Roman des Phänotyp« u. »Weinhaus Wolf« in einem Band, als Prosaband. [. . .] (UBO)

Benn an Johannes Weyl — Berlin, 28. März 1946

Ich verfaßte in den letzten Jahren [. . .] eine Art Roman höchst abwegiger Art, aber von einer sicher weitgehenden Identität mit der Zeit; völlig neu in der Methode, den Menschen von heute aufzurollen. (Apfelsinenförmig gebaut; Scheiben nach einer Mitte tendierend, völlig im Gegensatz zu Psychologie u. Zeitentwicklung, –: akausal, grundlos, blockartig.) (BR 99)

2 Vgl. auch S. 142.

[Berlin-Schöneberg], 22. Januar 1948

Benn an Friedrich Wilhelm Oelze

Ich hatte einen schweren Schock bekommen, als ich den »Phänotyp« nochmal las, nach 3 1/2 Jahren. Unmögliches Etwas. Darf niemand sehn, sonst bin ich mit Recht gestrichen u. geliefert! Eine reine Materialanhäufung, ungegliedert u. inkohärent. Einzelheiten ganz brauchbar, aber dringend der Überarbeitung bedürftig. Vielleicht gestalte ich ihn um, streiche viel, setze viel hinzu, – wenn ich Conzentration u. Zeit dafür finde [. . .] (UBO)

Benn an Friedrich Wilhelm Oelze B[erlin], 1. Februar 1948

Den Ph[änotyp] habe ich in Überarbeitung. Vor allem gruppiere ich um: z. B. das ganze Feuilleton über das *Jahrhundert* muß raus, ist ja reines journalistisches Ge⟨unleserlich⟩ könnte höchstens zum Schluß als *Anhang* (»Studien zur Genealogie des Ph.«) gebracht werden. Im übrigen ist es ja völlig uninteressant, woher der Ph. soziologisch u. historisch stammt; die Hauptsache: er ist da u. vertieft sich in sich selbst. Das Jahrhundert sieht schon wieder nach Kausalität u. Analyse aus, während Ph. auf Präsens u. Bloßstellung aus ist.

(UBO)

[Berlin-Schöneberg], 25. Februar 1948

Benn an Friedrich Wilhelm Oelze

da ich mir zu schmeicheln wage, ein gewisses Interesse bei Ihnen für den »Phänotyp« anzusetzen, erlaube ich mir, Ihnen ihn in der etwas veränderten Gestalt – umstehend – vorzulegen. Ich habe wenig geändert, nur in »Statische Metaphysik« etwa 1 1/2 Seiten neu eingesetzt; einiges [. . .] ganz entfernt; in »Zusammenfassung« einiges geändert – u. den historischen Teil als Anhang gebracht. Viel kommt ja bei Umarbeitungen nicht heraus, darum ließ ich im Wesentlichen die einzelnen Stücke, wie sie waren. ⟨In »Borussisch« auch einges herausgenommen⟩. Es ist ein Fragment u. das soll es bleiben. Es ist »Existentialismus«, – bevor er so berühmt wurde [. . .]

[Auf der Rückseite des Briefblattes]:

Roman des Phänotyp (Landsberger Fragment, 1944).

Inhalt:
1. Der Stundengott
2. Gestützt auf Pascal
3. Ambivalenz
4. Statische Metaphysik
5. Die Verneinung
6. Blicke
7. Dialectik
8. Bedenken gegen Nietzsche
9. Völliger Gegensatz zu Schifferkreisen
10. Summarisches Überblicken
11. Geographische Details
12. Der Stadtpark
13. Die Geschichte
14. Libellen
15. Pilger, Bettler, Affenscharen
16. Bordeaux
17. Blöcke
18. Zusammenfassung

Anhang (Studien zur Vorgeschichte des Phänotyp).
A Cotroceni (Maria von Rumänien)
B Cisleithanisch
C Aspasianisch
D Borussisch (UBO)

[Berlin], 22 März 1948 (Psalmsonntag)

Benn an Friedrich Wilhelm Oelze
Am interessantesten ist doch wohl vielleicht »Phänotyp«, weil fragmentarisch u. kometarisch, und einzelne ganz nette sublime Stellen, d. h. Stellen mit jener Umschreibungstechnik, mit der allein man heute meinem Gefühl nach an die Dinge herankommt.
(UBO)

Benn an Max Niedermayer [Berlin], 18. August 1948

das zweite [»Roman des Phänotyp«] [ist] entschieden das problematischste und interessanteste und dasjenige, von dem mein Schweizer Verleger, der sich sehr dafür interessiert, meint, daß es Anschauungen und Gefühle seiner – der 20-30jährigen – Generation in reinster Form zum Ausdruck bringt [. . .] (LPBD 178)

Benn an Max Niedermayer Berlin, 18. September 1948

Ich erhielt Ihren Brief vom 23. 8. und wartete mit einer Antwort, da ich die besser geschriebenen Manuskripte von meinem Schweizer Verleger zurückerbeten hatte[3], sie aber bis heute nicht bekam. Er interessierte sich sehr dafür, aber gewisse Vorkomnisse gelegentlich des jetzt bei ihm erscheinenden Gedichtbandes[4] lassen es bei mir als ganz sicher erscheinen, daß er mit den sehr radikalen und reichlich kühnen Partien meiner Prosasachen in der Schweiz nichts Richtiges anfangen kann (trotz seines besten persönlichen Willens und überaus chevaleresken Verhaltens gegen mich). Sie erhalten also keine sehr guten Manuskripte, was ich zu entschuldigen bitte. Ich sende beide Manuskripte getrennt, jedes als eingeschriebenen Wertbrief morgen an Sie ab.

Zögernd sende ich sie ab, zögernd und mit gemischten Gefühlen. Ach, ahnte doch jemand, wie schwer es ist, Dinge zu schreiben, die man später selber als zu problematisch und fragwürdig empfindet, nicht weil sie schlecht wären – das steht auf einem anderen Blatt – sondern weil sie abwegig und neurotisch sind – und damit sind wir schon wieder beim »Phänotyp«, dessen einziges Thema die Neurose ist, vielmehr der selber und als solcher eine Neurose ist, nämlich eine Ausdrucks- und Darstellungsneurose bei völlig zerstörtem Objekt-Subjektverhältnis und bei völlig abgebauter Psychologie. Darf ich bei dieser Gelegenheit einmal darauf hinweisen, daß der Begriff »absolute Kunst«, der doch in der Malerei und Musik gang und gäbe ist, schon direkt Volkskunst und Konfirmandenbesitz und seit Jahrzehnten ein fester Bestand, in der *Prosa* fast gar nicht

3 Es handelt sich um die Manuskripte des »Ptolemäer« und die Essays der »Ausdruckswelt«.

4 »Statische Gedichte«, im Arche Verlag in Zürich 1948 erschienen.

vorhanden und aufgetreten ist, mir sind nur zwei Bücher bekannt, in denen sie sich zeigte: Carl Einsteins *Bebuquin* (1912, Aktionsverlag) und Gides *Paludes* – – alles andere ist ja psychologisch oder gar historisch-episch geblieben, eben Prosa im treudeutschen und treueuropäischen Sinne, also eigentlich formal unproblematisch und rein inhaltlich bestimmt. Demgegenüber ist nun im Phänotyp eine andere Frage entstanden: für ihn gibt es keine Vergangenheit und keine Zukunft, das sind ja bürgerlich-kommerzielle Vorstellungen, es gibt keine tragfähige Substanz mehr im Innern und kein psychologisches Gefüge – – *aber er muß einen Satz schreiben,* wie also muß das aussehn? – –: *In jedem Satz muß alles stehn,* er kann sich auf nichts außerhalb seiner selbst mehr beziehn, es gibt ja keinen Anfang und es gibt ja kein Ende, das wären ja Raum-Zeitvorstellungen aus einer anderen chaotischen Welt, er also muß sich selber ordnen, selber tragen, alles umschlingen, für alles stehn – er muß – um seinem Inneren zu genügen – absolut sein in jeder Chiffre, in jedem Wort. Das ist die Krise! Sie sehen [. . .], in welche Verstrickungen ich Sie zu führen gezwungen bin, wenn Sie sich mit mir als Autor einzulassen die Gewogenheit haben wollen [. . .]

(BR 126 f)

[Berlin-Schöneberg], 30. März 1949

Benn an Friedrich Wilhelm Oelze

Ihre neuliche Bemerkung über »Summarisches Überblicken«[5] (aus Phänotyp) hat mich ungemein interessiert. Auf diese Stelle fällt immer wieder mein Blick, wenn ich an dieses Fragment denke. Es enthält eigentlich am Vollendetsten das, was mir vorschwebte, wenn ich diesen Suprastil entwickelte. Die psychologischen Präliminarien ganz fortlassen u. sofort (nach dem Einleitungs- u. Andeutungssatz) die visionäre Masse quellen lassen. Die Vorgeschichte ist folgende: ich besaß ein Buch: »Die Schönheit des weiblichen Körpers«, ein höchst seriöses, kunstgeschichtliches Werk mit etwa 200 Bildphotographien (Botticelli, Paolo Veronese, Rubens etc.), ich glaube aus dem Verlag Bruckmann. Ich hatte es mit in Landsberg. Und beim Überblättern geriet ich in Rausch nicht etwa wegen der nackten Körper, die mich völlig kalt ließen, sondern wegen der

5 Vgl. GW II, 171–173.

unermeßlichen Fülle an Details, Blumen, Tauben, Hunden, Panzern, Pelzen – kurz Stoffliches (das mir so mangelt) u. das sofort in Worte, Sätze, Rhythmen transponiert werden konnte. Alle diese Geschehnisse, Ereignisse, Bewegungen, Bindungen, Lösungen, Leidenschaften, Vergangenheiten – Sammlungen der Schönheit u. der Schwermut – so greifbar zur Hand, immer neue, bereits materialisierte Visionen, das betäubte mich. Ich blätterte nur um u. band es an Worte, schichtete es, verteilte die Accente. In jedem Satz: Alles. Das Princip der *absoluten Prosa,* in der kein Satz im Zusammenhang mit psychologischen und erlebnismäßigen Herkunftsäußerungen mehr steht, war das Princip, das mir wahrhaft erschien. In jedem Satz: Alles: Solche Sätze sind nicht zu *verstehen,* sie enthalten nur sich selbst. Ich vermute, daß die zukünftige Prosa etwas von dieser nackten Absolutheit enthalten wird.
Wenn man alt wird, wird man bescheiden. So viele Talente überall, soviel Ansätze von Tiefe u. Größe – ob in allen Generationen lasse ich dahin gestellt, aber jedenfalls in meiner, in jener großen, der von 1880 an geborenen bis etwa 1900 – auch ich habe nur Versuche u. Impressionen bieten können. Ich war zerrissen u. habe wohl auch nicht von Anfang an zielbewußt und systematisch mich vorgenommen, sondern mich treiben lassen u. viel gespielt. Aber eine abschließende Persönlichkeit zu schaffen, war wohl die Epoche nicht mehr berufen. Aber zum Schluß: diese Stelle »Summarisches Überblicken« ist mir eine der liebsten und geschlossensten der letztjährigen ⟨?⟩ Prosa. Sie erfüllt mich mit Wehmut, weil sie mir zeigt, wohin ich vielleicht bewußter hätte gehen sollen. (UBO)

Benn in »Doppelleben« a) Absolute Prosa 31. Dezember 1949
Der »Roman des Phänotyp« (in meinem Buch »Der Ptolemäer«, 1949) ist reichlich unverständlich, ganz besonders dadurch, daß ich ihn als Roman bezeichne. Eine Folge von sachlich und psychologisch nicht verbundenen Suiten – jeder mit einer Überschrift versehene Abschnitt steht für sich. Wenn diese Arbeit ein Problem bietet, ist es das Problem der absoluten Prosa. Einer Prosa außerhalb von Raum und Zeit, ins Imaginäre gebaut, ins Momentane, Flächige gelegt, ihr Gegenspiel ist Psychologie und Evolution [...] Betrachten wir nun meine Arbeit. Der Roman ist – ich bitte den

jetzt folgenden Ausdruck zu beachten – *orangenförmig* gebaut. Eine Orange besteht aus zahlreichen Sektoren, den einzelnen Fruchtteilen, den Schnitten, alle gleich, alle nebeneinander, gleichwertig, die eine Schnitte enthält vielleicht einige Kerne mehr, die andere weniger, aber sie alle tendieren nicht in die Weite, in den Raum, sie tendieren in die Mitte, nach der weißen zähen Wurzel, die wir beim Auseinandernehmen aus der Frucht entfernen. Diese zähe Wurzel ist der Phänotyp, der Existentielle, nichts wie er, nur er, einen weiteren Zusammenhang der Teile gibt es nicht.
Also der Existentielle ist da, in unserem Fall in einer Kaserne, lebt dahin, denkt dahin, spaltet sich in Gedanken und inneren Beobachtungen auf, sammelt sich aber zugleich zu Ausdrucksversuchen, zu Schöpfertaten. Er blättert in einem Werk aus einem Kunstverlag: »Die Schönheit des weiblichen Körpers« – herrliche Bilder aus allen Epochen der Malerei – welche unbeschreibliche Fülle von Exterieurs, Bewegungen, Gewändern, Begleitpersonen, Mythen, Vorfällen, Göttertaten. *Hier sind Einzelheiten:* Tauben, Hunde, Barken, Muscheln, Schwäne! Hier braucht das Auge wirklich nur *abzulesen,* Worte finden dafür, schmeichelnde Sätze der Schönheit der Vorgänge und Versunkenheiten gemäß. Eine Trunkenheit kommt über ihn – *schon summarisches Überblicken, Überblättern schafft manchmal einen leichten Rausch* – so beginnt es. Welten im Strom und Welten in Bannung gleichzeitig der Wirklichkeit wie der Überhöhung. Und immer wieder Details, die man sonst mühsam zusammensuchen müßte, notieren, vielleicht nie fände. Und nun beginnt der Prozeß, von vielleicht halbstündiger Dauer [... Es folgt »Summarisches Überblicken« aus dem »Roman des Phänotyp«; vgl. GW II, 171–173]
Man beachte: am Schluß wird dann zurückgegangen auf die Stimmung des Phänotyps, die momentane, in diesem Fall seine eigene Melancholie, das ist sein Aggregatzustand in dieser Stunde, das deckt sich mit dem Überblick über die Bilder – flüchtig die Ekstase, Arien des Glücks und Arien der Verdammnis, alles Augenblicke nur, nahe das Ende, alle diese Frauen dahin, ihr Glanz, ihre Liebe, ihre glühenden oder sich senkenden Wege –: Aber nun ist es erlebt, der Rausch zu Ende, das Stück ist fertig. Kann man das anders ausdrücken? Ich sage: nein! »Das unmittelbare Erleben tritt zurück,

es brennen die Bilder, ihr unerschöpflicher beschirmter Traum«. Warum sind sie unerschöpflich, warum brennen sie – weil der Phänotyp sie in die Ordnung von Worten brachte, in abwägend gebaute Sätze aus dem Prozeß des Absoluten – so erheben sie sich noch einmal – die Venusse und die Ariadnen und die Galatheen und an ihnen die Pelze und die Perlen und die Tauben.
Für das Ganze beachte man nochmals: *orangenförmig – Orangenstil.* (GW IV, 132 ff)

Benn in »Doppelleben« c) Stil und Entartung 2. Januar 1950
Das Folgende ist eine Stelle aus dem »Phänotyp« über eine Frage, die vermutlich jeden beschäftigt, der ästhetisch arbeitet, produktiv oder kritisch, die Frage nach der Stilverwandlung. Phänotyp ist bekanntlich ein Begriff aus der Erblehre, aufgestellt von dem Dänen Johannsen. Der Phänotyp ist das Individuum einer jeweiligen Epoche, das die charakteristischen Züge dieser Epoche evident zum Ausdruck bringt, mit dieser Epoche identisch ist, das sie repräsentiert. Sein Gegenbegriff ist der Genotyp, das ist die Sammlung aller Möglichkeiten der Art im Kern, ist die Latenz aller Phänotypen, die sich der Entelechie nach aus der Art im Laufe der Zeiten entwickelt haben oder entwickeln können. Neben dem Phänotyp laufen natürlich durch alle Zeitalter die allgmeinen ephemeren Typen, jene, die die innere Repräsentation des Zeitalters nicht zum Ausdruck bringen. Die Stelle lautet: [...] [Es folgt Zitat aus »Statische Metaphysik«, vgl. GW II, 159–160: »Wo immer das Innere des Phänotyp ... daß er das letztere sei«]
Der letzte Satz des angeführten Ausschnitts enthält schon wieder eine neue Problematik, die ich jedoch an dieser Stelle nicht zur Diskussion bringe. Mir liegt nur daran, die »Verwandlungszone« als Gegenstand des Nachdenkens einzuführen. Verwandlungszone – experimentelle Ansätze des Geistes, Variationen zunächst ohne klar erkennbare Richtung, man kann auch sagen: Ruhelosigkeit, Mißstände, Ungemütlichkeiten – so bewegt sich die Gestaltungssphäre der homininen Art. In manchen Rassen ruht sie jahrtausendelang. China, Südseevölker, Indien, bei den Völkern des europäischen Kreises ruht sie einige Generationen, dann aber tritt die Unruhe wieder auf. Neue Phänotypen! (GW IV, 145 ff)

Benn in »Rede im Kolbe-Museum« 1953
Phänotyp ist ein Begriff aus der Erblehre. Er bedeutet die Erscheinungsform des heutigen Menschen. Sein Gegenbegriff Genotyp bedeutet die Gesamtheit aller latenten möglichen Erscheinungsformen der Art. Sie können für Phänotyp einfach Individuum setzen.
(GW IV, 436)

[Berlin-Schöneberg], 16. November 1954
Benn an Friedrich Wilhelm Oelze
Ich meinerseits las [. . .] noch einmal den »Phänotyp«, er scheint mir ja doch das seltsamste u. stellenweise gelungenste Stück von allem zu sein von Pascal bis zur »schwefelgelben, der heißen süßen Rose Diane vaincue« (UBO)

DER PTOLEMÄER

Entstanden 1947
Erstdruck in: Der Ptolemäer, Wiesbaden 1949

Benn an Friedrich Wilhelm Oelze B[erlin], 29. April 1947
Eine neue kleine Arbeit[6] – Richtung »Weinhaus Wolf«. Betrachten Sie es als aus dem Wunsch geboren, aus unseren Briefen der letzten 2 Jahre einiges zusammenzufassen u. dem »Archiv« zu übergeben. Boxerisch gesprochen: Leberhaken bei flotter Beinarbeit. Vielleicht nicht Ihr Geschmack. Vielleicht setze ich diese neue Figur weiter fort. (UBO)

Benn an Friedrich Wilhelm Oelze B[erlin], 3. August 1947
Vielleicht schicke ich Ihnen demnächst das II. Kapitel von Lotosland, – die alte Leierkastenmelodie meiner Walze, zur Aufbewahrung. (UBO)

Benn an Friedrich Wilhelm Oelze [Berlin], 17. August 1947
anbei das II. Kapitel[7] von »Lotosland«, ein *zweites* Kapitel, näm-

6 »Lotosland«; vgl. GW II, 205–223.
7 GW II, 223–242.

lich nicht so eruptiv u. einiges nachholend. Ich freue mich, wenn Sie Zeit finden, es zu lesen, aber ich erwarte es nicht, es wird ja alles langweilig (Übrigens setzt sich wohl jede Lektüre zusammen aus Erstaunen u. Enttäuschung). Nachdem ich mir diese 14 Seiten nochmals durchgelesen habe, glaube ich, daß sie ein III. u. letztes Kapitel erfordern. Ich werde ihm wohl nicht ausweichen können, aber ich schwöre Ihnen, daß der Frisör dann abtritt. (UBO)

Benn an Friedrich Wilhelm Oelze B[erlin], 21. September 1947

Demnächst sende ich den Abschluß der Arbeit, die dann als Ganzes den Titel des letzten Stückes tragen soll, – »Lotosland« ist mir zu romantisch u. gerade etwas Romantisches soll das Ganze nicht sein [...]

[...] also diesem [...] könnte »der Ptolemäer« – so heißt mein neuer Versuch, an die Seite treten; das soll der Titel der ganzen Sache sein, tritt also neben den »Phänotyp«, – beide Betagte der Rönne u. Pameelen [...] (UBO)

Benn an Friedrich Wilhelm Oelze [Berlin], 29. September 1947

um die Angelegenheit zu beenden: hier ist der Abschluß der Sache [8]. Recht abwegig u. mit einer Wendung ins Positive, die hoffentlich nicht Ihre Mißstimmung erregt, aber ich wollte doch auf keinen Fall den Verdacht aufkommen lassen, zu den weinerlichen Kreisen der Existentialisten, Idealisten, Kulturphilosophen u. dem ganzen deutschen Biedermannskonsortium zu gehören.

Alles in Allem: ganz ohne Schatten ist das Alles für mich nicht, wenn ich die Sinnlosigkeit bedenke, zu sitzen, zu schreiben, ein Tippfräulein inkommodieren zu müssen u. das herrliche Vaterland will das garnicht wissen.

Nun wende ich mich also wieder an Sie mit dem Anliegen, alle 3 Stücke nochmals zu bedenken u. dem Titel »Der Ptolemäer« beizustimmen. (UBO)

Benn an Friedrich Wilhelm Oelze [Berlin], 2. Oktober 1947

Zu meiner Ptolemäersendung hätte ich noch zu bemerken, daß

8 Das Manuskript »Der Ptolemäer«, das dem Brief beilag.

selbst ein luzider Intellektueller, der genau über sich wacht, oft nicht weiß, warum er gerade in diesem Augenblick gerade diesen Inhalt gerade in diesem Ausdruck bringt u. keine innere Ruhe verspürt, bevor nicht jene Formulierung gefunden ist, die offenbar gewissermaßen praeformiert in einem vorhanden war. Womit ich aber nicht sagen will, daß »etwas« aus einem spräche, so mystisch möchte ich das nicht ausdrücken, es ist wohl etwas sehr Reales u. gehört zu den vielen Unbekanntheiten des menschlichen Erlebens. (UBO)

Benn an Friedrich Wilhelm Oelze B[erlin], 7. November 1947
Ptolemäer [...] hat mit den Pharaonen nichts zu tun, sondern allein mit dem Philosophen, der das ptolemäische Weltbild schuf, das bis Galilei galt [...]. Ich dachte, daß das aus der antiphysikalischen Haltung, namentlich des 1. Abschnitts, »Lotosland«, klar wäre. Könnte natürlich im 3. Teil noch einige klärende Sätze einfügen. Aber wozu erklären, verdeutlichen, nahe bringen bei so deutlicher Tendenz, nur zu verdichten, zu verschließen u. nichts gelten zu lassen als den Satz, das Wort, die Zusammenstellung, die gerade sich ergeben hat. (UBO)

Benn an Egmont Seyerlen [Berlin], 21. November 1947
Ich habe jetzt ein neues Prosastück fertiggestellt, Art längere Novelle, äußerst modern und radikal. Etwa 100 Seiten, aber sehr gefährlich. (UBS)

[Berlin-Schöneberg], 17. Februar 1948
Benn an Friedrich Wilhelm Oelze
Vom »Ptolemäer« habe ich ein Exemplar auf Umwegen bekommen, aber kaum angesehn. Schlug ihn auf, sah auf Seite 86 einen Fehler, nämlich statt: »als Tiefe«, der Tiefe, ärgerte mich und warf ihn fort [...] (UBO)

Benn an Peter Schifferli Berlin-Schöneberg, 29. April 1948
Über das Folgende zu schreiben wäre einfacher, wenn ich wüßte, ob die Manuskripte doch noch bei Ihnen eingetroffen sind[9], und

9 Die Manuskripte »Der Ptolemäer« und »Ausdruckswelt« waren auf dem Transport in die Schweiz zunächst verlorengegangen.

Sie einen Blick hineingeworfen haben. Ich möchte mich nämlich einmal darüber aussprechen, daß mir selbst an diesen neuen Prosaarbeiten mehr liegt wie an der Lyrik. Ich habe das Gefühl, daß ich in den Prosasachen mehr von meiner inneren Lage und auch der Lage der Zeit realisiere, als in den Gedichten. Sie stellen ja alle, sei es in essayistischer oder novellistischer Form, immer wieder die eine Frage heraus, die die Grundfrage der ganzen Epoche ist, nämlich: gibt es für das Abendland noch eine geistige Welt, eine metaphysische Realität außerhalb und unabhängig von der geschichtlich-politischen Welt, die ihr Primat behauptet und mit Brutalität verteidigt. Sie wissen, daß ich dies bejahe. Daß das Abendland ermüdet ist, daß es fault, daß es platt gewalzt ist, das ist ja seit zwei, drei Generationen tausendmal ausgesprochen und jedem bekannt. – Ich finde es interessanter und auch abendländischer zu untersuchen, was noch an innerer Substanz, an alter Gene, an schöpferischen Möglichkeiten in der Rasse geblieben ist. Und es ist nach meiner Meinung noch etwas geblieben und etwas vorhanden, das allerdings anders aussieht, als die Mehrzahl glaubt, das vielleicht in der Richtung der Resignation liegt, aber einer Resignation aus Haltung, einer Resignation aus Rasse, die aber jeder Einzelne in einer langsamen inneren Arbeit für sich selbst erkämpfen muß. Nun, vielleicht darf ich hoffen, daß Sie doch einmal gelegentlich einen Blick in diese Manuskripte werfen, sei es in die verlorenen des Herrn Hürsch, sei es in die neuhergestellte Ausführung, die ich von hier nochmals an Sie senden würde. (BBS 12 f)

Benn an Max Niedermayer [Berlin], 18. August 1948

Das erstere [Weinhaus Wolf] [ist] recht verständlich und inhaltlich bestimmt. [...]

Der »Ptolemäer« ist ein Gedanken- und Problemmassiv aktuellsten Charakters. Alles zusammen ist es reine Kunst – ohne Rücksicht darauf, welche Konsequenzen sich daraus ergeben [...] Ich kann anständigerweise keinem Verleger zureden, sich dafür zu interessieren, die Sachen würden sehr starken Widerspruch finden und als unzeitgemäß angesehn werden. Die mir so wohl bekannten Angriffe gegen meinen Ästhetizismus, Esoterismus, Asozialismus würden wieder beginnen. Mir persönlich ist das völlig gleich, aber andere mit meinen im wesentlichen tragischen Gedanken zu belasten, kann ich mich kaum entschließen und bin daher garnicht so versessen darauf, wieder in der Öffentlichkeit zu erscheinen. Ich bitte Sie, sich den Fall nochmals zu überlegen und mir mitzuteilen, ob Sie Ihr freundliches Interesse aufrechterhalten wollen. Wenn ja –, würde ich Ihnen die Manuskripte übersenden. (LPBD 178)

Benn an Max Niedermayer [Berlin], 18. September 1948
Was den Prosaband angeht, der ja bisher allein zur Erörterung stand, bin ich mir über die Reihenfolge der drei Stücke nicht ganz klar, ebenso nicht über den Titel für das Ganze. »Der Ptolemäer« klänge ganz gut und wahrscheinlich wird man ihn als Hauptstück des Bandes ansehn. Aber auch »Roman des Phänotyp« wäre möglich, da dieser Titel auf die Problematik aller drei Sachen deuten würde, die ja alle eine Analyse und Ausdruckssuche für den gegenwärtigen Existenztyp sind. Ich wäre also für die Reihenfolge 1) der Ptolemäer, 2) Weinhaus Wolf, 3) Roman des Phänotyp (mit dem Anhang: Studien zur Zeitgeschichte des Phänotyp). (BR 125)

Benn an Max Niedermayer [Berlin], 16. November 1948
Eine Bitte hätte ich: daß durch Druck oder Satz der *Anhang*[10] von Phänotyp so isoliert wird, daß man sieht, er gehört nicht zu der eigentlichen Partitur dazu, sondern ist eine Vorstudie, ein präliminaristisches Gebilde, ähnlich dem am Schluß von wissenschaftlichen Arbeiten angefügten Literaturverzeichnis. (PH 51)

Benn an Max Niedermayer [Berlin], 16. November 1948
Bitte Reihenfolge und genaue Betitelung folgendermaßen:

Weinhaus Wolf
(1937)
Der Ptolemäer
Berliner Novelle 1947
Roman des Phänotyps
Landsberger Fragment, 1944

(PH 52)

10 »Studien zur Zeitgeschichte der Phänotyp«.

Benn an Fritz Werner [Berlin], 28. November 1948

Der Limes Verlag in Wiesbaden, Spiegelgasse 9, bringt in den nächsten Wochen [...] einen Prosaband mit neuen Novellen: »Der Ptolemäer« und bald einen neuen Essayband: »Gespräche und Studien« [11] –, das Come-back bereitet sich also vor. Es wird wohl ziemlich bewegt in den Kritiken zugehen, denn harmlos ist das alles nicht. (BR 129 f)

[Berlin-Schöneberg], 22. Februar 1949

Benn an Friedrich Wilhelm Oelze

Ich sende u. lasse senden den Pt[olemäer] an niemanden u. nichts; er ist ja Sanskrit u. nur für Keilschriftenforscher. (UBO)

Benn an Fritz Werner [Berlin], 17. April 1949

Ptolemäus war der Begründer des vorgalileischen Weltbildes: die Erde eine Scheibe, vom Okeanos umflossen, begrenzt von den Säulen des Herkules. Alles ruhte, lag in sich beschlossen, war dem menschlichen Blick und Gedanken räumlich zugängig. Dann begann das Kataklysma: mit der Erde um die Sonne und der ganze physikalische Humbug mit der Milchstraße und der Unendlichkeit. Daher meine Aggressive gegen Kepler und Galilei usw., ich glaube ja an die moderne Physik nicht, sie ist ein Teil des nachantiken *dynamischen* Weltbildes; auf das das Abendland so stolz ist. Übrigens glaubte auch Goethe nicht an die Physik, er empfand sie als eine plumpe Banalisierung der Sterne, die über seinem Garten standen. (BR 146 f)

Benn an Margret Boveri Berlin, 24. April 1949

[...] nicht um mich schon wieder vorzudrängen und bemerkbar zu machen, erlaube ich mir, Ihnen den anliegenden »Ptolemäer« zu senden, sondern nur, um zu verhindern, daß Sie etwa Zeit darauf verwenden, ihn sich im Hinblick auf den Freiburger Hinweis selber zu beschaffen. Von den 20 Belegexemplaren, die mir vertraglich zustehen, habe ich nur 2 versandt – aus Bedenken und Rücksicht auf

11 Diese wurden dann unter dem Titel »Ausdruckswelt« veröffentlicht.

die betreffenden Betroffenen, ihn etwa lesen und sich bedanken zu müssen. Es wäre eine verlegene Angelegenheit. Dies gilt auch für dies 3. Exemplar und Sie. Auf S. 26 habe ich etwas angestrichen zu dem gestern von uns gestreiften Thema. (BR 152)

Benn an Max Bense [Berlin], 9. September 1949

Gestern erhielt ich von meinem Verleger Ihren Brief vom 27. VIII. an ihn, in dem Sie schreiben, ich hätte Sie an einer Stelle des Ptolemäers »attackiert«. Unverzüglich muß ich Ihnen mitteilen, daß ich Sie nie attackiert habe und nie attackieren würde aus Respekt vor Ihrem enormen Wissen und Können, das ich ja nun jahrzehntelang zu studieren mir angelegen sein ließ. Die Stelle, die Sie erwähnen stammt in der Tat aus Ihrer Arbeit »Geist der Mathematik« [12] – aber der »kleine feine Kreis«, den ich am Schluß des Abschnitts anbringe, ist ja keine Attacke! Eines der Dinge, die mich in allen den neuen Büchern wiederholt beschäftigten, ist die Frage, wie sonderbar es ist, daß gewisse zentrale Begriffe unserer Denkweise, die wir alle als selbstverständlich hinnehmen, allgemein anthropologisch gesehn lokaler Bedeutung sind und daß gerade sie uns die Relativität der abendländischen Axiomatik so gegenständlich nahebringen. In diesem Sinne erörtere ich S. 47/48 [13] des Ptol[emäers] die *Dialektik* und Seite 136/137 [14] nochmals ein Thema der *Mathematik,* ich tue es fast in kindischer Form, aber meine Absicht dabei ist unentwegt ernst. Die Relativität unseres Kulturkreises, das Gefühl für Kulturkreise überhaupt – sei es für die acht solaren Spenglers oder die 32 von Toynbee – ist, scheint mir, ein neues und einschneidendes Erlebnis unserer Generation und ein Stoß gegen das Abendland, von dem es sich kaum wieder wird erholen können. Daher überall meine Betonung des nur regional bedeutungsvollen, geographisch begrenzten, des *phänotypischen* Charakters unserer Denkrichtung, die selbst innerhalb des Abendlandes noch innerhalb jeder Generation wechselt und sich umfärbt. Von dieser Seite aus kommt auch meine Tendenz, die »Geschichte« sachlich zu

12 2 Bände, 1946/1948.
13 Vgl. »Der Ptolemäer« (1949); GW II, 165.
14 Ebenda; GW II, 253–254.

bagatellisieren und sie nur noch als Reservoir für Bilder, Ausdrucksexzesse und ästhetische Gruppierungen zu verwenden und gelten zu lassen (s. S. 131 in Ptl.) [15] Daher meine wiederholte Frage: »ist Denken Zwang?«, s. S. 109/110 [16]. (BR 174 f)

Benn in »Doppelleben« 1950

[...] sein [des Ptolemäers] Geschäftsbetrieb ist *Schönheitsinstitut einschließlich Krampfadern* – mehr nicht. [Es folgt Zitat aus dem »Ptolemäer«; vgl. GW II, 212: »In diese Richtung ... das war der ideologische Inhalt meines Instituts«.]

In diesem Institut nun sind Handeln und Gedanken streng separiert, Leben und Geist zwei völlig verschiedene Dinge, hören wir zunächst an, was dieser Institutsinhaber über »das Leben« denkt, diesen Begriff, mit dem so stark operiert wird, vor dem alles haltmacht, die Hände faltet und den Finger an den Mund legt. Er sagt: *Das Leben – dies Speibecken, in das alles spuckte, die Kühe und die Würmer und die Huren –, das Leben, das sie alle fraßen mit Haut und Haar, seine letzte Blödheit, seine niedrigste physiologische Fassung als Verdauung, als Sperma, als Reflexe –*, ferner: *das Leben – hier standen wir an dem Grundbegriff, vor dem alles haltmachte, der Abgrund, in den sich alles in seiner Wertverwahrlosung blindlings hinabwarf, sich beieinander fand und ergriffen schwieg –*, dazu: *Das Leben als Mulattenstadt: Zuckerrohr kauen, Rumfässer wälzen, mit zehn Jahren defloriert werden und Cancan, bis die Hintern wackeln* – – kurz, dies Leben scheint ihm gar nicht wert, daß man sich groß in es hineinwuchtet – *das Geschäft und die Halluzinationen,* so trennt er sauber seine Strebungen, das ist sein Motiv, und von hier kommt auch seine ständige Nörgelei gegen die »Geschichte«, in der sich angeblich etwas verwirklicht, eine Idee oder dergleichen – das tut sie nämlich, wie jeder beobachten kann, nicht. Sie betreibt ihre Geologie, ihre Lebensgeologie, aber daneben und hinter ihr erhebt sich für ihn jene Welt, von der er sagt, daß sie sich mit Raum und Zeit nur flüchtig verschleiere.

Soweit seine Einstellung zu: Leben. Nun sein Verfahren diesem

15 Ebenda; GW II, 248.
16 Ebenda; GW II, 226.

inneren Tatbestand gegenüber, seine Verhaltensweise, sein gestaltliches Gebaren: [... Es folgt Zitat aus »Der Glasbläser«; vgl. GW II, 225–226: »Anordnungen geben ... Glyzerin enthalten«]
Also er gibt Anordnungen über Bähungen mit heißen Tüchern, läßt aber gleichzeitig seine innere Fontäne springen, er preist Birkenbalsam an, macht aber im Augenblick die halbe Welt zu Lametta [... Es folgt Zitat aus »Der Ptolemäer«; vgl. GW II, 247–248: »Das Geschäft ... es sind zwei Engländer, für sich und müde«]
Kublai, Dschingis-Khan, zum Schluß auch noch zwei Engländer, die Schlacht bei Plassey, der Khaiberpaß – alles hier an Ort und Stelle, in der Härte des Raums, inmitten von Angestellten und Kunden – hier: *entwickeln sich die Dinge!* Er salbt und knetet, aber sein Geist zertritt die biologische Schwemme, er verwüstet das Erstarrte, es entsteht die Glut. Er will sagen, Geist und Leben sind bei mir zwei völlig getrennte Welten, ich bearbeite die Dame, aber in mir ist Oktoberfest – und ich befinde mich außerordentlich wohl dabei, jedenfalls viel wohler als in früheren Lebensperioden, in denen ich diese innere Technik noch nicht besaß, als ich noch im lebensüblichen Sinne: litt. Leiden – was ist das überhaupt? Du hast Stauungen – öffne deine Schleusen; dir gefällt die Zeit nicht –: ein Plakat auf deinen Schreibtisch, groß beschriftet: das ist nicht anders! Haltung! Dir geht es gut – außen verdienst du dir dein Geld und innen gibst du deinem Affen Zucker, mehr kann nicht sein, das ist die Lage, erkenne sie, verlange nicht, was unmöglich ist! *Sich abfinden und gelegentlich auf Wasser sehn*, sagt er zum Schluß, aber auch das ist keine Resignation, das wird überstrahlt von seinem dionysischen Motiv: *das Geschäft und die Halluzinationen,* das führt er durch – und schließlich stellt er noch mit Befriedigung fest: *trage unauffälligen Binder, Anzug jedoch von tadellosem Schnitt, das Äußere ein Earl, das Innere ein Paria, niedrig, zäh, gefeit und sie dürfen jedes Fleisch essen.* Das alles zusammen ergibt immer wieder seine Hauptmaxime: *erkenne die Lage* – das heißt, passe dich der Situation an, tarne dich, nur keine Überzeugungen *(Kunden gegenüber ist man mit Privatmeinungen zurückhaltend, dem einen stimmt man zu und dem nächsten stimmt man wieder ab)* – andererseits aber mache ruhig mit in Überzeugungen, Weltanschauungen, Synthesen nach allen Richtungen der Windrose, wenn es In-

stitute und Kontore so erfordern, nur: *halten Sie sich den Kopf frei, darin muß immer ein Hohlraum sein für die Gebilde. Hier konzentriert sich das Reale, modelliert sich, so entstehn die Formen.* Die Formen – darauf allein kommt es an, das ist seine Moral. Was die eigentlich sind, muß offenbleiben, aber sichtlich sind sie etwas ganz Primäres: Rhythmus, Spannung, *Prozeß* – auch der Ptolemäer weiß nichts Näheres darüber. Aber das beunruhigt ihn keineswegs: – *alles ist, wie es sein wird, und das Ende ist gut,* so schließt er. (GW IV, 138 f, 142 f)

Benn an Nele P. Soerensen [Berlin], 21. Mai 1951

Du kannst die Stelle im Ptolemäer auf dich beziehn[17], aber sie handelt nicht von dir. Du hast mich nie ausgeplündert, vielmehr ich bin so sehr in deiner Schuld, daß kein Tag vergeht, wo ich nicht daran denke. Du hast mir dein Leben lang überhaupt nichts gekostet [...] Die Stelle im Pt. ist rein spielerisch gemacht, um auf das dann folgende Thema des »Lebens« zu sprechen zu kommen, und darauf hinzuleiten; meine gehässigen Bemerkungen gegen Kinder und Enkel finden sich ja oft in meinen Büchern, es ist meine schriftstellerische Gesinnung, aber nicht mein eigenes Gefühl widerspiegelnd [...]

Ach, ich habe viel Böses in meinen Büchern geschrieben z. B. auch über meinen Vater, den ich wirklich so sehr liebte u. verehrte, ja den ich auch heute noch nahezu anbete, habe ich grausige Verse verfaßt, ich will mich nicht entschuldigen, ich kann es auch heute eigentlich gar nicht zurücknehmen, aber schlimm ist es – wohl dir, daß du solche Krisen und Kreuze nicht kennst (dafür allerdings kennst du andere). Also sieh in die Stelle im Pt. nichts hinein, was nicht drinliegt. [...]

Sollte eine neue Auflage des Pt[olemäer] herauskommen, werde ich die Stelle fortlassen oder ändern, aber damit ist ja auch nichts erreicht, wenn du nicht bereit bist, über diese Stelle zu lachen, die nichts über oder gegen dich sagt, sondern nur einer meiner scharfen und plastischen Darstellungsversuche ist. (MVB 61 f)

17 Vgl. GW IV, 214.

Ausdruckswelt. Essays und Aphorismen
Entstanden 1940–1945
Erstdruck Wiesbaden 1949

Benn an Friedrich Wilhelm Oelze [Berlin], 5. August 1940

Haben Sie vielen Dank für Ihren freundlichen Brief u. die Rücksendung der Aktenhülle. Es ist sehr schön u. des Alters letztes Glück, so verstehende und lobende Worte zu hören, wie sie aus Ihrem gewandten und tiefsinnigen Munde zu mir kommen. Aber die Blätter enthalten so Neues ja nicht. Es sind Betrachtungen, die nahe liegen, u. Formulierungen, zu denen jeder kommt, der sich die Zeit nimmt, sie zu suchen. Es ist nur eine Form der Unterhaltung zwischen mir und Ihnen u. eine Art von Anstandsversuch, nicht völlig der Schwermut u. der Gleichgültigkeit zu verfallen, sondern sich gelegentlich gedankliche Haltung zu geben. Die Krone bleibt das *Gedicht,* zu dem aber nur unter äußeren Bedingungen für mich zu gelangen ist, die mir zur Zeit nicht zur Verfügung stehn.

(UBO)

Benn an Friedrich Wilhelm Oelze [Berlin], 28. Februar 1943

Wenn Sie wieder einmal längere Zeit in Deutschland sind, schreiben Sie es mir bitte vorher. Ich würde es gern ermöglichen, Ihnen dann gelegentlich etwas aus dem Nachlaß jenes Dr. Rönne zum Lesen zu schicken, der bei Stalingrad fiel. Eine Art literarischer Nachlaß; Essays von 1–20 Seiten Länge, das Ganze würde wohl ein kleines neues Buch von 200 Seiten geben. Die alten Themen, über die wir so oft mit ihm uns unterhalten haben! Eine Art Weißbuch der Zeit. Wenn Sie dem gelegentlich eine deutsche Nacht zur Lektüre widmen würden, wäre es sicher sehr in seinem Sinne.

(UBO)

Benn an Friedrich Wilhelm Oelze [Berlin], 28. März 1943

Von Rönne erwarten Sie nicht zuviel. Er arbeitete, schrieb er mir noch kurz vor seinem Untergang, dienstlich täglich 9–10 Stunden, erst dann kam er zu sich selbst u. seinen Gedanken. Müde war er auch sehr u der Aktivste war er nie. Trotzdem ist ein Satz in seinen

Betrachtungen, der mir gefällt, Schlußsatz einer der Studien u. fast ein zufälliger Schlußsatz, nämlich: »Deutlich neigt sich Plato herüber; endogene Bilder sind die letzte uns gebliebene Erfahrbarkeit des Glücks«. Vermutlich ist es, in unserer Lage, tatsächlich so [...] Übrigens schlug Rönne für das kleine Werk den Titel »Ausdruckswelt« vor; ich weiß nicht, ob sich jemand darüber etwas denken kann; jedenfalls kehrt dies Wort u. mancher Hinweis auf seinen Inhalt in den Bemerkungen häufig wieder – (UBO)

Benn an Friedrich Wilhelm Oelze [Berlin], 7. August 1943
Es liegen von mir noch vor: [2] der Essayband, mit dem Titel »Ausdruckswelt (gleichzeitig Beiträge zur Klinik des Deutschtums)«. Vorhanden nur in 1 getipptem Exemplar, das ich immer in den Luftschutzkeller mitnehme, aber nun irgendwo auswärts sicher stellen will. Sie erhalten von mir Nachricht, wenn ich den Ort weiß[1]. Ich wäre Ihnen sehr dankbar, wenn Sie sich dafür interessieren würden, wenn seine Stunde kommt. Ihr Name wird auf dem Briefumschlag stehn als der eines Empfangsberechtigten. Zwecks Drucklegung bitte ich mit dem genannten Vorwerk Verbindung zu halten oder meinem Verlag. Der Band in seiner Reihenfolge noch nicht festgelegt. Die einzelnen Stücke können je nach dem Geschmack des Verlegers geordnet werden. Sollten Sie keine Zeit haben, sich damit zu befassen, oder sonst verhindert sein, ist Lernet-Holenia der nächste Vertrauensmann dafür.
Sollte meine Frau am Leben sein, bitte ich, mit ihr im Einvernehmen zu handeln. (UBO)

L[andsberg], 6. März 1944
Benn an Friedrich Wilhelm Oelze
Ihre Frage nach Studien und Versuchen der »Ausdruckswelt« freut mich ungemein. Dies Buch, an dem ich nun 2 Jahre arbeite, ist umfangreich und inhaltsreich geworden, keineswegs einheitlich, vielmehr habe ich mich stellenweise gehen lassen u. »meinem Affen Zucker gegeben« – Rohr- u. Rübenzucker. Es ist stellenweise durch-

1 Benns Dienststelle wurde von Berlin »nach auswärts«, in »östliche Richtung« verlegt, nach Landsberg an der Warthe.

aus extravagant. Man täuscht sich natürlich selbst immer über Werk u. Lage der Dinge, die man produziert, in diesem Fall besonders, da ich ja schon seit Langem mit niemandem mehr in Verbindung stehe u. spreche u. keiner je ein Wort darüber von mir vernommen hat – außer Ihnen [...] Also: es ist eine Art Abrechnung mit unserer Zeit u. dazu »neue Tafeln« des Zukünftigen. Es ist Kritik u. Perspektive u. – Schlendrian. Essays von 50 Seiten u. Aphorismen von 3 Reihen. Es ist Pessimismus u. Glaube, Zynismus u. Biederkeit, ein schöner Waschkorb voll. Auch die Studien, die Sie kennen von vor 3 Jahren, will ich mit hineinnehmen, es gehört alles zusammen, aus vielen Steinen baut sich hier das Bild des reflektierenden Menschen von 1920–1950 auf. Eine Art Fibel für Anfänger, verdummte Jugend, verwahrlostes Nachfahrengeschlecht über die Probleme *unserer* Generation u. dazu raffinierte Points für Fortgeschrittene. Kurz: Ihnen auch nur ein Stück daraus zu schicken ist leider zu meinem größten Schmerz unmöglich aus Gründen der Sicherheit, Ihrer wie meiner. Sie müßten 14 Tage auf Ihr mecklenburgisches Gut sich zurückziehen u. das Ganze in sich aufnehmen, sonst wüßten Sie nicht, um was es sich handelt. Augenblicklich bin ich in *Libellenstimmung* »– weder Käfer noch Schmetterling – hohe Töne, Schwirren«, nämlich: alles Inhaltliche u. Thematische wird mir immer fragwürdiger u. bedenklicher, es bleibt nur das Gegeneinanderhalten der Fassungen u. Färbungen, die Reflexe, das Spiel u. aus einem olympischen Einerseits- Andererseitsstandpunkt entwickelte sich ein neuer blitzender Stil. (Das alles ist natürlich übertrieben optimistisch von mir im Augenblick zu Ihnen bemerkt, vielleicht mangelt mir völlig die Begabung, es zu verwirklichen, auszudrücken, es bleibt nur Ahnung).
Ja, so stehn die Dinge. Entsteht aus dem alten Herrn ein Godja Gustavowitsch[2], wird dies Buch nie gedruckt werden können, denn es ist infernalisch, kapitalistisch, füllig u. genußsüchtig – eben aus der Welt aus 1914 u. zwischen 1918–1933 (-oh jene Jahre !–). Eigentlich sind Sie *verpflichtet*, es zu prüfen u. mich zu beraten, ich blamiere Sie und unsere Beziehung mit, wenn es nichts taugt. Aber es ist eine Arbeit, es zu studieren ..., es eröffnet mit der

2 D. h., wenn die Russen kommen.

Queen u. endet mit George Sand, es beschreibt das Ritzhotel u. das Torffeuer von Limmerick ..., es enthält ganz Europa u. von den anderen Kontinenten auch noch einige Regionalitäten ... Ich will aufhören, Sie könnten ungeduldig werden. (UBO)

Vorwort 1945[3]

Gedankengänge aus den Jahren 1940 bis 1945 – Gedankengänge aus Diensträumen und aus Dienststunden: Oberkommando, Wehrkreiskommando, Lazaretten, Kasernen, – *Gedankengänge* über deutsche Menschen, ihre Handlungen, ihre Ideen, ihre Bücher. Ihr Wert könnte darin bestehen, die durch Nationalsozialismus und Krieg mißbildete Jugend an Probleme heranzuführen, die einmal Europa erfüllten und die meiner Generation geläufig waren, also ihr Wert könnte darin bestehen, dieser Jugend eine Art Anschlußhilfe zu bieten. Erst wenn man alt wird, weiß man, wie sehr man der geistigen Hilfe bedarf, der Hinweise, des früher Gedachten, der zurückreichenden Motive. Große Kunst wird zwar immer aus sich alleine entstehen, aber ein Volk für sie fähig zu erhalten, dazu bedarf es einer gewissen Pflege von Wissen und einer Erziehung zu gedanklicher Aufmerksamkeit, – hierzu als Beitrag könnte das Folgende dienen, demnach als eine Art Nachschlagewerk und Fibel über die Gedankengänge meiner Generation ...

Gedankengänge – gerade in diesem Buch sage ich an vielen Stellen, daß ihr Wert fraglich ist insofern, als ihre Vergänglichkeit so greifbar, ihr Wechsel so ständig, ihre Wahrheit so ablösbar ist im Gegensatz zu den von mir so oft erwähnten »abgeschlossenen Gebilden«, den Gebilden der Kunst, die nur sich selber sagen und über die unvollendeten Dinge das Schweigen breiten, – ja gerade hiervon handelt das vorliegende Buch. *Gedankengänge* – auch darum besonders problematisch, als diese ihre Stunde haben, in der ihre Entstehung und ihre Veröffentlichung zusammenfallen müssen, um ihnen wenigstens einen begrenzten Wert zu geben, diese hier aber konnten nicht erscheinen, mußten in Luftschutzkellern und Splitter-

3 Das Typoskript einer kürzeren Fassung des Textes, im Besitz von Frau Dr. Ilse Benn, ist überschrieben »Vorwort (1943)«. Die Jahreszahl 1943 im ersten Satz ist später mit Rotstift in 1945 verändert worden.

gräben verborgengehalten werden, da mir seit fast zehn Jahren jede Veröffentlichung bei Strafe verboten war. Vieles ist daher überholt, abgelagert und vermutlich rührend. Vieles daher auch zu bösartig und scharf, der damaligen Stunde und Stimmung entsprechend. Das Deutschtum als Ganzes schuf seit tausend Jahren das große Europa mit, krönte es mit einer seiner Kronen am Frauenplan in Weimar, erlitt es für mehr als nur das eigene Volk in Turin und Sils-Maria, überströmte es mit immer neuen Wogen von unvergänglichen Symphonien und Toccaten, – und wenn ihm auch gerade das seine heutigen Kritiker als besonders belastend anrechnen im Hinblick auf sein politisches Verfehlen, so breitet sich doch ganz offenbar und ganz allgemein ein neues Gefühl in der Richtung aus, daß die Geschichte keinen ideologischen und Ideale realisierenden Prozeß bedeutet, sondern daß das Gröbste gemeinsam zu verhindern, die einzige gegen sie gerichtete Möglichkeit ist.
Ich werde also die Veröffentlichung versuchen aus dem Grunde, um offenbar zu machen, daß einige von denen, die 1933 in Deutschland geblieben waren und hier ihr Fortkommen suchen mußten und auch fanden, sehr bald die Lage so sahen, wie sie jetzt vor aller Augen liegt: Deutschland ist in Gefahr und ist eine Gefahr, entweder es ordnet sich Europa ein oder sein Weg ist beendet. Diese einige vermochten das besondere Wesen des Dritten Reichs von nahem und schärfer zu erblicken, als es den im Ausland lebenden möglich war, wie ihre Veröffentlichungen (vielleicht allein mit Ausnahme derer von Thomas Mann) bewiesen, die es zu allgemein, nämlich im alten Stil als Gegensatz von Geist und Macht empfanden. Wir sahen das Spezifische und Neue an dieser deutschen Kombination, deren Charakterisierung an zahlreichen Stellen dieses Buches versucht wird. Diese Kombination literarisch festzuhalten, ergab sich als die Aufgabe dieser einigen, die geblieben waren.
Das Buch ist aber keineswegs zentral politisch. Eine weitergehende geistesgeschichtliche Betrachtung steht dahinter, sie betrifft unsere metaphysische Lage und lautet: die Situation, in der die weiße Rasse sich befindet, wird nicht den Weg wieder freigeben zu den alten schenkenden und nehmenden Göttern, die neuen Götter heißen Ordnung und Form und wünschen sich als Arbeit in des Menschen Hand. Hier setzen die Gedankengänge über die »Aus-

druckswelt« ein, hinsichtlich der es an einer Stelle heißt: »die Lehre von der Ausdruckswelt als Überwinderin des Nationalismus, des Rassismus, der Geschichte, aber auch der menschheitlichen und individuellen Trauer, die unser eingeborenes Erbteil ist. In irgendeinem inneren Auftrag arbeiten oder in irgendeinem inneren Auftrag schweigen, allein und handlungslos, bis wieder die Stunde der Erschließung kommt.« Ferner: *»irgend etwas Bestimmendes liegt vor, darin gibt es eine Beirrung nicht.* Nihilismus als Verneinung von Geschichte, Wirklichkeit, Lebensbejahung ist eine große Qualität, als Realitätsleugnung schlechthin bedeutet er eine Verringerung des Ich. Nihilismus ist eine innere Realität, nämlich eine Bestimmung, sich in der Richtung auf ästhetische Deutung in Bewegung zu bringen, in ihm endet das Ergebnis und die Möglichkeit der Geschichte.« Was hier Ausdruckswelt genannt wird, ist also ein Hinweis auf die Reste jener Objektivierungsgewalt der Ursprungsrasse, die in Arbeiten mit künstlichen Stoffen (Töpfern, Weben, Flechten, Fahren, Züchten) innerhalb des fünften Jahrtausends vor Christi Geburt begann, dann Sprache und Begriffe mutativ ans Licht brachte, um in einer künstlichen Stufung des Lebens, in einer geistigen Organisation des Lebens über dem Blut zu enden. Es handelt sich also um das anthropologische Gesetz, das uns bestimmte, eine antinaturalistische Natur zur Geltung zu bringen, eine Wirklichkeit aus Hirnrinde zu erschaffen, ein provoziertes Leben aus Traum und Reiz und Stoff in Ansätzen und Vollendung zu erleben. Diesen Vollendungen vor allem, nämlich der Kunst, wendet sich das Folgende von vielen Seiten und in immer neuen, keineswegs einheitlichen Versuchen unaufhörlich zu.

(GW IV, 401 ff)

L[andsberg] a. W., 22. Januar 1945

Benn an Friedrich Wilhelm Oelze

Entschuldigen Sie bitte, wenn ich meinem erst kürzlich an Sie geschickten Schreiben schon ein weiteres folgen lasse [. . .] Es handelt sich natürlich um die leidige Nachlaßsache Rönne. Ich werde mir erlauben, die Hinterlassenschaft an Ihre Adresse zu senden [. . .] Also, kommt die Sache[4] an, steht sie zu Ihrer freien Verfügung

4 Die Essays der »Ausdruckswelt«.

[...] Es sind keine völlig druckreif gemachten Manuscripte, die Anordnung innerhalb des Essaybandes wollte ich nicht völlig festlegen, es ist ja kein fortlaufender Inhalt, sondern mehr eine allmählich entstandene Schichtung aus einem geistigen Kern. Ob das Vorwort bleiben soll, weiß ich noch nicht. Es ist etwas schwach und persönlich.
Der »Roman des Phänotyp« ist soweit fertig. Hier ist die Folge innerlich notwendig. Im Verlauf eines Vierteljahres niedergeschrieben u. dann liegen gelassen, wäre es schon möglich, daß ich einiges ändern würde, aber das Ganze ist ein Fragment u. kann so bleiben. Ich denke: 1) »Roman des Phänotyp« u. »Weinhaus Wolf« in einem Band, als Prosaband. 2) Der Essayband, wobei ich nicht weiß, ob »Block II, Zimmer 66« dahineingehört, aber es wird gehen. 3) Gedichtband; die 22 Gedichte von 1943 u. die letzten, die »statischen«. Als Verlag schwebt mir S. Fischer (Suhrkamp) vor oder mein alter Verlag, Deutsch[e] Verlagsanstalt Stuttgart, falls er wieder seinen früheren Charakter angenommen hat [...]
Wenn Sie vielleicht die Sachen nach Erhalt gelegentlich lesen würden, darin blättern, auf sich wirken lassen würden u. mir gelegentlich ein Wort darüber zukommen ließen, würde es mich natürlich aufs Äußerste interessieren [...] Es war das, was ich noch zu sagen hatte im Rahmen meiner Mittel u. im immer aufrichtigen Gefühl vor den centralen Lagen unserer geistigen Existenz. Diese Lagen waren schwierig, vielfach dunkel, aber ich habe nie den Blick von ihnen gelöst. Wenn es ein Motto für das Alles gäbe, würde es ein Satz aus »Weinhaus Wolf« sein: »Du stehst für Reiche, nicht zu deuten u. in denen es keine Siege giebt«. (UBO)

Benn an Johannes Weyl Berlin, 28. März 1946
Ich verfaßte in den letzten Jahren [...] einen Essayband, der mit der weitreichendsten Kritik des N. S. [Nationalsozialismus] in künstlerischem Bereich, die denkbar ist, aber auch des allgemein deutschen. Der Untertitel des Bandes lautet: »Beiträge zur Klinik des Deutschtums« [5]. (BR 99)

5 Der Untertitel wurde vor der Veröffentlichung geändert in »Essays und Aphorismen«.

Benn an Max Niedermayer Berlin, 18. September 1948

[...] da die Post wieder sehr langsam geht, habe ich mir erlaubt, Ihnen gestern ein Telegramm zu senden, das Ihnen die Manuskripte ankündigen soll, mit denen Sie sich liebenswürdigerweise befassen wollen. Es sind gleich zwei[6], da mir der Gedanke gekommen ist, daß Sie sich vielleicht mehr von einem Essayband versprechen als [von] reiner Prosa. Lassen Sie uns also bitte darüber eine Diskussion beginnen, auch darüber, ob Ihre von Ihnen erwähnte »Kapazität« eventuell für beide Bände reicht.

Zu dem Essayband habe ich folgendes zu bemerken. Ich bitte Sie das Vorwort zu lesen, das einiges Aufklärende dazu und auch gleichzeitig das Einschränkende darüber enthält. Natürlich könnten Sie aus dem Inhalt, der sehr variabel ist, auch bestimmte Sachen, die Ihnen liegen oder interessant erscheinen, nehmen wollen und anderes fortlassen. Ich habe in der Richtung kein festgelegtes Programm und bin sogar für Beratung sehr dankbar. Es ist natürlich eine Frage, die ich mir selber stelle, ob man heute noch so schwere Angriffe gegen die Nazizeit bringen soll, wie sie einige Stellen des Buches darstellen würden. Vielleicht will das heute niemand mehr wissen oder auch, es ist von so vielen Seiten Ähnliches vorgebracht, daß es postum wirkt. Das Potpourrihafte des Ganzen ist nach meinem Gefühl kein Schaden, alles Systematische und Dogmatische wäre noch langweiliger. Wenn es Sie als Verleger nicht interessiert, überfliegen Sie es unter dem Gesichtspunkt, daß Sie Ihren neuen Autor besser kennenlernen und er sich vor Ihnen nicht besser machen will als er ist. (BR 124 f)

Benn an Max Niedermayer [Berlin], 6. April 1949

Dann erhielt ich die Korrektur der *Ausdruckswelt*, die ich gleich durchsah. Mir gefällt das Buch nicht so schlecht, wie ich gefürchtet hatte, nachdem ich es lange nicht vor Augen gehabt hatte. Vielleicht ist es ganz interessant und wird einige Leser finden. Im einzelnen erlaube ich mir folgendes zu bemerken: ich habe die einzelnen Teile auseinandergeschnitten, um sie noch mal zu gruppieren, habe aber an der Reihenfolge nichts geändert. Dabei fiel mir auf, daß im

6 »Ptolemäer« und »Ausdruckswelt«.

Vorwort einige Zitate stehn, die infolge Fortlassens des Stückes »Zum Thema Geschichte« nun im Buch selber gar nicht stehn. Das wäre kein Unglück, da ich »an anderer Stelle« setzte, also jeder denken kann, es seien Stellen aus andren Büchern von mir –, sofern überhaupt sich jemand die Mühe macht, es zu bemerken. Aber dabei kam mir der Gedanke, ob ich nicht das genannte Stück »Zum Th[ema] Geschichte« noch einmal sehen könnte, vielleicht könnte ich doch durch Fortlassen sehr aggressiver Stellen den Abschnitt auch noch einfügen, namentlich am Schluß stehn einige Partien, die, soweit ich mich erinnere, ganz verwendbar wären und neue Ideen brächten. Ich besitze keine Abschrift, vielleicht haben Sie die Güte, mir das Manuskript nochmals herzusenden – und ebenso die *Kammfirma,* die ich unter Fortlassung der Namen auch noch anbringen könnte, da meiner Erinnerung nach auch da einige Sachen drin sind, die ich ganz gerne anbrächte. Wollen Sie also bitte mir die beiden Abschnitte noch mal hersenden.

Ferner bitte ich Sie zu überlegen, ob wir bei den Figuren unter *Schmidhauser* die letzten Sätze fortlassen, so daß der Verlag de Gruyter gar nicht in Erscheinung tritt, der Abschnitt endete dann mit dem Wort: an sich haben. – Mir ist es gleich, bitte entscheiden Sie. Der Brief war an den Ministerialdirektor von Spa gerichtet, der seinerzeit Referent für die Akademie der Künste war und jetzt, wie ich höre, der eigentliche Inhaber und Spiritus rector des genannten Verlages ist.

Ich schlage vor, im Vorwort die Jahreszahlen 1940–1945 zu setzen, nicht: 1948, erstens entspricht es den Tatsachen, zweitens halte ich dieses Jahr als Abschluß zu setzen für angebracht. Ich habe dafür für den *Berliner Brief,* den ich als *Nachwort* bezeichnet habe, Juli 1948 hinzugefügt. Für die einzelnen Aufsätze brauchte dann die Jahreszahl gar nicht mehr hinzugesetzt zu werden, außer, bitte, für den großen Aufsatz: Kunst und III Reich, hier liegt mir daran kenntlich zu machen, daß er schon so früh verfertigt wurde. Natürlich muß auch *Physik 1943* so weiter heißen, da die dazwischenliegenden 6 Jahre schon wieder andere Beurteilungen mit sich gebracht haben.

Hinsichtlich des Berliner Briefs folgendes: hier hat Herr Paeschke aus mir nicht erkenntlichen Gründen, den Schlußsatz fortgelassen, der lautete: »Danken wir zum Schluß General Clay, daß seine Skymaster diesen Brief hoffentlich bis zu Ihnen befördern werden« – also eine Ovation für die Luftbrücke und den General. Ich schlage vor, daß wir in dem Buch den Satz wieder einfügen und zwar *an Stelle* der Schlußfloskel: »Mit Wünschen u. s. w.« (BV 13 ff)

Berlin-Schöneberg, 7. April 1949
Benn an Friedrich Wilhelm Oelze
Ich erhielt u. las die Korrektur zur »*Ausdruckswelt*«. Gefiel mir gar nicht so schlecht wie sonst meine Lektüre eigener Sachen. Findet vielleicht einige Leser. (UBO)

Benn an Fritz Werner [Berlin], 9. Mai 1949
Ich sende heute die Umbruchkorrektur des Essaybandes an den Verlag zurück, er wird also bald erscheinen. Darin stehen Sachen, die von neuem die größte Ablehnung erfahren werden, sehr radikale Sachen, aber als Ganzes finde ich das Buch nicht schlecht. Vielfältige Themen, Bücherbesprechungen, Aufsätze, Aphorismen, – die größten Schärfen habe ich noch etwas abgemildert, aber es bleibt sehr polemisch. Ich kann nicht zum Schluß meiner Laufbahn plötzlich opportunistisch werden und aus meiner Mördergrube ein Herz noch machen. (BR 155)

Benn an Nele P. Soerensen [Berlin], 14. Juni 1949
In diesen Tagen erscheint ein neuer Essayband von mir: »Ausdruckswelt«, mit recht kühnen Bemerkungen auch gegen die lieben Deutschen, (jeder Autor greift seine Landsleute an, das taten Shaw und Voltaire und Hölderlin und Nietzsche, das ist nicht so böse gemeint) [...] (MVB 78)

Benn an Max Niedermayer [Berlin], 20. Juni 1949
Ja, die »Ausdruckswelt«! Wie wird sie aufgenommen werden? Teils gut, teils böse, – on verra. (BV 26)

[Berlin-Schöneberg], 20. Juni 1949
Benn an Friedrich Wilhelm Oelze
Heute erhielt ich das 1. Exemplar der »Ausdruckswelt«, noch ohne

Umschlag. Sie sollen ja auch ein besonders gutes Exemplar erhalten »auf holzfreiem Papier«, wie Herr N[iedermayer] schrieb. Sie können es natürlich nicht freudig begrüßen, – sogar die Kammfirma ist drin, aber ich hoffe in einer Form, die in Ihnen keinen Stachel zurückläßt. (UBO)

Benn an Gustav Kilpper [Berlin], 28. Juni 1949
da die Bemerkungen über Keyserling seinerzeit einen Brief an Sie darstellten, erlaube ich mir, Ihnen diesen neuerschienenen Band zu übersenden, – obschon ich fürchte, daß meine z. T. recht scharfen Ausführungen nicht Ihren Beifall finden können. Ich höre, daß man in Süd- u. Westdeutschland das nicht mehr wissen will. Wir hier in Berlin, die andere Erlebnisse hatten u. weiter haben, denken über manches anders. (BR 160)

Benn an Nele P. Soerensen [Berlin], 24. August 1949
Ich glaube, ich muß dir noch mein neues Essaybuch schicken: »Ausdruckswelt«, damit du etwas darüber erfährst. Aber du liest wohl keine deutschen Bücher gerne? (MVB 80 f)

Benn an Dieter Wellershoff [Berlin], 13. April 1951
Form würde ich auf ein einzelnes Produkt beziehn, *Stil* auf mehrere im Überblick. *Ausdruckswelt* soll der metaphysische Hintergrund dieser verführerischen, natürlich gefährlichen, bewußt gemachten, raffinierten *Über*welt sein. (BR 211)

Benn in »Paris – Eindrücke, Begegnungen, Erinnerungen« [7] 1953
[. . .] in einem meiner letzten Bücher mit dem Titel: *Ausdruckswelt* steht ein kurzes Kapitel: *Franzosen,* das sogar den Beifall von Ernst Robert Curtius fand. Es handelt vor allem von meiner außerordentlichen Bewunderung, die ich für Balzac habe. (GW IV, 330)

7 Gottfried Benns Antwort auf eine Umfrage der Librairie Martin Flinker nach Pariser Eindrücken . . . der Text Benns hat keine Überschrift.

KEYSERLING

Entstanden 1936

Erstdruck in: Ausdruckswelt, Wiesbaden 1949

Benn an Friedrich Wilhelm Oelze [Hannover], 24. Mai 1936

Hinsichtlich Keyserling möchte ich doch nicht unterlassen, sofort hinzuzufügen: *unter uns* gesprochen, so wirkt das Buch[8] größtenteils wie der Prospekt einer Konzertagentur. Eine große Einsalberei geht hier vor mit Bejahungsöl u. allen möglichen Kosmetikas. Gehen Sie an einem Buchladen vorbei u. werfen Sie einen Blick auf das Umschlagsbild: wie er da hervorschaut über der Lavamasse, das ist unerreichbar! Das Menschenhaupt über dem Geröll, der ordnende Gedanke über dem ausgespieenen Mineralblock, der Funke u. die Vorstufe, der Voll- u. Hochmensch, der Edelkämpfer und eine Reihe ähnlicher Kitsch- u. Dilettantenembleme schweben darüber. Trotzdem muß man heute ein solches Buch begrüßen: es ist innerlich gemeint u. wendet sich nicht an die Straße. Und was ist das heute schon für ein seltener Fall. (UBO)

Benn an Friedrich Wilhelm Oelze Hannover, 29. Mai 1936

Das Buch von Keyserling will ich Ihnen gerne leihen, wenn Sie es haben wollen, mein Verleger schreibt, was ich über ihn geschrieben hätte, sei so treffend, er müsse es als »das letzte Wort über K.« bezeichnen. (UBO)

Benn an Ernst Robert Curtius Berlin, 7. Juni 1949

Er[9] erinnert mich an Keyserling, den ich zwar sehr bewundere, den ich aber in dem neuen Essaysband[10], der jetzt erscheint, einen »luxuriösen Synthetiker« nenne. (BR 158 f)

8 Hermann Keyserlings Buch »Südamerikanische Meditationen«, 1932, ^{2}1933.
9 Ortega y Gasset.
10 »Ausdruckswelt«.

RILKE

Entstanden 1936[11]

Erstdruck in: Ausdruckswelt, Wiesbaden 1949

Benn an Friedrich Wilhelm Oelze [Hannover], 26. Oktober 1936
Lese gerade die mir unbekannten Rilkebriefe aus den Jahren 1902 bis 1907. R[ilke] ist für mich immer ein Gemisch von männlichem Schmutz u. lyrischer Größe, ein unangenehmes Gemisch. Auch diese hundert Grafen und Gräfinnen u. aus 50 Schlössern –, es ist schwer, es nicht komisch zu finden. (UBO)

THOMAS WOLFE

Entstanden 1937

Erstdruck in: Ausdruckswelt, Wiesbaden 1949

[Hannover], 19. Februar 1937

Benn an Ellinor Büller-Klinkowström
Ich bekam heute von Rowohlt einen neuen Wolfe, auf den Du Dich gewiß freust: »Vom Tod zum Morgen«, Novellen. Ich las die erste: sehr interessant. Ein großes Format an Stil, sowohl raffend wie aufsplitternd in jeder Seite. (DT 195)

[Hannover], 27. März 1937

Benn an Ellinor Büller-Klinkowström
Ich bin etwas ins Arbeiten gekommen u. werde dabei bleiben. Und

11 Da das als Druckvorlage dem Limes Verlag geschickte Typoskript nicht datiert ist und da es im »Vorwort« zur »Ausdruckswelt« heißt: »Gedankengänge aus den Jahren 1940 bis 1945«, nimmt D. Wellershoff an (vgl. GW IV, 461, 460), daß die Abhandlung über »Rilke« (GW IV, 278 ff.) zwischen 1940 und 1945 entstanden sei. Aufgrund der Übereinstimmung bestimmter Formulierungen in dem oben zitierten Brief und dem abgedruckten Text ist jedoch anzunehmen, daß Gottfried Benn entweder die Abhandlung bereits 1936 konzipierte oder sich aber Notizen machte, die er dann später in die endgültige Fassung des Textes einbaute.

da arbeiten heißt, an einem reißenden Strom ein Flöckchen Wolle fischen, bleibt für Liebe keine Zeit und kein Raum.
Anbei ein kleines Etwas über Wolfe [12] für Rowohlt. (DT 196)

[Hannover], 2. April 1937

Benn an Ellinor Büller-Klinkowström

Ich bin *entsetzt,* daß Du schreibst, ich solle Faulkner [13] fortlassen, da er bei uns nichts gilt! Mor, bist Du auch so? Bei uns gilt doch nur der letzte Dreck, der richtige Wurm- u. Infusoriendreck; meinst Du wirklich, ich solle darauf Rücksicht nehmen? Sein Buch ist doch so großartig, das fandest Du auch. Bist Du plötzlich so umgefallen? Schreibst doch immer vom bürgerlichen Schlappsein u. s. w.

(DT 196 f)

Benn an Friedrich Wilhelm Oelze [Hannover], 9. April 1937

[...] Daher anbei einige Dinge um mich herum, Briefe u. kleine Notiz über ein neues Buch von Wolfe. (UBO)

Benn an Ellinor Büller-Klinkowström [Hannover], 20. Juni 1937

Dein Einwand gegen den letzten Satz meiner neuen Arbeit hat manches in mir in Bewegung gesetzt. Dazu die Stunden bei meinem Vater, die mich tief beeindruckten. Vielleicht kann ich meinen apathischen Standpunkt noch einmal ändern. Nicht im Holdrio-Sinne, aber im Sinne weiterer Erfassung, Umfassung der Menschen u. ihrer Dinge. (DT 200)

12 Ein zwei Druckseiten umfassendes Prosastück über den Kurzgeschichtenband »From Death to Morning«, 1935 (dt. 1937) erstmals veröffentlicht unter dem Obertitel »Figuren« in der »Ausdruckswelt«, Wiesbaden 1949.
13 Bezieht sich auf den Satz: »Der Roman, Europas Schöpfung, die 1800 ansetzte, Nachfolger der Komödie, drüben gewinnt er noch einmal großen Stil, in Faulkner, Dos Passos, Wolfe –: jede ihrer Seiten rafft und splittert in hohen Pressen und Fontänen die Erde, das Geweb aus Erde, noch einmal zusammen, dann lassen sie es sinken über Gräber, über Glücke, in Schatten.« (Thomas Wolfe, GW IV, 266)

JULIUS SCHMIDHAUSER: DAS REICH DER SÖHNE

Entstanden 1940

Erstdruck in: Ausdruckswelt, Wiesbaden 1949

Benn an Friedrich Wilhelm Oelze [Berlin], 3. März 1940

Sonntags hat der kleine Mann Zeit zum Schreiben u. öffnet den Korken von der Tintenflasche. Da man aber besser nichts Directes schreibt, muß man sich auf Umwegen unterhalten. Daher anbei Abschrift eines Briefes, der von bekannten Dingen handelt u. in dem ich nochmals aus diesem besonderen Anlaß mein Vermächtnis zusammenfasse. Der Anlaß ist schauerlich u. heißt »Das Reich der Söhne«, von Schmidhauser, Julius [14]. Er hatte schon vor Jahren ein dickes Buch veröffentlicht: »Der Kampf um das geistige Reich«, das seinen Kreis fand, und das ich sehr fragwürdig fand. In diesem neuen nun wird er »künstlerisch« u. enthüllt sein Nichts. Aber es ist natürlich alles vergeblich; für diese Öffentlichkeit genügt ein Kant nicht, der die metaphysische von der begrifflich zu verarbeitenden Welt trennte. Es geht weiter alles durcheinander. – (UBO)

14 Zum Unterschied von dem in GW IV, 268 ff abgedruckten Text enthält das von Benn dem Brief an Oelze beigelegte Typoskript [datiert: Berlin-Schöneberg, den 2. März 1940. Bozenerstr. 20] zu Anfang noch zwei zusätzliche Abschnitte:
Sehr geehrter Herr Ministerialdirektor,
Sie hatten die Freundlichkeit, mir ein Buch Ihres Verlages zu senden und zu fragen, welche Stellung ich zu ihm einnehmen würde. Ich danke Ihnen für Ihr Gedenken an mich. Ich habe das Buch mit Aufmerksamkeit betrachtet und auf mich wirken lassen. Ich habe mich von dem Buch entfernt und ich habe mich dann dem Buch wieder genähert. Ich erlaube mir, im Folgenden Ihnen mitzuteilen, wie ich es beurteile. Ich erlaube mir, dies in so offener Weise zu tun, als es der Gegenstand, den ich in ihm erblicke, erfordert.
»Ich ziehe es vor zu schweigen, statt mich schwach auszudrücken«, dies Wort, angeblich von Millet, habe ich in den letzten Jahren für mich beachtet, ich ziehe es hier heran zu meiner Entschuldigung und meinem Schutz, in dem Sinne, daß, wenn ich im Folgenden mich ausdrücke, es nur in der Weise geschehen kann, die meiner literarischen Vergangenheit und ihrer nie beschönigten Art, die der Substanz und dem Schicksal meiner Generation entspricht. Im übrigen bitte ich, das Folgende ganz ausschließlich als Privatbrief anzusehen. Jede öffentliche Ausstrahlung entspräche nicht seinem Sinn.

KUNST UND DRITTES REICH

Entstanden 1941
Teilabdruck in: Die Zeit 2. Mai 1946
Erstdruck in: Ausdruckswelt, Wiesbaden 1949

Benn an Friedrich Wilhelm Oelze [Berlin], 5. Dezember 1941

Ich schrieb im November einen neuen umfangreichen Essay: »Kunst«, der nochmals »alles« zusammenfaßt. Leider kann ich ihn aus gewissen Gründen nicht senden; ich will versuchen, ihn zu meiner Tochter gelangen zu lassen, die ihn bewahren soll, bis vielleicht andere Zeiten seine Veröffentlichung zulassen, während der Autor längst »die Kartoffeln von unten besieht«, wie ich neulich so schön las. (UBO)

Benn an Tilly Wedekind Berlin, 16. Mai 1946

Mein Geburtstag war still, wie ich es liebe. In Hamburg hat man sogar öffentlich an ihn gedacht u. aus einem der neuen Bücher ein Stück Essay gebracht, das unerwarteten Erfolg hatte, wie ich aus Zuschriften ersehe. Mir genügt, wie ich schon schrieb, zu wissen, daß ich mich geistig gehalten u. in der Einsamkeit der letzten Jahre fortgebildet habe. (DT 109)

Benn an Hans Paeschke [Berlin], 19. März 1949

Zum Schluß als weitere Ergebenheitsbezeugung folgendes: ich werde mir erlauben, Ihnen in den nächsten Tagen den Einleitungsaufsatz meines Buches »Ausdruckswelt« zu senden, der schon gesetzt ist mit dem Anheimstellen, ihn für den Merkur zu verwerten. Sein Titel ist: »Kunst und Drittes Reich«. Eine weitausholende Studie über die Lage Europas zur Zeit des Beginns des Dritten Reichs innerhalb der künstlerischen Problematik der letzten Jahrzehnte. Ich bin mir völlig klar darüber, daß der Merkur nicht fortgesetzt Beiträge von mir bringen kann, ich stelle daher nur anheim. Gegen

den Aufsatz läßt sich folgendes sagen: 1) er ist etwas lang, etwa 15 Schreibmaschinenseiten, kann aber kaum getrennt werden. 2) er besteht aus drei Teilen: *Die allgemeine Lage, – die Kunst in Europa, – Kunst und Drittes Reich.* Der letzte Teil ist von großer Schärfe und ich merke meinem sonst sehr verehrten Verleger an, daß er, daß man in Westdeutschland an gewisse Themen nicht mehr gern rührt. Das wird mich aber nicht abhalten, ihn in dem Buch zu bringen. Es ist in diesem Zusammenhang und in dieser Beleuchtung das Thema Kunst und Totaler Staat noch nicht geschrieben.
Und da es das Thema meiner Generation war, das Thema der nicht Emigrierten, gehört es in meinen Arbeitsbereich. Ich bin ja immer der Meinung gewesen, daß die Emigranten die Dinge nicht mit der Schärfe gesehn und erfahren haben wie wir. Übrigens fällt gegen die Emigranten kein Wort, das steht garnicht zur Diskussion in dem Essay. Man kann für den Aufsatz anführen, daß er auch unterhaltend ist, sehr flüssig geschrieben und das ganze Zeitalter noch einmal beleuchtet. [...] Der Aufsatz ist *1941* geschrieben, heute würde ich vielleicht einzelnes etwas anders formulieren, will es aber nicht tun. (BR 145 f)

[Berlin-Schöneberg], Ostern 1949
[Datum d. Poststempels: 18. April 1949]

Benn an Friedrich Wilhelm Oelze
Im Merkur vom Mai steht Teil II von »Kunst u. III. Reich«. Der ganze Aufsatz war ihnen zu lang. Ich war erst nicht einverstanden, aber auf dringendes Telegramm hin von Seiten Paeschkes gab ich Einwilligung, da ich ihm ja recht verpflichtet bin. Überschrift soll sein: »Kunst u. Prosperity«, schreibt P[aeschke]. (UBO)

[Berlin-Schöneberg], 8. Mai 1949

Benn an Friedrich Wilhelm Oelze
Ihr Brief vom 1. V. betr. »Kunst u. III. Reich« hat mir einige nachdenkliche Tage und Nachtstunden bereitet. Der Ernst Ihrer Ausführungen hat mich natürlich stark beeindruckt, aber nicht bewegen können, den Aufsatz fortzulassen. Mit ihm fiele – schon seitenmäßig – das ganze Buch. Auch sind meine Gesichtspunkte andere als Ihre. Er ist, literarisch gesehn, einwandfrei. Er ist außerdem meine weiter bestehende Meinung über die zurückliegenden Jahre.

Rücksichten öffentlicher Art habe ich nie gekannt u. kenne ich nicht. Angepöbelt werde ich sowieso, ob mit oder [ohne] diesen Aufsatz. Vom persönlich beleidigenden Anwurf bis zur politischen Denunziation ist mir ja Alles genügend bekannt. Soll ich plötzlich opportunistisch werden? Sie schreiben etwas von meinem »eigentlichen Werk« – aber was ist das? Wissen Sie es? Ich weiß es nicht. Sie schreiben weiter von »Weltgeltung« u. geben mir viele gute Zensuren, aber das sind ja alles ideologische u. utopische Gedanken. Ich habe mich isoliert, bleibe in dieser Isolation und werde damit die wenige Zeit, die ich vielleicht noch lebe, überstehn.
Eine weitere Frage ist die: glauben Sie, daß wir unser Schicksal in der Hand haben? Nein, es führt uns u. treibt uns weiter, u. wir selber bereiten uns unseren Untergang aus unseren Werken. Die Graugeborenen, eines Auges u. eines Zahns! Excesse, Werke, Untergang – die Schlammgeburten! Wie denken Sie über Oscar Wilde: war es *begreiflich,* daß er den Proceß anstrengte? Nein, es war *völlig unbegreiflich*, seine Intelligenz wußte, daß er verlieren würde. Aber, frage ich, können Sie sich diese Figur ohne dies Ende denken? Nein, Sie können es nicht! Sein Gesicht, sein Mysterium, sein Werk wäre leer, leichtsinnig ohne dies Ende. Das Vernünftige sucht Behauptung, aber auch das Unbegreifliche fordert gebieterisch seine Form. Wenn also – wie Ihre Meinung ist – dieser Aufsatz für mich bedrohlich ist – wohlan.
Als Kompromiß für Sie habe ich den oben geschriebenen Absatz im *Vorwort,* S. 2, eingefügt.
[Der Absatz, am Kopf der ersten Seite des Briefes mit Schreibmaschine geschrieben, lautet (vgl. GW IV, 402)]: [Veröffent] »lichung bei Strafe verboten war. Vieles ist daher überholt, abgelagert und vermutlich rührend. Vieles daher auch zu bösartig und zu scharf, der damaligen Stunde und Stimmung entsprechend...« [Der Rest der Einfügung, bis G. W. IV S. 403, Z. 11: »... um offenbar zu machen, daß«, ist mit dem dort abgedruckten Text identisch.] Es irritiert mich, daß er schon wieder neue u. mich weiterbewegende Gedankenansätze enthält u. vielleicht nicht ganz am Platze ist. Aber er mildert nun doch von vornherein gewisse Schärfen. Auch habe ich den Ausdruck »bösartig« auf S. 28 in »zerrissen« verändert. (UBO)

Benn an Max Niedermayer [Berlin], 8. Mai 1949

Ich erhielt in dieser Woche einen Brief von Herrn Oelze, der mich etwas in Unruhe brachte. Darin flehte er mich inständig an, ja bat unter Berufung auf unsere 15jährigen Beziehungen dringendst darum, den Aufsatz »Kunst und Drittes Reich« fortzulassen, da darin Angriffe gegen das Deutschtum ständen, die mir und meiner Sache die größten Schwierigkeiten zu machen geeignet wären. Der Ernst, mit dem er diese Bitte vorbrachte, beeindruckte mich sehr, aber ich habe mich nicht entschlossen, den Aufsatz zurückzunehmen. Ich habe als Kompromiß im Vorwort, wie Sie sehen werden, einen Satz eingefügt, der die Ausdehnung meiner Kritik auf das Deutschtum als Ganzes und als solches ablehnt u. den zeitlich und stimmungsmäßig begründeten Charakter mancher sehr scharfer Äußerungen von mir klarstellt, aber mehr kann ich nicht tun. Will es auch nicht. Angepöbelt werde ich sowieso, das bin ich immer, von der frechsten persönlichen Beleidigung bis zur politischen Denunziation bin ich alle Nüancen der Ablehnung gewohnt und die paar Jahre, die ich vielleicht noch lebe, ist mir das nun auch schon völlig gleich. Ich habe aus dem Brief von Herrn O. sowie aus Äußerungen andrer Westlicher, namentlich kaufmännischer Kreise den Eindruck gewonnen, daß wir hier in Berlin in der Grundhaltung zu vielem ganz verschieden sind und schon fast verschiedenen Völkern angehören. Sie dort empfinden die westlichen Besatzungsmächte als Unterdrücker und kaufmännische Expropriateure mit Konkurrenzbestrebungen – wir hier betrachten sie als Erlöser vor der russischen Welt, als unsere Schützer. Herr O. verweist als Argument auf die vierjährigen Erfahrungen mit den Okkupationsmächten, die auch nicht besser seien als die Deutschen in ihren schlimmsten Exemplaren je waren. Ich lasse dahingestellt, ob das zutrifft, ich lehne ja überhaupt jede Verallgemeinerung meiner Standpunkte und Formulierungen ab, aber nichts kann mich abhalten, meine persönliche Kritik auszusprechen. Ich würde also vorschlagen, daß wir das Buch in der nunmehr vorliegenden Form erscheinen lassen, ich könnte mir denken, daß es sogar einen gewissen Widerhall findet, sowohl im negativen wie positiven Sinne, – und dabei bleibt es ja mir immer wieder interessant, wie paradox die politische Stellung meiner Gegner ist: sowohl die von links wie die von rechts greifen mich an und die Mittleren, die Demokraten, nicht weniger. Es muß irgend etwas von dem, was ich schreibe, an den Schlaf der Welt rühren und es schlief sich trotz zweier Weltkriege doch noch ganz gemütlich, erst in letzter Zeit werden die Schlafstörungen allgemeiner bemerkt und trotz der hohen Bromdosen von Jaspers und Sartre, mit denen die Presse täglich ihr Publikum besänftigt, schläft man nicht mehr durch. (BR 153 f)

PALLAS

Entstanden 1943

Erstdruck in: Ausdruckswelt, Wiesbaden 1949

Benn an Friedrich Wilhelm Oelze [Landsberg], 26. Oktober 1943

Innerlich, wenn ich das sagen darf, bemühe ich mich, mich auch hier zu behaupten, indem ich mein Prosabuch weitermache u. ihm einige neue Seiten anfüge, einige von denen ich den Eindruck habe, daß sie der heutigen geistigen Lage Ausdruck verleihen. Wenn Sie es einmal später zu Gesicht bekommen, erinnern Sie sich, daß es die *Pallas*-partie war, die ich meine. (UBO)

[Landsberg], 10. November 1943

Benn an Friedrich Wilhelm Oelze

Als ihr vorletzter Brief kam, arbeitete ich gerade die beifolgende *Pallas* u. verwandte sofort einen Satz[15], den Sie zitieren, nicht aus Mangel an Einfall, sondern weil sich selbst zitieren garnicht übel ist (es giebt ja nicht sehr viel, das sich noch zu zitieren lohnt). Bitte auch Pallas gelegentlich retour. Schreiben in Gedanken darüber: »von der Strantz-Kaserne, Block II, Zimmer 66, ungeheizt u. bei Komißbrot mit Kunsthonig«. (UBO)

15 An diesen Satz, offensichtlich aus Benns eigenen Werken, erinnert sich Dr. Oelze nicht mehr.

EINE KAMMFIRMA

Entstanden [nicht zu ermitteln]

Erstdruck in: Ausdruckswelt, Wiesbaden 1949

Benn an Max Niedermayer [Berlin], 20. April 1949

Die Kammfirma habe ich entpersönlicht[16] und wäre dafür, sie als Schluß zu bringen, – ich glaube hinter: Rilke. Ich hätte ganz gerne diesen Totalitäts- und Harmonielehren noch eins ausgeteilt. Aber wenn Sie nicht wollen, ich bestehe nicht darauf. (LPBD 225)

Doppelleben

Entstanden 1934; 1943/44–1950[1]

Erstdruck Wiesbaden 1950

[Berlin-Schöneberg], 10. Juli 1949

Benn an Friedrich Wilhelm Oelze

Auch aus dem Kreis von Werner in Freiburg erhielt ich einige seltsame Sachen von jungen Deutschen. Ich nenne es für mich: Phase II (nämlich des nachantiken Menschen), liegt in der Richtung von Montage-Mensch, Roboterstil; den Menschen giebt es gar nicht mehr, er wird zusammengesetzt aus Redensarten, verbrauchten Floskeln, ausgewetztem Sprachschatz, alles steht gewissermaßen in Anführungsstrichen – und das Seltsame ist: es wirkt auf Sie gewissermaßen echt. Eine ganze Menge Namen aus den verschiedensten Nationen könnte ich Ihnen hierzu noch anführen. Es ist eine ähnliche Stilaufbruchsbewegung wie 1910–1920, – auch in diesem Sinne: Phase II. (UBO)

16 Ursprünglich war das Stück eine Polemik gegen Hofmannsthal. Es wurde auf Vorschlag von Oelze abgemildert.

1 Vgl. GW IV, 444; 448.

[Berlin-Schöneberg], 8. September 1949

Benn an Friedrich Wilhelm Oelze

Bei dieser Gelegenheit[2] würde [...] eine Art Interieur-Studie[3] bei mir fällig mit alten und neuen Gedanken, die zu umfassend für eine Zeitung, auch zu radical. Vielleicht publiziere ich es im »Merkur«. (UBO)

Benn an Hans Paeschke [Berlin], 14. September 1949

Sofern Sie sich für Phase II interessieren[4], schlage ich einige kleine Änderungen, Mäßigungen vor, nämlich:

S. 3, 2. Satz:[5]

»Döblin, einst großer Avantgardist und Franz Biberkopf vom Alexanderplatz, wurde streng katholisch und verkündet Ora et labora, Toynbee ist christlich, Eliot ebenso, Jünger endet christlich-humanistisch – alles Rückgriffe, Stilentspannung, alles Konformismus.«

S. 6, vorletzter Absatz:

»Scharlatan – das ist kein schlimmes Wort, es liegt immerhin noch in der Richtung des Experimentellen, es gibt schlimmere: historisch und grundsuppig.«

Ich komme auf diese Sache, die ja an sich nicht wichtig ist, nochmals zurück, da ich in den letzten Tagen durch Zusendungen aus Kunst (namentlich Maler- und Bildhauer) -Kreisen mit Erstaunen ersehe, daß sie geradezu danach lechzen, den Kunst- und Geschichtsbegriffen eine neue Formulierung zu verschaffen und sie wollen sich meiner literarischen Hilfe versichern. Sie stellen mir ganze Hefte ihrer Zeitschriften zur Verfügung, um mich auszusprechen und füllen Seiten mit Zitaten aus der »Ausdruckswelt« (Pfälzische Secession, Speyer, – Das Kunstblatt Greven in Westfalen u. a.) Es ist eine Hilflosigkeit u. Verzweiflung unter den ganz jungen Leuten, die mich überrascht. Ganz offenbar ist die Phase II viel

2 Die »Zeit« plante »angeblich eine größere Sache« mit Gottfried Benn.

3 Vgl. »Der Stil der Zukunft«, GW IV, 162–165; zuerst veröffentlicht im »Merkur«, IV, 1 (1950).

4 Vgl. »Merkur«, H. 23, Januar 1950.

5 Die angeführten Stellen stammen aus dem Kap. »Zukunft und Gegenwart«, »Doppelleben« (1950), S. 196, 203; GW IV, 160, 165.

weiter vorgeschritten als es den Anschein hat, viel weiter auch die Ablehnung und der Haß gegen die bürgerliche Terminologie und Begriffsbestimmung der Kunstprozesse. (BR 176 f)

[Berlin-Schöneberg], 21. September 1949

Benn an Friedrich Wilhelm Oelze

In dem Interview für den jungen Mann hier[6], das ich ihm schließlich doch noch zusammengestöpselt habe (mit Einzelsätzen aus dem etwas umfangreicheren Phase II, das vielleicht »Merkur« bringt) schreibe ich: Die Stellung der Naturwissenschaften hat sich seit meinen Anfangs- u. Studienjahren grundsätzlich geändert, sie sind heute sowohl Mathematik wie Metaphysik und »Planck ist Kepler und Kierkegaard in Einem«. (UBO)

Benn an Max Niedermayer [Berlin], 8. Oktober 1949

Ich wäre nach meinem ersten Eindruck nicht dafür, den »Lebensweg«[7] als Extraband herauszugeben, er erfüllt seinen Sinn wohl besser im Rahmen eines umfangreicheren Prosabandes. Wer nur diesen »Lebensweg« als Band in die Hände bekäme, sonst nichts von mir wüßte, gewänne kein Bild von meiner Tätigkeit. Mir erscheint es besser, wenn erst noch die jetzigen Bände etwas weiter wirkten und dazu die »Trunkene Flut«, wenn ich also erst wieder Fuß gefaßt habe in Literatur und Kritik. Ich glaube wir verfolgen diesen Gedanken im Augenblick nicht weiter. Ich müßte ja wohl auch diese Lebensgeschichte weiterführen bis zu dem heutigen Zustand, – vielleicht finde ich dazu innerhalb der nächsten Monate Zeit und Stimmung. (BV 32 f)

[Berlin-Schöneberg], 10. Oktober 1949

Benn an Friedrich Wilhelm Oelze

ich sah Ihrer Rücksendung von Phase II mit Sorge und Angst entgegen. Diese kurze Seite hat mir – nachträglich – in meinen Meditationen viel Schwierigkeiten gemacht. Ich schieße so oft im Aus-

6 Von der »Zeit«.

7 Der erste Teil der Autobiographie »Doppelleben«, der schon 1934 »in Kunst und Macht« als »Lebensweg eines Intellektualisten« (S. 111–171) erschienen war.

druck über das Ziel hinaus, tue es absichtlich, um mich selber zu reizen u. zur Umkehr zu bewegen. So auch hier. Ich erhielt gestern per Eilbrief aus Baden-Baden Korrektur u. strich einiges des zu u. nur Provokanten, darunter den Familiencafé, den Sie auch monieren, ferner die Sache mit dem *Tabakhandel,* ersetzte es durch einen anderen Passus, nicht so plastisch, nicht so extravagant, aber, um meine innere Ruhe wiederzubekommen! (UBO)

[Berlin-Schöneberg], 15. Oktober 1949
Benn an Friedrich Wilhelm Oelze
die Tabakfirma hatte ich Ihnen zum Opfer gebracht und nun schlagen Sie meinen Rauch nieder und nun wird es zu spät sein, es zu redressieren. Also bleibt es bei der feineren Fassung. Übrigens, nicht Ihnen ganz allein, ich dachte auch, daß es vielleicht auf meine so bemühten Kritiker [Rychner] nicht sehr dankbar wirkte, wenn ich so gleichgültig davon spräche. (UBO)

[Berlin-Schöneberg], 2. November 1949 (Allerseelen)
Benn an Friedrich Wilhelm Oelze
Sagen Sie [. . .], besitzen Sie eine Abschrift von *Block II, Z. 66?*[8] Ich überlege, ob ich das für den Lebenslauf verwenden kann, das vereinfachte mir Vieles, aber ich glaube, Sie haben mir das Original gesandt – und das kann ich nicht finden, ich bin ja mit meinen Manuscripten sehr radikal, wenn mir in einem Augenblick etwas nicht daran gefällt, schmeiße ich es fort. (UBO)

[Berlin-Schöneberg], 19. November 1949
Benn an Friedrich Wilhelm Oelze
Hinsichtlich des »Lebensweg – –« könnte ich eine Fortsetzung machen: »Zwischenzeit« und einmal authentisch meine Erfahrungen mit der Reichsschriftumskammer darstellen mit den Originalschreiben an meinen Verlag und mich[9], dazu die Angriffe im Schwarzen Korps und im Völkischen Beob[achter] usw. Es wäre kein uninteressantes Dokument –: dann Block II, Zimmer 66, das

8 Entstanden 1943/44.
9 Vgl. »Doppelleben« (1950), S. 118 ff; GW IV, 98 ff.

mir auch gar nicht so doof vorkommt, wie ich es in Erinnerung habe. Und dann zum Schluß etwa das Interview Phase II. – Das schwebt mir so vor, ob es Sinn hat [...] lasse ich offen. Aber wenn es schon eine Autobiographie ist, kann man sie ja auch nach dem Tatsächlichen komplementieren ⟨?⟩. Ich persönlich bin so sehr für diese Sonderausgabe der Biographie nicht eingenommen, es wird wieder bloß so ein dünner Band und was mit Rönne und Pameelen ist, wird keinem klar bei der Lektüre. (UBO)

[Berlin-Schöneberg], 28. November 1949

Benn an Friedrich Wilhelm Oelze

ich hatte mich eigentlich mit ihm [Niedermayer] darauf geeinigt, ihm bis Ende Dezember das Nach-manuskript für die Autobiographie zu senden. Vertiefte mich dann gestern Sonntag in die Sache und sie langweilte mich so an, daß mir die Lust vergangen ist. Diese ollen Kamellen alle wieder vorholen, glossieren, sich rehabilitieren – vor wem eigentlich und für was, ich glaube, daß ich meine Zusage wieder zurücknehmen muß. Nun hat es N[iedermayer] auch Block II, Z. 66 angetan, das ich ihm schickte und das er mithereingebracht haben möchte, aber ich weiß nicht, ob ich nicht das ganze Projekt aufgebe. (UBO)

Benn an Max Niedermayer [Berlin], 29. November 1949

Ich muß Ihnen etwas Niederschmetterndes mitteilen. Seit unserem Telefongespräch am Sonnabend habe ich mich mit der Fortsetzung der Autobiographie beschäftigt und kann keine rechte Stellung zu der Angelegenheit finden. Bitte geben Sie noch nichts in Satz, ich halte es für möglich, daß ich das doch nicht machen kann. Diese alten Sachen, alte Streite – wen berührt das noch, mir steht das innerlich so fern – soll man das neu heraussuchen? Ich werde Ihnen morgen einige der Dokumente zusenden, die ich einfügen und doch dann auch etwas glossieren müßte, und ich weiß nicht, ob das dann nicht neuen großen Krach gibt, von dem niemand etwas hat, z. B. der berühmte Brief an die Literarischen Emigranten, übergehn könnte ich ihn eigentlich nicht, aber ich habe keine Lust, das Thema aufzugreifen. Ich fand dabei auch den Originalbrief von Klaus Mann an mich, der den Anstoß dazu gab: dieser Brief ist so rührend schön, höflich, demütig, verehrungsvoll, daß meine Antwort dagegen schroff und kalt klingt. (wenn Sie diesen Brief erhalten, bitte ich Sie, ihn nur persönlich zur Kenntnis zu nehmen, ihn nicht weiterzugeben, da er Namen enthält, die heute noch eine Rolle spielen und ich möchte keinesfalls dem nun Toten gegenüber so indiskret sein). Ich muß Sie also bitten, mir noch Zeit zur Überlegung zu lassen u. mir nach Kenntnisnahme der Dokumente zu sagen, ob es nach Ihrem Eindruck wünschenswert ist, unsere Idee weiter zu verfolgen. (BV 37 f)

[Berlin-Schöneberg], 4. Dezember 1949
Benn an Friedrich Wilhelm Oelze
An der Fortsetzung der Selbstbiographie arbeite ich ständig. Herr N[iedermayer] ruft öfter an u. animiert mich kräftig. Vielleicht entstehn ganz interessante Partien dabei mit Rücksicht auf die Jahre. (UBO)

[Berlin-Schöneberg], 11. Dezember 1949
Benn an Friedrich Wilhelm Oelze
Ich arbeite intensiv an der Fortsetzung der Autobiographie. Es kommt allerlei zusammen. Ich mache es in keiner Weise tiefsinnig und abgründig, sondern mehr erzählerisch und unterhaltend. Trotzdem tauchen einige Sachen auf, die ganz interessant sein werden [...] Ihre Hinweise auf die 3 Aufsätze in dem neulichen Merkurheft[10] haben mir sehr genützt. Ich hatte sie nicht gelesen, las sie nun – ausgezeichnete Sachen! Der Schluß der Autobiographie, so wie ich ihn augenblicklich vorhabe, greift auf diesen Eindruck zurück[11]. (UBO)

Benn an Max Niedermayer [Berlin], 15. Dezember 1949
Hier kommt das ominöse Opus[12], zu dem ich zunächst einiges Äußere bemerken muß. Da ich keine eigene Sekretärin habe, sondern immer diktieren gehn muß, habe ich die zwei eine Rolle spie-

10 «Merkur«, H. (1949). Vgl. Aufsatz von W. Lehmann über »Jules Renard«.
11 Vgl. »Doppelleben« (1950), S. 211–212; GW IV, 171 ff.
12 Die Autobiographie »Doppelleben«.

lenden Briefe nicht nochmal abschreiben lassen, sondern lege sie an der richtigen Stelle in das Manuskript. Nur den Klaus-Mann-Brief habe ich abschreiben lassen. Vielleicht geht es, daß Sie im Falle, daß wir das Manuskript im wesentlichen so lassen, dann direkt bei der Drucklegung die Setzung veranlassen, das würde mir Zeit, Geld und Mühe sparen. Dabei ist zu beachten, daß bei dem gelben Brief an den Heeressanitätsinsp[ekteur] [13] immer einige Zeilen auf der Rückseite stehn.
Ich habe von nichts Abschrift hier, geht das Manuskript verloren, ist es dahin.
Zur Sache: 1) ich weiß immer noch nicht, ob es vernünftig ist, das Emigrantenproblem nochmals aufzugreifen. Ich tue [es] ja sehr vorsichtig, aber Widerspruch wird es geben. 2) Ich weiß immer noch nicht, ob der erste Teil, der von 1934, interessant genug ist, ihn nochmals zu veröffentlichen. 3) Vom Teil II, also dem neuen, ist somit alles fertig bis auf den Teil V, für den ich die Phase II in Aussicht genommen habe in Kombination mit dem N. W. D. R.-Gespräch, das einiges Neue enthält, und mit einer Einleitung, die hinführt und nochmal den Titel »-eines Intellektualisten« aufgreift. Diese einleitenden Worte habe ich auch schon hier liegen, warte aber das Erscheinen der Sache im Merkur ab und wäre Ihnen sehr dankbar, wenn Sie mir das N. W. D. R. (-Manuskript) nochmals zugängig machen könnten, von dem Sie sagten, daß Sie es sich haben kommen lassen. Ich habe wie immer kein Manuskript davon, meine Gleichgültigkeit gegen meine Manuskripte kennt ja keine Grenzen. 4) sollten Sie Anstoß nehmen an dem »lyrischen Intermezzo«; nämlich dem Monolog, bitte ich Sie es ruhig zu sagen. Ich fände seine Einflechtung in das Ganze gut – je mehr Abwechslung, um so besser.
Als Ganzes ist das Manuskript ja mehr unterhaltender Art und Sprache und Diktion ist vielleicht etwas salopp. Aber meine Stil- und Innenprobleme schreibe ich ja in anderer Form, lagere ich anders ab (habe auch davon wieder etwas Neues fabriziert) [14], aber für diesen Fall schien mir das Populäre angebracht. (BR 184 f)

13 Vgl. GW IV, 100 ff.
14 Vgl. »Der Radardenker«, GW II, 258 ff.

[Berlin-Schöneberg], 20. Dezember 1949

Benn an Friedrich Wilhelm Oelze

Er [Niedermayer] trieb mich an, sehr intensiv zu arbeiten und nun ist es nahezu fertig. Nur das Kapitel, in dem ich die Phase II verwerten will, ist noch offen [...] Ich rahme aber das Kapitel in dem Buch noch mit manchen anderen Perlen ein, die ich noch gefischt habe. Ich könnte mir denken, daß das Buch als Ganzes recht von sich reden machen wird, da ich ja die Emigrantenfrage, auch die Judenfrage, auch das Verhalten der Wehrmacht mit neuen Unterlagen belege, auch der Brief von Klaus Mann, der damals der Anlaß war, wird von mir im Original veröffentlicht[15]. Ich gebe dem Klaus sehr sehr freundliche Worte in sein Grab in Cannes hinab. Haben Sie eigentlich damals den Brief gelesen? Er ist rührend und wunderbar demütig, sodaß meine Antwort dagegen schroff und hart klingt. Aber ich nehme dann von Neuem zu den Fragen Staat und Macht usw. Stellung und rechne sie zu den Fragen, die wir auch heute genau so wenig beantworten können wie damals [...] A propos: haben Sie eine Abschrift von Phase II? Wenn ja, würden Sie es mir leihen, sodaß ich über Weihnachten das Buch beenden könnte? Das wäre mir eine große Genugtuung, ich möchte es los sein.

(UBO)

15 Der Brief ist im Gesamttext mit durch Sperrdruck bezeichneten Auslassungen Benns veröffentlicht u. a. in G. Loose, »Die Ästhetik Gottfried Benns« (Frankfurt/M. 1961), S. 179–183. Ergänzend sei hier eine Stelle aus einem Brief Benns an Oelze vom 7. Februar 1937 mitgeteilt: »Noch liegt Ihr H[einrich] M[ann] bei mir, geht aber in diesen Tagen an Sie ab, da kommt über Zollamt u. wird durchgelassen von K[laus] M[ann] aus Amsterdam sein berühmter Gründgensroman ›Mephisto‹. Widmung vom Autor darin: ›Die Du verlassen, sie atmen noch‹ – Vers von mir, fasse das Ganze aber mehr als Anhänglichkeit denn als Drohung auf. Las heute Nacht große Partien. Geistig sehr schwach, sachlich abgestanden, kritisch unergiebig. ›Roman einer großen Karrière u. eines großen Verrats‹. Nun, G[ustav] G[ründgens] ist ein guter Intendant u. interessanter Schauspieler, aber eine dämonische Figur ist er wohl für keinen von uns. Ob er verrät u. wen er verrät, ist ziemlich schnuppe. K[laus] M[ann] macht ein europäisches Ding daraus, aber es interessiert eigentlich niemanden. Ich kenne so ziemlich alle, die vorkommen: Pamela W[edekind] als zweite Hauptfigur, Johst, mich selbst usw.«

(UBO)

[Berlin-Schöneberg], 25. Dezember 1949

Benn an Friedrich Wilhelm Oelze

Es ist ein sehr persönliches Buch, auch kein ganz ungefährliches und ich muß mit dem Verleger schon Hand in Hand gehn bei einer so prekären Sache [. . .] Wie Herr N[iedermayer] gestern Abend sagte, ist schon in der nächsten Woche die erste Korrektur fertig und dann erhalten Sie sie, wie ich bat, sofort zugesandt. Ich kann nicht mit Ihrer Zustimmung in Allem rechnen, ich schneide ja sehr gewagte Themen an, z. B. die Judenfrage, und beantworte sie sehr positiv. Positiv im Sinne der literarischen Teilhaberschaft an der Literatur meiner Epoche [. . .] Wer will, kann immer aus den alten Jacken mir tausend Stricke drehn und aus den mannigfachsten Stellen sich Gift für seine Pfeile holen. (UBO)

Berlin-Schöneberg, 27. Dezember 1949

Benn an Friedrich Wilhelm Oelze

»Da trat jener Herr Oelze aus Bremen in mein Leben . . .« [16] [,] so beginnt meine Seite über Sie, kein langer Erguß, einige Sätze, aber prägnant. –

Das neue Buch ist ein großes Tohuwabohu, – Biographisches, Literarisches, Politisches, Feuilleton und Tiefsinn alles durcheinander. Absichtlich, ich mag nicht mehr ordnen und regeln. Ich sehe jetzt ein, warum Nietzsche *aphoristisch* schrieb. Wer keinen Zusammenhang mehr sieht, keine Systematik, kann nur noch episodisch verfahren. (UBO)

Benn an Max Niedermayer [Berlin], 3. Januar 1950

Anbei nun den Rest des Buches, nämlich die zwei Sachen aus dem Kapitel, das wir »Literarisches« oder »Analytisches« [17] nennen wollen, wie es Ihnen besser erscheint. Das Letzte, Stil und Entartung kommt mir ein wenig primitiv vor, ich war, ehrlich gesagt, müde und habe im Augenblick die Beschäftigung mit mir satt. Wir können es fortlassen, wenn es Ihnen nicht gelungen erscheint.

Auch die Veränderung der Schlußworte liegt fertig bei mir vor, es

16 Vgl. GW IV, 169–170.
17 »Doppelleben«, GW IV, S. 132 ff.

handelt sich nur um die letzten 10 Reihen, die ich anders mache. Und nun sage ich toi toi toi, fasse Holz an und spucke auf die letzten Manuskriptseiten und lege das Weitere in Ihre Hand. Übrigens, wenn ich eben sagte, ich sei müde, so heißt das nicht, daß ich nicht zu Änderungen, wenn Sie es wünschen, bereit und fähig wäre. Ich habe überhaupt bei der Abfassung der Sachen gemerkt, daß man offenbar aus allem was machen kann, aus jedem Satz und aus jedem Gedanken – wenn man ein so alter Elefant ist wie ich und seine Erfahrungen gesammelt hat. (BV 39 f)

Benn an Max Niedermayer [Berlin], 6. Januar 1950

Also wir wären im großen ganzen einer Meinung über das Manuskript: ich glaube nicht, daß ich im Augenblick noch Neues dazu machen werde, eingedenk des Hofmannsthalschen Wortes: »die Kunst zu enden – wer das kann, kann alles«. Dagegen ist mir ein Gedanke gekommen, von dem ich nicht weiß, ob er vernünftig ist und in Ihren Augen die Publikation verbessert. Nämlich, daß man Teil II schlösse mit »Noch einiges Private« und dann einen Teil III machte »Dokumente« und brächte: die Totenrede auf Klabund, die Rede auf H. Mann, die Akademierede (bei der Aufnahme von mir in die Akademie der Künste (1932) und die Rede auf Stefan George. Das hätte insofern einen gewissen Zusammenhang mit dem Ganzen, als ja dies auch eine Art biographischer Publikationen waren, die mit meinem Lebenszusammenhang in Verbindung standen. (1929, 1931, 1932, 1933). Es wäre eine Vorwegnahme aus dem geplanten Prosaband, aber über den sind wir uns ja noch sehr im unklaren, welcher Art der werden soll. Vielleicht wäre es gut, hierzu Herrn Oe[lze] zu hören. Dann als Schluß die »Schlußworte«. Dann würde der Band allerdings noch wesentlich länger und ich weiß nicht, ob das Ihren Plänen entspräche. Überdenken wir das also noch mal.
Zu einzelnem: Haben Sie absichtlich »Zukunft und Gegenwart« vor »Literarisches« gerückt? Ich hatte es in Gedanken umgekehrt gedacht, um die Dinge gleich an die Kaserne anzuschließen, in der das Meiste davon entstanden ist. Aber es geht auch so, wie Sie es gesetzt haben. (LPBD 289)

[Berlin-Schöneberg], 6. Januar 1950

Benn an Friedrich Wilhelm Oelze

Das neue Buch ist also fertig. Mit Zittern sehe ich Ihrer Stellung dazu entgegen, besonders auch dem Titel gegenüber: »Doppelleben« [...] Ich bin mir über die Einwände klar – Feuilletonismus, Privatgeschwätz, leichtfertig im Stil und im Gedanklichen. Alles zugegeben, aber ein Buch ist ja eben auch eine Ware, die angeboten und vertrieben werden soll. Tiefsinnig und schwer bin ich ja anderwärts genügend oft gewesen [...] Ich bitte Sie aber mit Einwänden nicht zu sparen, das eine oder andere läßt sich natürlich noch verändern. (UBO)

Benn an Ernst Robert Curtius [Berlin], 9. Januar 1950

Dann habe ich in einem gerade beendeten neuen Buch – allerdings eins, das mich mit Bedenken und Sorge erfüllt – dem Werk [18] einige Sätze gewidmet. Es handelt sich um eine Autobiographie, zu der mich mein Verleger gedrängt hatte, es hat schon einen ominösen Titel: »Doppelleben« und ist als Ganzes reichlich zwanglos und etwas persönlich, aber gerade darum verspricht sich der Verleger etwas davon. Darin also handele ich an einer Stelle über meine negative Meinung von der deutschen Literaturhistorie – – aber es ist wohl besser, ich lege Ihnen eine Abschrift dieser Stelle bei [19]. Ich kann als Literat und in diesem Fall auch noch Autobiograph meine private Ansicht über vieles äußern, ohne daß man mir an der Stelle den Vorwurf mangelhafter Erfassung der Probleme machen darf, überall tritt das rein Private meiner Gedanken deutlich hervor. Also bitte ich auch Sie, das Inkommensurable meiner Bemerkungen nicht als Eingriff in mir nicht zustehende Regionen zu betrachten. [...] Das erwähnte neue Buch von mir erscheint schon im März, wird sicher ein gewisses Interesse finden, da ich in ihm nochmals die Frage der literarischen Emigration, des Hier-in-Deutschland-Bleibens, meine Erfahrungen bei der Wehrmacht, meine Ausstoßung aus der Reichsschrifttumskammer u. ä. mit Original-

18 »Europäische Literatur und Lateinisches Mittelalter«, Benn 1948.
19 Vgl. »Doppelleben«, S. 178–179.

dokumenten bringe. Daneben aber auch allerlei literarische und stilistische Exposés für den Fachmann. Nun, on verra. (BR 187 f)

[Berlin-Schöneberg], 10. Januar 1950
Benn an Friedrich Wilhelm Oelze
Übrigens schließe mit Ihrem neulichen Hinweis auf das Heft Nr. 21[20] und einigen Folgerungen dazu. Darf ich dazu gleich bemerken, daß ich davon die letzten 10 Reihen ändere, da ich nicht mit dem gleichen Zitat schließen will, wie den ersten Teil (34), was ich vergessen hatte [...] Ich erwähne das, weil Sie ja wohl schon die ersten Korrekturen erhalten haben und vielleicht den Rest auch bald erhalten. In den ersten Korrekturen habe ich einiges Unwesentliche geändert, z. B. gleich den ersten Abschnitt, von dem nur der Anfang stehn bleibt, das mit dem früheren Verlag nicht [...]
(UBO)

Benn an Marguerite Schlüter [Berlin], 10. Januar 1950
Dank für Ihren Brief vom 6. 1. mit den Korrekturen, die anbei zurückgehn. Viel war nicht zu korrigieren, alles ist erstaunlich gut gesetzt. Bei dem Monolog im lyrischen Intermezzo bitte ich an den bezeichneten Stellen einen gewissen Absatz zu machen.
Als ich in Ihrem Brief von »lebenden Kolumnentitel« las, war ich zunächst sehr beunruhigt, da ich den Ausdruck nie vernommen hatte. Dann versenkte ich mich in das Problem und bin der Meinung, daß es vielleicht ganz angebracht wäre, dem Leser hierdurch das Zurechtfinden zu erleichtern.
Haben Sie Dank für Ihre neue Mitarbeit. Herr Niedermayer hat dies Buch inauguriert, er allein, und Sie helfen an seiner Verwirklichung. Bitte achten Sie weiter auf Orthographie und Interpunktion – beides ist nicht meine Stärke. (DT 224)

Benn an Marguerite Schlüter [Berlin], 12. Januar 1950
Bitte beachten Sie S. 43/44 in »Literarisches«, daß der *ganze* Abschnitt von »wo immer« bis »das letztere sei«, Zitat aus Phänotyp[21] ist u. also in der Zitatenschrift gesetzt werden muß.
(DT 224)

20 Der Zeitschrift »Merkur«; vgl. auch GW IV, 171.
21 »Roman des Phänotyp«.

[Berlin-Schöneberg], 19. Januar 1950

Benn an Friedrich Wilhelm Oelze

Von Ihren Vorschlägen[22] habe ich den wichtigsten gleich berichtigt: die etwas rohe Stelle mit dem General und den Genitalien ist gestrichen. Auch klarer denkend ist entschieden besser. Den Säbel und die Mütze werde ich wohl stehn lassen und weiter mit in den Salon nehmen lassen, – diese Belehrung damals interessierte mich so als Gegensatz zu den civilen Gebräuchen und außerdem wissen Sie ja, ich liebe manchmal die barocken Schnörkel einmal an sich und dann, um einen Satz zu unterbrechen und einen Moment in eine andere Richtung zu lenken.

Eine kleine Sache habe ich noch hinzugefügt als d) zu dem Abschnitt »Literarisches« – eine kleine Studie zu Hamsuns letztem Buch[23], veranlaßt durch eine mich ärgernde Kritik gegen dieses Buch, die kürzlich in der »Neuen Zeitung« stand. In diesem neuen Stück nun stehn eigentlich die gefährlichsten und provokantesten Sätze des ganzen Buches, ich hätte nicht auf ihrem Druck bestanden, aber Herr N[iedermayer] wünscht es dringend [...]

Im »Doppelleben« habe ich noch einige kleine Zusätze und Zulagen angebracht [...] (UBO)

[Berlin-Schöneberg], 4. März 1950

Benn an Friedrich Wilhelm Oelze

Das »Doppelleben« steht mir schon wieder sehr fern. Warum es erst in 2–3 Wochen erscheint, wie Herr N[iedermayer] eben sagte, weiß ich nicht. (UBO)

[Berlin-Schöneberg], 9. März 1950

Benn an Friedrich Wilhelm Oelze

In »Doppelleben« sind einige seltsame Druckfehler, die im Fahnenabzug nicht waren. Z. B. S. 99 stand in den Fahnen und muß es heißen: in *e*inem Dunst, nicht: in *s*einem Dunst, was Blödsinn ist. S. 106 hieß es: »mir machen Sie nichts vor«, jetzt steht etwas ande-

22 Oelze hatte die Korrekturen durchgelesen und mit, wie Benn schrieb, »wesentlichen Bemerkungen« versehen.

23 »Auf überwachsenen Pfaden. Ein Tagebuch«, München 1950; vgl. GW IV, 147–149.

res drin. Verstehe nicht, wie sowas zu Stande kommt. Ist aber natürlich nicht wichtig. Im Übrigen habe ich nicht viel darin gelesen, es ist ein Zufall, daß ich das fand. (UBO)

Benn an Hans Paeschke Berlin, 18. April 1950

vielen Dank für Ihren Brief in Sachen »Doppelleben« und Merkur. Ich hätte Ihnen schon längst einen Brief schreiben sollen, aber ich bin ein sehr schlechter Briefschreiber, ich denke immer, alles, was ich zu sagen habe, steht in dem Gedruckten, private Briefe machen das auch nicht besser. (BR 189 f)

Benn in »Doppelleben« 1950

Doppelleben in dem von mir theoretisch behaupteten und praktisch durchgeführten Sinne ist ein bewußtes Aufspalten der Persönlichkeit, ein systematisches, tendenziöses. (GW IV, 138)

1886

Entstanden 1944

Erstdruck in: Doppelleben, Wiesbaden 1950

[Berlin-Schöneberg], 7. Juli 1949

Benn an Friedrich Wilhelm Oelze

Übrigens: in »1886« habe ich kürzlich bei Durchsicht einiges gestrichen, es etwas konzentriert. Aber das kann ich bei der Korrectur hier zur Geltung bringen. (UBO)

[Berlin-Schöneberg], 28. November 1949

Benn an Friedrich Wilhelm Oelze

Anbei das Gedicht[24] – ein geistloses statistisches Feuilleton – ach, man haßt den Intellekt, man haßt aber auch das Gefühl, man verdenkt sich das Menschliche und man verdenkt sich die Kälte, man verdenkt sich den Haß und kommt doch nicht mehr zur Liebe – eine üble Lage! (UBO)

24 Zwei Typoskripte des Gedichts befinden sich im Besitz von Dr. Oelze. Das eine, signiert und datiert »Gottfried Benn (1944)«, wurde in »Doppelleben« (1950) abgedruckt; das andere, weder

signiert noch datiert, aber von Dr. Oelze als »Abschrift, Juli 1949« signiert, unterscheidet sich von dem in »Doppelleben« veröffentlichten Text wie folgt: zwischen die letzte Zeile der vierten Strophe (»Asmodey erhält die Goldene Medaille«) und der ersten der fünften Strophe (»Turgenjew in Baden-Baden«) ist die folgende Strophe eingeschoben:

Die Registertonne wird einheitlich
auf 2,8 cbm Raumgehalt festgesetzt;
Übergang des Raddampfers zum Schraubendampfer;
Rückgang der Holzschiffe;
über das chinesische Kauffahrteiwesen
ist statistisch nichts bekannt;
Norddeutscher Lloyd: 38 Schiffe, 63 000 t,
Hamburg-Amerika: 19 Schiffe, 34 000 t,
Hamburg-Süd: 9 Schiffe, 13 500 t.

Auf die fünfte Strophe, die mit der Zeile »oft auch lesen sie Scheffels Ekkehard« endet, folgt eine andere:

Es werden entdeckt:
der flügellose Vogel Kiwi-Kiwi in Neuseeland,
der augenlose Molch in der Krainer Tropfsteinklamm,
ein blinder Fisch in der Mammuthhöhle von Kentucky.
Beobachtet werden:
Schwinden des Haarkleides (Wale, Delphine),
Weißlichwerden der Haut (Schnecken, Köcherfliegen),
Panzerrückbildung (Krebse, Insekten) –
Entwicklungsfragen,
Befruchtungsstudien,
Naturgeheimnis,
nachgestammelt!

Die im »Doppelleben« abgedruckte sechste Strophe (»Es taucht auf«) ist im Typoskript die vorletzte Strophe, wobei die im Druck drittletzte Zeile (»genannt der Honigsauger«) im Typoskript die letzte Zeile dieser Strophe bildet. (Vgl. »Doppelleben«, GW IV, 151)

Der Radardenker
Enstanden Oktober-November 1949
Erstdruck 1958 in Gesammelte Werke

[Berlin-Schöneberg], 2. November 1949

Benn an Friedrich Wilhelm Oelze

Vielleicht sende ich Ihnen eine neue Studie, die manches davon[1] enthält und die bis ins Äußerste geht dessen, was nach meinem Gefühl im Stil möglich und notwendig ist. Aber natürlich auch von einer Bitterkeit und Verrücktheit, die Sie nicht mit Entzücken erfüllen kann. (UBO)

[Berlin-Schöneberg], 19. November 1949

Benn an Friedrich Wilhelm Oelze

Das beifolgende »*Radar* –« ist auch nichts anderes als Allmers in der Eisenbahn [. . .][2] Als Antwortversuch auf viele in unseren letzten Briefen wieder ventilierte Fragen. Seltsam, daß der von mir zitierte »Diplomat« jener B. ist, der als »Europäer in Paris« von dem Schreiber mit mir in Verbindung gesetzt wird – wahrscheinlich zur gleichen Zeit, als ich ihn diskutierte. Also auch hier Magie. (UBO)

[Berlin-Schöneberg], 28. November 1949

Benn an Friedrich Wilhelm Oelze

Auf den Radardenker antworten Sie nur nicht, ehe Sie nicht noch einen Nachtrag dazu bekommen haben, einen kurzen Teil III, der den ersten nahezu aufhebt. Schreiben Sie also eine römische I über die Blätter, die bei Ihnen sind. (UBO)

1 Von den Themen, die in Oelzes Briefen an Benn angeschlagen werden und auf die er aus Zeitmangel nicht eingehen kann.
2 Hermann Allmers (1821–1912), plattdeutscher Dichter, von dem Oelze an Benn eine Kurzgeschichte geschickt hatte, in der die Lebensreise mit einer Eisenbahnreise symbolisch verglichen wurde.

Frühe Prosa und Reden
Erstdruck Wiesbaden 1950

[Berlin-Schöneberg], 22. Februar 1949

Benn an Friedrich Wilhelm Oelze

Dann ist noch ein neuer Plan aufgetaucht: meine Reden als Band: Totenrede auf Klabund, Rede auf H[einrich] Mann, Rede auf St[efan] George, Akademierede, (Totenrede auf Max von Schillings?, Rede auf Marinetti??) (UBO)

Benn an Max Niedermayer [Berlin], 12. Mai 1949

Nun, auch in anderen Bänden z. B. »Nach dem Nihilismus« und der *»Gesammelten Prosa«* (Kiepenheuer) steht einiges, das vermutlich noch nicht völlig verschimmelt ist und das manche Frage, die heute wieder als aktuell und original zur Erörterung steht, vorwegnehmend beantwortet, z. B. *die Rede auf Heinrich Mann,* die ich im Namen der deutschen Schriftsteller an seinem 60. Geburtstag hielt, die *»Akademierede«* gehalten bei der Aufnahme in die Dichterakademie u. a. Also ziehen wir das alles in Betracht, wenn Sie gelegentlich einen neuen, alten Prosaband herausbringen wollen. (LPBD 266 f)

[Berlin-Schönberg], 15. Oktober 1949

Benn an Friedrich Wilhelm Oelze

N[iedermayer] ist kolossal aktiv wegen der Prosabände [...] Ich selber finde keinen rechten Standpunkt dazu. Ich, der ich mich doch schonungslos durchblicke und durchleuchte, komme zu keinem Ergebnis, warum mir eigentlich die Beziehung zu meinen frühen Arbeiten so weitgehend verloren gegangen ist. Es ist vielleicht die unsägliche Müdigkeit u. Skepsis, die ich allen Dingen des Geistes gegenüber so niederdrückend stark empfinde, obschon ich immer verkünde und predige, daß nur der Geist das Absolute ist. Vielleicht auch, daß ich neue und anders gerichtete Dinge in mir betreibe und es gehört ja zu den rührenden Infantilismen der Autoren, daß sie immer das neue und in Arbeit befindliche für das wichtigste halten. (UBO)

[Berlin-Schöneberg], 19. März 1950

Benn an Friedrich Wilhelm Oelze

Der *Prosa*band macht mir große Schwierigkeiten. Wer hat etwas davon, wenn ich jetzt Stücke wie »Garten von Arles«, »Das letzte Ich«, »Querschnitt« neu erscheinen lasse, das Höchste wäre, daß jemand konstatierte, daß einiges von dem, was dann später als Surrealismus, Joyce, auch Existentialismus in die Öffentlichkeit drang, schon Anfang der 20. Jahre bei mir in Andeutungen u. Bruchstücken vorhanden war. *Ich* mache mir nichts daraus. Und wiederum nur die kulturkritischen Aufsätze (Carleton, Medizinische Krise, Saison usw.) sind zu dünn, um sie neu herauszubringen. Es bleibt eigentlich nur sowas wie: »Urgesicht«, »Können Dichter die Welt ändern«, die Reden auf Klabund, H[einrich] Mann, George, Akademierede u. Einiges andere. (UBO)

Benn an Max Niedermayer [Berlin], 13. April 1950

Ich habe als Titel des Prosabandes vor: »Frühe Prosa« u. plane hineinzunehmen: die Rönnesachen (außer: die Insel, ob die »Eroberung«, weiß ich auch noch nicht). Dann: »Garten von Arles«, – »Querschnitt«, – »Alexanderzüge mittels Wallungen«, dann: das letzte Ich – dann Teile aus dem modernen Ich, – Epilog und lyrisches Ich, – dann Urgesicht und von den Reden, die auf Klabund (H. Mann?), Akademierede.

Interessant ist mir, daß meine Frau, die diese Dinge bisher fast gar nicht kannte, sie viel interessanter und »genialer« findet als die späteren, und es trifft vielleicht zu, daß das Dunkle, Üppige vielleicht auch: Metaphysische darin stärker zum Ausdruck kommt als in den späteren Sachen. Auf der anderen Seite sind sie auch schwieriger, schwerer nachzufühlen in der heutigen Zeit und ich habe immer noch gewisse Bedenken gegen einzelne Partien. Aber im Grundriß ist mir das Buch jetzt klar und Sie erhalten in den nächsten Tagen meinen definitiven Entwurf. Ich warte nur noch ab, ob ich auf Schleichwegen vielleicht aus der Staatsbibliothek den Band »Gesammelte Prosa« aus dem Kiepenheuer Verlag (1928) bekommen kann, aus dem mir noch einiges vorschwebt. (BV 49 f)

[Berlin-Schöneberg], 25. April 1950

Benn an Friedrich Wilhelm Oelze

Zum *Prosaband:* aus der Georgerede habe ich die politisch überflüssigen Stellen entfernt, vielleicht kann sie doch mitgehn [...] Ich will auch über jedes Stück das Motto wieder setzen, das giebt den schönen Wahnsinn gleich an. Aus dem »modernen Ich« habe ich einige Partien gestrichen. »Diesterweg« soll also kommen, Sie sind daran Schuld, daß ich es fortließ, Sie schrieben einmal Abfälliges darüber. Ich persönlich finde ja fast *Querschnitt* das Beste.

(UBO)

[Berlin-Schöneberg], 25. Mai 1950

Benn an Friedrich Wilhelm Oelze

Würden Sie nicht die Güte haben, an Herrn Niedermayer den Band »Gesammelte Prosa«[1] leihweise zu senden, damit die Setzung des neuen Bandes in Gang kommt? (UBO)

Benn an Max Niedermayer [Berlin], 28. Juni 1950

»Können Dichter die Welt ändern« wohl *nicht* als Anfang. Vielleicht zwischen die beiden Teile Frühe Prosa u. Reden! (BV 57)

[Berlin-Schöneberg], 13. Juli 1950

Benn an Friedrich Wilhelm Oelze

Dabei fällt mir ein, bitte, da Sie Procura haben für Korrekturen jeder Art: bitte nicht jene Stelle aus dem »letzten Ich« verändern, die Sie hier am 9. VI. zitierten –: »für die Metros usw. – das ist ein Zeichen dafür, wie meine Sprache in dem Augenblick, wo sie sich einem bestimmten Milieu nähert, in diesem Fall einem ordinären, sofort in den Argot-Rotwelsch-Cokney-Jargon übergeht, automatisch, dem sie gerecht werden will. Gehört in das Thema vom Übergang des Sachverhaltes in den Ausdruck. (UBO)

[Berlin-Schöneberg], 13. Juli 1950

Benn an Friedrich Wilhelm Oelze

Hinsichtlich des »Modernen Ich« habe ich Herrn N[iedermayer] geschrieben, daß Ihre Korrekturen gelten, ich bin Ihnen so dankbar, daß Sie sich damit befassen. (UBO)

1 Potsdam 1928, Gustav Kiepenheuer Verlag.

Benn an Maguerite Schlüter [Berlin], 27. September 1950

Dann Dank für heute eingegangene Fahnenkorrektur. Ich habe sofort Herrn Oelze ermahnt, gewissenhaft zu studieren. Ich persönlich hätte folgende Vorschläge:

1) auch die bisher nicht mit Jahreszahl versehenen Stücke zu versehen:

a) Reise: 1916 b) Der Geburtstag: 1916 c) Gehirne: nicht 1916, sondern: 1914, – das ist demnach das älteste Stück, der Kern, die Keimzelle. d) Die Eroberung: 1916[2] e) (wenn wir schon ehrlich sein wollen): 1917 f) Das moderne Ich: 1920 g) Urgesicht: 1927 h) Können Dichter die Welt ändern: 1925.

2) Bei H Mann-Rede auch ein Motto: »Nihilismus ist ein Glücksgefühl« (s. S. 208) u. S. 216 dieser Satz *gesperrt.*

3) S. 231 haben Sie recht: in der Fußnote muß es 1934 heißen[3].

Bei Lektüre u. Korrektur werden Sie leider oft den Gedanken gehabt haben: der ist verrückt, der hat eine weiche Birne – bestimmt haben Sie recht, aber nur das *Verrückte* rückt die Dinge weiter, es allein nähert sich dem Stil, das Normale ist immer und überall da, also langweilig, enthält keine Haken, zum Anhängen von Gedanken. Also ertragen Sie es noch eine Weile, bis das Buch fertig ist.

Z. Z. arbeitet ein junger Mann[3a], stud. der Germanistik in Bonn, eine Doktorarbeit über mich, der scheint ganz intelligent zu sein u. analysiert gerade diese frühen Sachen, besonders Rönne.

Mir kam der Gedanke, ob man nicht dem ganzen Buch ein kleines mahnendes Motto voraussetzt:

2 Benn datierte seine frühen Arbeiten vielfach aus dem Gedächtnis und daher nicht immer korrekt. »Die Eroberung« wurde erstmals bereits 1915 veröffentlicht (»Die Weißen Blätter« II, 8). Gewisse Zweifel bestehen auch hinsichtlich der Datierung von »Urgesicht« und »Können Dichter die Welt ändern«, die möglicherweise etwas zu früh angesetzt ist: Erstveröff. 1929 (»Die Neue Rundschau« XI, 3) bzw. 1930 (»Die Literarische Welt« VI, 23).

3 Bezieht sich auf die Anmerkung Benns zur Rede auf Stefan George (in der gedruckten Ausg. des Bandes »Frühe Prosa und Reden« S. 235): »Sollte in der Preußischen Akademie der Künste im Sommer 1934 von mir gehalten werden, wurde aber dann untersagt.« Benn hatte versehentlich Sommer 1933 geschrieben. George starb aber erst im Dezember 1933.

3a Dieter Wellershoff.

»Wer in der Brust ein wachsendes Verlangen nach schönen Augen fühlt u. schönen Haaren, den mahn' ich ab« – (DT 225 f)

Berlin-Schöneberg, 27. September 1950

Benn an Friedrich Wilhelm Oelze

Inzwischen werden Sie die Korrektur von der frühen Prosa bekommen haben. Bitte haben Sie die Güte, es zu studieren. Wenn ich ein Motto einsetzen würde, wären es die Verse von Platen: »Wer in der Brust ein wachsendes Verlangen / nach schönen Augen fühlt u. schönen Haaren / den mahn' ich ab –« (UBO)

Berlin-Schöneberg, 29. September 1950

Benn an Friedrich Wilhelm Oelze

Aufrichtigen Dank, daß Sie sich mit den Korrekturen beschäftigt haben. Den einen Punkt Ihrer Kritik habe ich schon korrigiert: Die Jahreszahl muß bei *allen* Stücken stehn. Das Fehlen von Zwischenblättern zwischen Bense u. mir (u. auch zwischen Prosa und »Reden«) ärgerte mich auch, aber Blätter kosten *Geld* u. je nach dem, ob gerade ein Bogen (32 Seiten) genügt oder nicht, wird von den Verlegern verfahren. Immerhin ist Ihre Monition in dieser Richtung mir sehr angenehm [...] Auch das Inhaltsverzeichnis als Ganzes hätte ich gern gesehn. (UBO)

[Berlin-Schöneberg], 13. November 1950

Benn an Friedrich Wilhelm Oelze

Heute erhielt ich das 1. Exemplar der »Frühen Prosa«. Äußerlich sehr gut wirkend. (UBO)

Benn an Ernst Robert Curtius — Berlin, 28. Februar 1951

Zunächst bedanke ich mich für Ihren Brief in Sachen »Frühe Prosa und Reden«. Daß Sie das Buch lesen würden, hatte ich nie erwartet. Es war hübsch eingebunden und hatte gutes Papier, man konnte es hinstellen. Daß Sie seinen Inhalt auf sich haben wirken lassen, ist mir nicht angenehm. (BR 207)

Benn an Max Rychner — Berlin, 25. Dezember 1955

Bitte bestellen Sie Ihrer Gattin zunächst nur, daß das Zitat in meiner Klabundrede aus Lord Jim von Conrad ist. (BR 302)

NIETZSCHE – NACH FÜNFZIG JAHREN

Entstanden 1950

Erstdruck in: Das Lot 4, Oktober 1950

Berlin-Schöneberg, 23. Februar 1950

Benn an Friedrich Wilhelm Oelze

Bitte teilen Sie mir mit, welche Bücher über Nietzsche Sie besitzen u. mir eventuell für einige Zeit leihen könnten [...] Mich beschäftigt ein Aufsatz (eventuell, potentiell, virtuell) über »N. – nach 50 Jahren«. Der NWDR hat mir zum 25. VIII., Freitag, darüber eine Sendung von beliebiger Dauer zur Verfügung gestellt. Ich erwäge. Es ist abhängig davon, daß ich gewisse Bücher z. B. Klages: »Über die psychol. Errungenschaften bei N.», u. ä. erreichen kann. (UBO)

[Berlin-Schöneberg], 4. März 1950

Benn an Friedrich Wilhelm Oelze

Ich wäre Ihnen *sehr* dankbar, wenn Sie mir senden würden: v. Martin, Salin, Podach, Gestalten um N. [...]

Ob ich das N.thema bearbeiten werde resp. kann, weiß ich noch nicht. Es ist doch eine unendliche Lesearbeit damit verbunden, mehr als ich mir zumuten kann in Anbetracht dessen, daß ich ja im voraus nicht weiß, ob ich überhaupt zu einem nennenswerten geistigen Resultat kommen werde. Aber einige Wochen versuchen werde ich mich damit. Ich habe im Augenblick nichts Besonderes in der Hand resp. im Kopf u. irgendwas zum Basteln u. Probieren muß man sich ja zurechtlegen, damit die Existenz nicht zu unerträglich wird. Vielleicht allerdings will ich mir auch nur einige Dinge verschleicrn u. hinauszögern, die sich mir aufgedrängt haben u. denen ich noch nicht klar ins Auge sehn mag. (UBO)

Benn an Max Niedermayer [Berlin], 9. März 1950

Während ich wahrhaft versunken und versonnen in neue Ideen und Gedanken bin, von denen ich noch nicht mal weiß, ob was dabei herauskommt. (Nietzsche z. B. – ein kolossales Thema und es gibt eine solche Menge interessanter und bedeutender Schriften über ihn, daß ich mir nicht schmeicheln kann, etwas Neues dazu zu sagen. Er ist und bleibt das größte Ausstrahlungsphänomen der abendländischen Geistesgeschichte, noch mehr als selbst Goethe, weil er, N., so viel fragwürdiger, in jedem Satz zweideutig, faszinierend, beunruhigend ist und weniger positiv als Goethe. Nun, einige Wochen werde ich jedenfalls mit ihm verbringen, um zu einem Urteil zu kommen, ob ich eine größere Studie darüber schreiben werde. (BV 45 f)

[Berlin-Schöneberg], 9. März 1950

Benn an Friedrich Wilhelm Oelze

vielen Dank [. . .] für die drei gestern angekommenen Bücher[4]. Soweit ich sie gestern Abend studierte, fand ich nicht das, was ich erwartete, das Verhältnis N[ietzsche] Burckh[ardt] scheint mir kein zentrales Problem zu sein. Dagegen ist es sehr interessant, aus Podach eine zusammenhängende Darstellung über die meist genannten Personen zu bekommen, Rhode war mir schon aus anderen Veröffentlichungen immer etwas suspekt. Overbeck hatte ich unterschätzt. Anbei einige Notizen zu dem Thema, die ich zurückerbitte, erst Ansätze und Entwürfe. (UBO)

[Berlin-Schöneberg], 16. April 1950

Benn an Friedrich Wilhelm Oelze

Auch[5] die Nietzschesache lasse ich liegen, was gehts mich an. Verfall oder Stille vor dem Sturm. (UBO)

[Berlin-Schöneberg], 4. August 1950

Benn an Friedrich Wilhelm Oelze

Ich habe nun doch den Aufsatz: »Nietzsche – nach 50 Jahren« verfaßt. Nicht sehr lang. N. W. D. R., Stuttgarter Sender u. der Berliner »Kurier« haben ihn bestellt u. streben nach ihm [. . .] Da er ja mit Hilfe des Radio nun eine Rede wird, will ich es an den Schluß des neuen Prosabandes setzen. (UBO)

4 L. Klages, »Die psychologischen Errungenschaften Nietzsches«, Leipzig 1930; E. Salin, »Jakob Burckhardt und Nietzsche«, 2. Aufl., Heidelberg 1948. E. F. Podach, »Nietzsches Zusammenbruch«, Heidelberg 1930.

5 Benn spricht in diesem Brief von »Downheit, Apathie, Müdigkeit«.

[Berlin-Schöneberg], 7. August 1950

Benn an Friedrich Wilhelm Oelze

Wie denken Sie über die Aufnahme des Nietzscheaufsatzes zum Schluß? [...]

Im N[ietzsche]aufsatz werde ich noch Kleinigkeiten korrigieren z. B. auf S. 9 statt Erledigung der Wahrheit: *Auflockerung* der Wahrheit. (UBO)

Berlin-Schöneberg, 29. August 1950

Benn an Friedrich Wilhelm Oelze

Die Sendung im N. W. D. R. habe ich mir nicht angehört, ich drehte an, vernahm die Ansage, daß noch weitere recht fragwürdige Personen zu Worte kommen würden und drehte wieder ab. Am nächsten Tag war der hiesige Herr vom N. W. D. R. bei mir und entschuldigte sich über die mißglückte und unwürdige Sendung, an der er unschuldig sei und die in Hamburg gestartet worden war. Er war empört über das Ganze. Er will erwirken, daß meine Rede noch einmal zu besserer Stunde allein gesendet wird. Aber das wird ihm wohl nicht gelingen und mir ist es gleich. Nach den Pressezeugnissen, die ich Ihnen heute sandte, besteht offenbar gar keine Neigung, dem Phänomen N. freundlich gegenüberzustehn [...] Erscheinen tut der Aufsatz in der Zeitschrift *Lot* im September von der vor 2 oder 3 Jahren drei Hefte erschienen – eine der besten Publikationen der Nachkriegszeit [...] Lieber hätte ich es natürlich im Merkur herausgebracht, aber Paeschke ist ja im Disponieren immer etwas gehandicapt und läßt die Sachen lange liegen – nun, nachdem ich ihm eine Fahne des Aufsatzes geschickt habe, ist er untröstlich, daß es ihm entgangen ist. (UBO)

Einleitung zu W. H. Auden, Das Zeitalter der Angst
Entstanden 1950
Erstdruck 1951

Berlin-Schöneberg, 10. Juli 1949

Benn an Friedrich Wilhelm Oelze

Mit Auden wird schon zu viel hergemacht u. was *über* ihn geschrieben und gesagt wird, ist schlechter, als was er selber schreibt [...] A. ist mir interessant, weil ich zufällig einige Parallelerscheinungen von ihm in Händen halte, z. B. *Perse*, Franzose, haben Sie seinen Namen gehört [...] (UBO)

[Berlin-Schöneberg], 2. November 1950

Benn an Friedrich Wilhelm Oelze

Dann studiere ich Auden: »Zeitalter der Angst«, das Niedermayer bringen will, mit Vorrede von mir (vielleicht). (UBO)

[Berlin-Schöneberg], 8. November 1950

Benn an Friedrich Wilhelm Oelze

Zu Auden: er gefällt mir von Neuem, aber ob ich eine Einleitung dazu mache, bin ich nicht sicher. (UBO)

[Berlin-Schöneberg], 14. Dezember 1950

Benn an Friedrich Wilhelm Oelze

Ich versuche, die Einleitung zu Auden zu schaffen, eine schwierige Sache. Kennen Sie eigentlich das Zeitalter der Angst? Wenn ja, schreiben Sie mir doch bitte Ihr Urteil. (UBO)

[Berlin-Schöneberg], 18. Dezember 1950

Benn an Friedrich Wilhelm Oelze

Allerdings muß ich auch sagen, ich finde das Werk [1] stellenweise großartig u. immer interessant, wunderbare Verse darin, die in anderem Milieu nicht entstehen könnten. (UBO)

Benn an Max Niedermayer [Berlin], 21. Dezember 1950

Ich sitze in Auden-Entwürfen u. Notizen. Muß am 31. XII. 1950 fertig sein! Reinen Tisch. (BV 66)

Benn an Max Niedermayer [Berlin], 25. Dezember 1950

Und nun hier mein Versuch über Auden – Ihnen zum 2. 1. 51 dargebracht. Bitte äußern Sie Ihr Urteil dazu, ich bin, wie bei allen Arbeiten mehr zweckgebundenen Charakters, zu Änderungen,

1 Auden, »Zeitalter der Angst«.

Streichungen und Zusätzen gern bereit. Da ich auf das Biographische gar nicht eingehe, würde ich vorschlagen, daß Sie nach der Einleitung, unter sie, eine kurze Bibliographie bringen (Geburtsjahr, Jahr des Erscheinens der einzelnen Werke u. s. w.) (BV 67)

[Berlin-Schöneberg], 9. Januar 1951

Benn an Friedrich Wilhelm Oelze

Zu Auden. Sie haben Recht mit der Bemerkung über Antimarxistisches. Ich hielt es für zweckmäßig, im Interesse von Herrn Niedermayer, es so darzustellen, da in Deutschland doch leicht Kunst = Kultur*bolschewismus* gesetzt wird. Den Angriff von dieser Richtung aus wollte ich abbiegen. (UBO)

[Berlin-Schöneberg], 17. April 1951

Benn an Friedrich Wilhelm Oelze

Über die Audeneinleitung sind ja jetzt einige sehr schmeichelhafte Besprechungen erschienen, offenbar erregt das Buch doch rechtes Aufsehen. (UBO)

Benn an Marguerite Schlüter Berlin, 1. Juni 1951

In der New Yorker Staatszeitung (deutsch) beschäftigt sich Herr Julius Bab mit unserm Audenbuch. (Herr Bab ist ein alter Gegner von mir, der schon vor 1933 mich immer als eine »ephemere Sumpfblüte der Moderne« bezeichnete). Auch jetzt erklärte er, er zweifele an Auden u. von mir halte er sehr wenig, – trotzdem findet er Vorwort u. Buch äußerst interessant. Ich halte den Aufsatz für Sie u. Herrn N. bereit, brauche ihn im Augenblick noch wegen einer anderen Stelle für meinen Marburger Vortrag. (DT 227)

Probleme der Lyrik
Entstanden 1951
Erstdruck Wiesbaden 1951

[Berlin-Schöneberg], 22. August 1950

Benn an Friedrich Wilhelm Oelze

Eben kommt eine offizielle Einladung der Universität Marburg, unterschrieben vom Rektor, in einem Kurs internationaler Art Sommer 1951 einen Vortrag über Lyrik zu halten. Ich steige auf!

(UBO)

[Berlin-Schöneberg], 3. April 1951

Benn an Friedrich Wilhelm Oelze

Frau Boveri schreibt mir, sie fände Gedichte unerträglich u. vor allem *Lyrik!* Da sie eine große Musikerin ist, klassische Musik, antwortete ich: »Verstehe durchaus, auch mir sagt Toska mehr als die Kunst der Fuge«.

Habe mich entschlossen, am 21. VIII. in Marburg im Internationalen Ferienkurs Vorlesung zu halten: »Probleme der Lyrik«.

(UBO)

[Berlin-Schöneberg], 5. Juli 1951

Benn an Friedrich Wilhelm Oelze

Der Marburger Vortrag ist fertig u. ich kehre wieder in das normale Leben zurück. (UBO)

[Berlin-Schöneberg], 5. Juli 1951

Benn an Friedrich Wilhelm Oelze

Da die neue Marburger Sache das Thema des lyrischen Ich nochmals ausführlich aufgreift, werde ich wohl: »Epilog u. lyr[isches] Ich« von 1923 fortlassen. (UBO)

[Berlin-Schöneberg], 17. Juli 1951

Benn an Friedrich Wilhelm Oelze

haben Sie sehr herzlichen Dank für Ihren Brief vom 15. d. Ms. mit der freundlichen Zustimmung zu dem Vortrag. Es ist mir eine große aufrichtige Genugtuung, daß Sie ihn gutheißen [. . .] Ich hatte schon beschlossen, ihn gar nicht zu halten, unter den Tisch fallen zu lassen, den ganzen Essayband zu unterdrücken [. . .] Kurz, ich möchte mit Ihnen einmal in dieser Woche *telefonieren,* um Ihre Meinung zu hören in Sonderheit über 1) Vortrag als Sonderdruck? 2) Wenn im Essayband als Anfang oder Schluß? 3) Wenn als Anfang, – was dann als Schluß? z. B. »Nach dem Nihilismus« oder »Fazit der Perspektiven«? Es hebt sich eben eigentlich alles gegeneinander auf.

(UBO)

Benn an Ernst Robert Curtius Berlin, 1. August 1951

Ich komme heute mit einer Art Anliegen an Sie, falls Sie zu Hause sind, Zeit haben und mir einigermaßen wohlgesonnen sind. Anbei eine Korrektur – ich bitte Sie, sie einzusehn. Ein Vortrag, den ich am 21. VIII. in der Universität Marburg auf Einladung des Rektors halten werde aus Anlaß eines internationalen Ferienkurses. Warum ich mich dazu bereiterklärt habe, entnehmen Sie dem Schluß der Sache. Ich habe keine persönlichen Beziehungen dahin und das akademische Milieu ist mir etwas fremd, und nachdem ich auf der Einladung sah, daß ein Bundesminister, zwei hessische Minister, vier Universitätsrektoren und die dazugehörigen hohen Kommissare das Ehrenpräsidium bilden, fühle ich mich nicht ganz am Platze, andererseits irritiert es mich auch nicht. Ich erlaube mir, Ihnen das Manuskript auch deswegen zu senden, weil Ihr Name auch einige Male vorkommt, in der Mitte nur in Bezug auf Ihr Buch, aber ich wage zu hoffen, daß Sie mir auch die persönliche Bemerkung am Anfang gestatten werden. Bitte sagen Sie mir in einem Satz Ihre Meinung zu der Arbeit, nämlich ob ich mit einigem Anstand in dem Milieu bestehn kann. Der Arrangeur des Kurses ist Ihr Spezialkollege Prof. Kuhn[1], mir unbekannt, steht er Ihnen nahe? Der Hessische Rundfunk hat das Übertragungsrecht des Vortrages erworben und schickt einen Aufnahmewagen zu der Veranstaltung hin, ich fürchte, daß auch das schon der strengen Wissenschaft nicht recht ist, aber andererseits zahlt er sehr gut dafür und ich habe zugestimmt. Da ich noch einige Exemplare des Vortrages habe, bedarf es keiner Zurücksendung. Falls Sie eine Stelle besonders anstößig oder niveaulos finden, teilen Sie es mir bitte mit.

Ich bin etwas beunruhigt, daß ich Sie um eine solche Gefälligkeit bitte, aber es wäre sehr freundlich von Ihnen, wenn Sie mir ein Wort schrieben. (BR 218 f)

[Berlin-Schöneberg], 3. August 1951

Benn an Friedrich Wilhelm Oelze

Der Marburger Vortrag erscheint also Ihrem u. meinem Vorschlag

1 Prof. Alwin Kuhn, Professor für roman. Philologie in Marburg.

zu Folge als Sonderdruck, äußerlich ähnlich wie »Fragmente«, sagt Herr N[iedermayer], u. zwar im September. (UBO)

Benn an Friedrich Wilhelm Oelze [Bad Ems], 22. August 1951
Ein Glück, daß Sie nicht da[2] waren! Ging schief! Zu großer Hörsaal, zu viel Leute u. miserable Akustik, die hintere Hälfte schrie: »lauter«, peinliche Sache, ich mußte kürzen. Schlechte Organisation. Einmal u. nie wieder. Nur der Bayerische Platz ist mein zu Hause. (UBO)

Benn an Joachim Moras Berlin, 22. September 1952
Ich hielt mein Korreferat[3] natürlich auch auf Französisch, ich hatte es mir hier übersetzen lassen. [. . .]
Was ich vorgetragen habe, ist nicht bemerkenswert, es geht im wesentlichen auf meinen Marburger Vortrag Probleme der Lyrik zurück. Diesmal habe ich also meine Arien auf französisch gesungen, ich hatte den Eindruck, es kam nicht an. Ich schicke es Ihnen auf deutsch und auf französisch, aber es ist für den Merkur nicht geeignet, es enthält ja gedanklich nichts Neues. (BR 238)

Benn an Joachim Moras Berlin, 3. November 1952
[. . .] in Knokke habe ich ja nur die bekannten Dinge wiederholt, es ragte ins Meer der Runenstein u. da saß ich mit meinen ausgeleierten Träumen. (BR 240)

Benn an Marguerite Schlüter [Berlin], 18. April 1954
anbei die II Korrektur des Vortrages zurück. Leider haben Sie (s. S. 15) meine Ergänzungen in der I Korrektur nicht gebracht – darf ich Sie bitten, es noch zu veranlassen? Bitte fügen Sie doch auch hinter Hofer noch *Scheibe* ein, ich bin mit Scheibe, der hier wohnt, gut bekannt u. er wird heute 75 Jahre. (DT 230)

2 In Marburg, als Benn »Probleme der Lyrik« vortrug.
3 zu Knokke am 12. 9. 1952.

Fragmente, Neue Gedichte
Erstdruck Wiesbaden 1951

[Berlin-Schöneberg], 27. Juni 1950

Benn an Friedrich Wilhelm Oelze

Was sagen Sie eigentlich zu l'heure bleue?[1] Meine Frau sagt: »sehr schön – bester Walter von Hollander«. Ich finde es gar nicht so übel.

(UBO)

[Berlin-Schöneberg], 28. Juni 1950

Benn an Friedrich Wilhelm Oelze

Im Anschluß an meine gestrige, etwas zu spontane Zusendung von 3 Poemen[2] eine Bitte: bitte sagen Sie, welche Gedichte ich dem »Merkur« übergeben soll, der neue Verse von mir bringen möchte. Ich denke Folgende in folgender Reihenfolge:

Denk der Vergeblichen
Zerstörungen
Fragmente
Notturno
Restaurant
Finis Poloniae
Wir ziehn einen großen Bogen
Reisen.

(UBO)

Benn an Ernst Jünger — Berlin, 4. Juli 1950

Die herrliche Meer- und Schneeburg, die sie darstellt[3], ist gleich in eine lyrische Sache[4] eingefangen, die ich gerade vorhatte.

(BR 193)

1 Ein Typoskript des Gedichts »Blaue Stunde I–III« befindet sich im Archiv von Dr. Oelze, dem G. B. es am 19. Februar 1950 schickte. Es trägt dort noch den Titel: »Une heure bleue«.
2 Titel dieser Gedichte ist nicht mehr festzustellen.
3 Ernst Jünger hatte Benn eine Karte aus Antibes gesandt, die eine Ansicht des Palais Grimaldi zeigte.
4 Das Gedicht »Ideelles Weiterleben?«, entstanden 1950.

[Berlin-Schöneberg], 4. Juli 1950

Benn an Friedrich Wilhelm Oelze

Die Gedichte sind meistens, wie ich sehe, noch nicht perfekt, müssen noch vielfach in die Retorte. Unverändert werden wohl bleiben: Denk der Vergeblichen ... und Ein Schatten an der Mauer. In dem Dunklen [Gedicht: »Der Dunkle«] wird veilchenschwer durch ein anderes Wort ersetzt[5] – denken Sie nicht, daß mir veilchenschwer nicht schon vor Ihrer Ermahnung manche Sorge machte. Ich strebe an, von der weichen gesammelten introvertiert *edlen* Lyrik abzukommen, der heiligen großen Lyrik – (UBO)

Benn an Margret Boveri [Berlin], 26. Juli 1950

Um auf unser neuliches Gespräch zurückzukommen: der Begriff der Kausalität war eigentlich ein Begriff von hoher Moral, er verpflichtete zu einem verbindlichen, nachprüfbaren Denken und enthielt eine Transzendenz – die Transzendenz eines chemisch-physikalisch Objektiven – alles dahin – oder um aus einem neueren Gedicht[6] von mir zu zitieren:

»Ausdruckskrisen und Anfälle von Erotik –
das ist der Mensch von heute,
das Innere ein Vakuum,
die Kontinuität der Persönlichkeit
wird gewahrt von den Anzügen,
die bei gutem Stoff zehn Jahre halten.

Der Rest Fragmente,
halbe Laute,
Melodienansätze aus Nachbarhäusern,
Negerspirituals
oder Ave Marias.« (BR 195)

[Berlin-Schöneberg], 27. Juli 1950

Benn an Friedrich Wilhelm Oelze

Die Dame mit Augenglas ist eine Dame, die durch die Brille erotisch

5 Durch »zauberschwer«.
6 »Fragmente«, entstanden 1950. Titelgedicht des Gedichtbandes »Fragmente«.

benachteiligt ist, aber auch sie beziehe ich in meinen Schenkungsrausch und meine olympische Indifferenz mit ein, auch sie soll es gut haben, weil ja vor dem Auge des nicht mehr Fragenden, dem still Gewordenen, dem Abgehäuteten, dem alle Felle fortgeschwommen sind (ich persönlich empfinde Frauen mit Brille als absolut unerotisch) voll entschädigt werden. Der übergeordnete Begriff ist der der völligen Horizontalität, des Wertverlustes aller irdischen Dinge, eines dionysischen Nitschewo, eines halikyonischen Nihilismus – (nur aufgehalten, aufgehoben durch das Gedicht[7] in dieser Form – in der Form). Mein altes Lied: »überall der tiefe Nihilismus der Werte, doch darüber die Transcendenz der schöpferischen Lust«. H.-Mann-Rede. [. . .] Diese Gedichte[8] sind so, daß ich sie selbst Herrn Paeschke nicht zumuten kann, ich weiß noch nicht, wann u. wie ich sie verwerte. Vielleicht sende ich Ihnen nochmals alle, so wie sie jetzt fertig vorliegen, zur Ansicht u. Meinungsäußerung. Vergessen sie nicht: die edle einfältige Lyrik faßt das Heute in keiner Weise. Selbst Wiegenlied[9], selbst Orplid wären, ins Heute projiziert, nicht ehrlich u. echt. Wir sind böse u. zerrissen u. das muß zur Sprache kommen. (UBO)

Benn an Alain Bosquet [Berlin], 7. Januar 1951

Ich komme heute auf Ihren Gedanken zurück, im nächsten Heft des Lot wieder mit einem Beitrag vertreten zu sein und zwar mit Gedichten. Ich wäre dafür, daß wir das in die Wege leiteten, nämlich in dem Sinne, daß Sie sich überlegen müßten, ob Ihnen die neuen Gedichte, die ich Ihnen vorlege, gefallen oder nicht. Es ist eine Serie, die anders ist als die früheren, nämlich nicht so klassizistisch und nicht so melancholisch wie die aus den »Statischen Gedichten« u. nicht so weich und rauschhaft wie die aus der »Trunkenen Flut«. Sie sind härter, kälter, abgeschlossener als die früheren und nicht ganz einfach in ihren Einzelheiten aufzunehmen. Ich hätte die Absicht, Ihnen etwa 12 zuzusenden mit der Bitte, davon etwa 6 nach Ihrem Geschmack auszusuchen (sie sind alle nicht lang). Es sind übrigens eigentlich keine Gedichte, sondern Skizzen,

7 »Stilleben«, entstanden 1950.
8 »Fragmente«.
9 Von Brahms.

Impressionen und das Ganze werde ich »Fragmente« nennen. Sie stammen alle aus dem vorigen Sommer. (DT 218)

Berlin-Schöneberg, 6. März 1951

Benn an Friedrich Wilhelm Oelze
War bei den Gedichten nicht eines dabei: »Du übersiehst dich nicht mehr« [10]? Eigentlich das charakteristischste für die momentane Stimmung. (UBO)

[Berlin-Schöneberg], 7. Juni 1951

Benn an Friedrich Wilhelm Oelze
»Fragmente« werden mir natürlich einige Nackenschläge einbringen, ich gebe mir ja manche Blöße darin. Aber ich bin ja für catch as catch can (der neue Ringerstil, von gestern Abend auf dem Turnier). (UBO)

Essays
Erstdruck Wiesbaden 1951

[Berlin-Schöneberg], 3. Februar 1951

Benn an Friedrich Wilhelm Oelze
Und nun den Essayband, den N[iedermayer] bringen will. Vielen Dank, daß Sie sich damit befaßt haben. Herr N[iedermayer] sandte mir Ihren Entwurf. Darf ich fragen, haben Sie die einzelnen Stücke in letzter Zeit nochmal gelesen? Ich bin, wie meistens, sehr unsicher in der Beurteilung, würde wohl doch manches fortlassen. Bitte haben Sie die Güte, mir zu sagen, welche Stücke Sie bestimmt, welche nur relativ vorschlagen. Summa, summarum soll sicher nicht herein, – was haben Sie gegen Genieproblem? Nicht, daß ich das besonders bemerkenswert finde, aber mich würde interessieren, was bei Ihnen dagegen spricht. Auch: Problematik des Dichteri-

10 Benns Brief vom 25. Februar 1951 lag eine Sendung von »20 Gedichten« bei, die dann im Gedichtband »Fragmente« veröffentlicht wurden. Das Gedicht »Du übersiehst dich nicht mehr« war schon am 26. April 1951 in »Die Zeit« Nr. 47 erschienen.

schen. Nach dem Nihilismus, Aufbau der Persönlichkeit erscheinen mir überholt [...] (UBO)

[Berlin-Schöneberg], 7. April 1951

Benn an Friedrich Wilhelm Oelze

Herr N[iedermayer] drängt *sehr* wegen des Essaybandes. Wollen Sie ihm unsre Wahl mitteilen? (UBO)

[Berlin-Schöneberg], 7. Juni 1951

Benn an Friedrich Wilhelm Oelze

Zu den jüngst erwähnten Korrecturen zu den Essays werde ich mich natürlich in Ihrem Sinne – demnächst äußern. (UBO)

Berlin-Schöneberg, 19. Juni 1951

Benn an Friedrich Wilhelm Oelze

Ihre Bemerkungen über den Essay-Band sammle ich und werde entsprechend verfahren. Allerdings glaube ich, daß gaia etwas anderes ist als gaea, nur das letztere heißt Erde. (UBO)

[Berlin-Schöneberg], 15. Juli 1951

Benn an Friedrich Wilhelm Oelze

[...] Ich habe den Eindruck, daß dieser neue Vortrag[1] die ganzen alten Essays aufhebt, da er eine neue Gedankensituation bringt, die im Gegensatz zu vielen Ausfällen und Einfällen der alten Essays steht. Ich habe daher vor, eine ganze Menge aus den alten Sachen fortzulassen, nur das bestehn zu lassen, was an sich etwas Interessantes enthält. So will ich fortlassen: Epilog und lyrisches Ich, da ich das im neuen Vortrag ja genügend erörtere. Ferner Expressionismus, darüber habe ich mich ja auch oft genug ausgesprochen, an vielen Stellen der neuen Bücher, auch müßte ich gerade in diesem Aufsatz vieles streichen, es entsetzt mich wie viel. Ferner: Kunst und Staat, ferner Medizinische Krise – das ist alles schon zu oft erörtert. (UBO)

[Berlin-Schöneberg], 16. Juli 1951

Benn an Friedrich Wilhelm Oelze

in Ergänzung meines gestrigen Briefes [15. VII. 51] betr. Essayband bitte ich Sie noch um folgende Betrachtung u. Rückäußerung dazu:

1 »Probleme der Lyrik«.

Herr N[iedermayer] erwog einen Augenblick, den Marburger Vortrag als Sonderdruck erscheinen zu lassen, will ihn aber noch lieber in den Essayband nehmen, um diesen zu aktualisieren und kauffähiger zu machen [...] aber *wo* soll er in dem Essayband stehn? Ich würde sagen als 1. Arbeit, zum Köder für das Übrige. Aber wie dann den Band abschließen, mit welchem Stück? Ich dachte: Marburger Vortrag, Dorische Welt, Aufbau der Persönlichkeit, Irrationalismus u. mod. Medizin, Carleton, Genieproblem (Zur Problematik des Dichterischen), Die neue liter[arische] Saison, Nach dem Nihilismus, Fazit der Perspektiven. Oder als Letztes: Zur Problematik des Dichterischen.
Haben Sie die Sachen noch im Kopf, daß Sie diesen meinen Vorschlag erwägen könnten? Oder den Marburger Vortrag als Letztes?

(UBO)

Vorbemerkung [2]

Die vorliegenden Aufsätze entstanden zwischen den beiden Kriegen, treten also heute vor eine völlig veränderte Welt. Sie versuchten damals, einige Ausschnitte von dem darzustellen, was in den zwanziger und dreißiger Jahren in Literatur, Wissenschaft, Moral die Öffentlichkeit beschäftigte. Insofern könnten sie Dokumente von zeitbeschreibendem Charakter sein.
Einige der erörterten Probleme sind weiter gegangen (»Aufbau der Persönlichkeit«), jedoch wurde gerade dieser Aufsatz von Sachverständigen als erster zusammenfassender Überblick über auseinanderliegende Erfahrungsgruppen angesehn. Einige haben in mir selbst ihr Gewicht und ihr Gesicht verändert (»Genieproblem«). Einige haben ihre Bestätigung durch die Zeit erhalten (»Die neue literarische Saison«, »Fazit der Perspektiven«). Einige sind überholt (»Irrationalismus und moderne Medizin«) insofern, als die hier berührten Fragen inzwischen so sehr in den Mittelpunkt öffentlicher Diskussionen und wissenschaftlicher Systematik gerückt sind, daß die Rönne-Überlegungen schon Allgemeingut sind. In einigen Aufsätzen (»Dorische Welt«) finden sich Formulierungen und Thesen,

2 Das Entstehungsdatum dieser Vorbemerkung zu dem 1951 erschienenen Band »Essays« läßt sich nicht mehr feststellen, da das im Besitz des Verlags befindlich Typoskript weder datiert noch signiert ist.

die als Grundsatz fast durch alle meine Bücher gehn – übrigens wurde die Arbeit angeregt durch die Komposition von Kaminski: Dorische Musik. »Saison« – das war Berlin, aufblühend, halb Chikago und halb Paris, korrupt und faszinierend. Einige Themen laufen weiter, gehn offenbar auch durch die neue Generation und können auch von ihr nicht beantwortet werden (»Zur Problematik des Dichterischen«).
Für mich war das Schreiben der Aufsätze vielfach nur eine Art von Erprobung auf Produktivität und eine Prüfung von Konstellationen, Lagen, Zusammenhangsfindungen, von denen aus sich wieder zum Gedicht vordringen ließ, es war also eine Art Materialbeschaffung für die Lyrik, die immer mein eigentliches literarisches Anliegen war.
Die Dankrede von Darmstadt für die Verleihung des Georg-Büchner-Preises ist neu eingefügt. (GW IV, 407 ff)

Geliebte Verse[1]
Erstdruck 1951

Benn an Friedrich Wilhelm Oelze [Berlin], 19. Juni 1950
Hat Ihnen Herr N[iedermayer] von meiner Idee in der Boxerkneipe[2] geschrieben, eine lyrische Anthologie über die letzten 50 Jahre zu machen in der Form, daß eine Reihe von Künstlern und Kritikern gefragt werden: welches sind für Sie die schönsten 10 Ge-

1 Vgl. hierzu: Max Niedermayer, »Pariser Hof«, Wiesbaden 1965, S. 64: »Ein halbes Jahr später saßen wir [Gottfried Benn und Max Niedermayer] wieder bei Flint, und diesmal schlug er [Benn] ein Thema an, das sich schnell zu einem Verlagsplan ausweitete. Eine Lyrikanthologie aus der ersten Jahrhunderthälfte, ausgewählt von, und darin sah er das Interessante, bedeutenden Persönlichkeiten dieser Zeit, eine »Art Lyrik-Quiz«, sagte er. Es würde sich dann zeigen, wer wen nenne, welches Gedicht den stärksten Eindruck hinterlasse und so weiter. Jeder der Auswählenden sollte zehn Gedichte nennen, die er als die schönsten empfand, Zeit 1900 bis 1950...«
2 Gemeint ist das Lokal des ehemaligen deutschen Meisters im Schwergewicht Otto Flint in der Innsbrucker Str. 1 in Berlin-Schöneberg.

dichte dieser Jahrhunderthälfte? [...] Ob was dabei herauskommt, weiß ich nicht. (UBO)

Benn an Max Niedermayer [Berlin], 28. Juni 1950

Was [das] Lyrikquiz angeht, würde ich den Angefragten eine Frist setzen, hinzufügen, sie sollten dazu keine Gedichtbücher lesen, sondern angeben, welche Gedichte sie durch die Jahrzehnte innerlich begleitet haben. (BV 57)

[Berlin-Schöneberg], 13. Juli 1950

Benn an Friedrich Wilhelm Oelze

Die Lyriksache, zu der ich Herrn N[iedermayer] animiert hatte, scheint ganz interessant zu werden, obschon sie mich schon wieder ennuyiert. (UBO)

Benn an Max Niedermayer [Berlin], 15. Januar 1951

mit Dank das Manuskript »Verzeichnis der Dichter und Gedichte« zurück. Die Sache ist ja wirklich außerordentlich interessant. Mir ist keine Anthologie bekannt, die so erregend ist wie diese [...] Die Reihenfolge ist ja wohl, wenn ich mich nicht täusche, G. B., Loerke, Rilke, George und Hofmannsthal gleich mit 7, nein, ich irre mich: Werfel hat 8 Nennungen. (Was G. B. dabei angeht, muß ich sagen, daß einige mehr von ihm halten als ich es selber vermag). Dann ist noch ganz interessant: welches Gedicht ist absolut am häufigsten genannt. Das ist, soweit ich sehe, Heyms: Mit den fahrenden Schiffen (4 mal), dann Hofmannsthal mit Manche freilich – (3 mal), Trakl mit Ein Winterabend (3 mal) und G. B. mit Sieh die Sterne (3 mal). Das schönste Gedicht des Jahrhunderts wäre also dann das von Heym. (Darf ich bei der Gelegenheit gleich Fräulein Schlüter darauf hinweisen, daß in der »Trunkenen Flut« gerade in diesem Gedicht von mir ein kleiner Fehler ist: nicht dämmende, sondern dämmernde in Zeile 4 des ersten Verses. (PH 65 f)

Berlin-Schöneberg, 19. März 1951

Benn an Friedrich Wilhelm Oelze

Haben Sie schon den Lyrikband von Limes? Ganz interessant. Ich bin der einzige noch Lebende von S. 320 – nicht sehr angenehm. (UBO)

Berlin, Ostern 1951

Gottfried Benn in ein Widmungsexemplar des Buches
an Marguerite Schlüter

Die Idee zu diesem Buch entstand am 11. VI. 1950 zwischen Herrn Max Niedermayer und mir in der Bierkneipe von Otto Flint (Deutschlands Schwergewichtsboxer, der erste, 1911–1923 Meister) in der Innsbruckerstr. 1 in Berlin-Schöneberg. An Fräulein *Valerie Schlüter,* die sicher die meiste Arbeit mit dieser Idee gehabt hat und sie in vollkommener Weise bewältigte, dies Exemplar vom einzigen noch Lebenden der auf S. 320 genannten Matadore. (PH 67)

Die Stimme hinter dem Vorhang
Entstanden 1951
Erstdruck Wiesbaden 1952

Benn an Max Niedermayer Berlin, 14. Dezember 1951

Was ich in Arbeit hatte, ist jetzt fertig, 30 Schreibmaschinenseiten. Und was ist es? Nach meiner Meinung – ein Hörspiel! Allerdings ein sonderbares. (BR 222)

Benn an Max Niedermayer [Berlin], 18. Dezember 1951

Hier ist der neue Song [1] aus dem Hof- und Hinterzimmer mit Blick auf eine Kaninchenbucht und Kohlstrunkrudimente. (BV 82)

Benn an Max Niedermayer Berlin, 16. Februar 1952

Ein Wort zu Ihrer sorgenvollen Bemerkung, daß schon einige über die »St[imme] h[inter] d[em] V[orhang]« betroffen seien. *Mir* ist das nicht unangenehm. Es handelt sich ja doch um *ernste* Fragen. Um Dinge, denen wir innerlich und äußerlich alle gegenüberstehn. Auch ich bin der Meinung, es ist besser u. anständiger, bis zum Schluß seiner Produktion hart zu bleiben, statt milde, reif u. fami-

1 Das Manuskript: »Die Stimme hinter dem Vorhang«.

lienhaft zu werden, wenn man es in seinem Wesen doch nicht ist. Ich bin mir völlig klar darüber, daß ich mir durch diese neue Publikation Anhänger verscherze u. Chancen äußerer Art nehme (Preise usw.), aber wenn etwas aus echter produktiver Substanz u. menschlicher Notwendigket stammt u. strömt, wäre es feige, zurückzuschrecken. Ihnen muß ich um so dankbarer sein, daß Sie sich meiner annehmen. Also, auf in den Kampf – wenn es sein muß. (BR 225)

Berlin-Schöneberg, 12. März 1952

Benn an Friedrich Wilhelm Oelze

In St[imme] h[inter] d[em] V[orhang] ist auf S. 36 folgendes zu korrigieren: hinter Honduras kein Fragezeichen, sondern: – . Ferner einige Reihen tiefer: »Auge sicherer« (nicht: sich). Nun wie wirkt es gedruckt auf Sie? Die Mischung G. B. in Reinkultur: cynisch und melancholisch. (UBO)

Benn an Ernst Jünger Berlin, 16. März 1952

Anbei eine neue kleine Sache, die mich wohl viele Sympathien kosten wird – hoffentlich nicht die Ihre.

Wir haben einen neuen üblen Feind gemeinsam ... nun, wir werden es überstehen. (BR 230)

Benn an Nele P. Soerensen [Berlin], 18. März 1952

Ich habe etwas neues schreckliches veröffentlicht über – Liebe. Ich wage es Dir gar nicht zu schicken – kalt u. zynisch, aber gut. »Die Stimme hinter dem Vorhang«. (MVB 100)

Benn an Friedrich Siems Berlin, 18. Mai 1953

Die Zeitbedrängnis durch unsere eigene Zeit! Und damit sind wir bei der »Stimme hinter dem Vorhang«, die Sie in Köln durch Schauspieler unter Ihrer Regie vorführen wollen.[2] Zunächst: Ich habe diese Arbeit nicht im entferntesten mit dem Gedanken geschrieben,

2 »Die Stimme hinter dem Vorhang« wurde am 5. Juni 1953 im Rahmen der Studioaufführungen der Kölner Städtischen Bühnen in der Kölner Brücke aufgeführt. Die Aufführung wurde später noch mehrere Male wiederholt.

daß sie etwa je auf einer Bühne oder von einem Radio als Hörspiel gebracht werden könnte. Ich schrieb sie, wie ich meine Sachen schreibe ohne Nebengedanken und ohne Illusionen, für einen kleinen Kreis. Notizen aus der Zeit und über die Zeit, Gedanken des Tages, Impressionen von Spaziergängen und Bars, installiert in einige reichlich unmotivierte Figuren. Vor Augen hatte ich nur immer dies unentwirrbare Konvolut der Zeit – und welcher Zeit – bitte sagen Sie selbst: Aufweichungen, wo einmal Halt und Widerstand war –, die Scham zu den Hunden geflohen, wörtlich, wissenschaftlich: Sie lesen heute in den Arbeiten der Zoologen Ausdrücke über Beobachtungen an Tieren wie »Innerlichkeit«, »Begegnungen« – also Ausdrücke, die Sie heute innerhalb der menschlichen Psychologie nur errötend erwähnen würden. Oder wenn Sie aus Ihrem Fenster sehen, können Sie sich in einen Gott hineindenken, der etwas so Sanftes wie die Pflanzen und Bäume geschaffen hat? Ratten, Pest, Lärm, Verzweiflung – ja, – aber Blumen? Es gibt ein Bild aus dem 14. Jahrhundert: »Erschaffung der Pflanzen«, da steht ein kleiner, krummer, schwarzbärtiger Gott und hebt eine zu große rechte Hand, als zöge er damit die beiden Bäume aus der Erde, die dann neben ihm stehen, sonst ist alles noch ziemlich leer – können Sie sich heute diesen freundlichen Schöpfer vorstellen? Laster, Würmer, Maden, Faul- und Stinktiere – das ja, in Massen, in Fortsetzungen, in Lieferungen, 100prozentig, immer neue Auflagen – aber ein kleiner zärtlicher Gott, der zwei Bäume hochzieht? Und in was für Gestalten die Götter alles auftreten! Bei Alkmene war es ein Feldherr, im 14. Jahrhundert ein Gärtner und heute ist es ein Gerichtsvollzieher, der Staat sendet überall seine Zapfen hinein: Steuer, Miete, Sexualität, die Gesundheit, die Krankheit, überall hinein diese Staatszapfen, er hat eine Menschheit geschaffen, die ohne ihren Rheumatismus garnicht mehr leben kann, da sonst ihr letzter Lebensinhalt verfällt.

Wir wollen uns nicht in Einzelheiten verlieren, die Liste ließe sich beliebig weiterführen, weiter über die Robotergehirne, über die hundertausend künstlichen Befruchtungen bei Kühen und Frauen, Chickenfarmen mit legefördernder Musik, künstliche Verdoppelung der Chromosomen mit dem Erfolg von Riesenbastarden, weiter bis zu der geheimnisvollen Botschaft des Diamantenhändlers

Salomon Roßbach, als er vom Empire-State-Building sprang: »Kein Oben, kein Unten mehr, so springe ich.«
Ja, so springen wir, und was wird werden? Verbote, Predigten, Kontrollen, Restaurationen – ich glaube nicht, daß das viel nützt. Die geistigen Dinge sind irreversibel, sie gehen ihren Weg weiter, ihren Weg bis an Ende der Nacht. Man muß dem ins Auge sehen, das erscheint mir abendländischer, als weiter unser Menschentum zu glorifizieren. Diesen Gedanken will die »Stimme hinter dem Vorhang« Ausdruck verleihen. Sie will sagen, laßt doch euer ewiges ideologisches Geschwätz, euer Gebarme um etwas »Höheres«, der Mensch ist kein höheres Wesen, wir sind nicht das Geschlecht, das aus dem Dunkel ins Helle strebt – wohin wir streben, weiß ich offengestanden nicht, aber was wir erreichten, war in weitem Umfang das Überhebliche, das Hybride, auch das Dumme – also ein gewisser Abbau dieser unserer Arroganz scheint am Platze, ein kurzer Aufenthalt im Dunkel, selbst im Geheimen, scheint dieser Stimme moralisch angebracht. Moralisch insofern, als ihr Satz: »Im Dunkel leben, im Dunkel tun, was wir können« den ersten Teil dieser Sentenz keineswegs als Lockung und Triumph verkündet, sondern im Gegenteil als Forderung, nämlich: auch wenn sich das Abendland in völlig undurchsichtige Dschungel manövriert hat, müssen wir tun, was wir können, sogar Teilhoffnungen Raum lassen und das Menschliche nicht völlig verlorengeben. Ob wir allerdings die Krone der Schöpfung sind, das weiß unsere Stimme nicht, es liegt ihr näher zu vermuten, daß die Schöpfung noch andere Kopfverkleidungen und Überkronen auf Lager hat – aber dennoch: »tun, was wir können.«
Und damit leben Sie wohl, sehr verehrter Herr Siems, empfehlen Sie mich bitte Ihren Mitarbeitern, die diese gewagten Stimmen verkörpern werden und übermitteln Sie ihnen bitte meinen Dank.

(BR 249 ff)

Oktober 1952

Benn in »Erwiderung an Alexander Lernet-Holenia«
... in diesem Zusammenhang bitte ich eine Bemerkung machen zu dürfen zu meinem letzten Produkt, der Stimme hinter dem Vorhang, das bei vielen, so auch bei Ihnen, großes Ärgernis erregte. Ich

will diese Arbeit nicht glorifizieren, aber diese Stimme hinter dem Vorhang spricht etwas aus, was mich mein Leben lang verfolgt hat, ein Motiv, das immer wieder in meinen Gedanken war, diese Stimme lehrt als letzte Maxime und Ausflucht: »Im Dunkel leben, im Dunkel tun, was wir können« – es ist eine ernste Stimme, dies ist ihre Bergpredigt. Sie will sagen, laßt doch euer ewiges ideologisches Geschwätz, euer Gebarme um etwas »Höheres«, der Mensch ist kein höheres Wesen, wir sind nicht das Geschlecht, das aus dem Dunkel ins Helle strebt – wohin wir streben, weiß ich offen gestanden nicht, aber was wir erreichten, war in weitem Umfang das Überhebliche, das Hybride, auch das Dumme – also ein gewisser Abbau dieser unserer Arroganz schien am Platze, ein kurzer Aufenthalt im Dunkel, auch im Gemeinen, schien dieser Stimme moralisch angebracht. (GW IV, 311)

Spät I–VI
Entstanden 1951
Erstdruck in Das literarische Deutschland, II, 20. Oktober 1951[1]

Berlin-Schöneberg, 7. November 1951
Benn an Friedrich Wilhelm Oelze
Die (»Oberneulander«) Gedichte[2] sind ja im Lit. Deutschland erschienen am 20. X. als Gabe von mir an das Journal der Akademie.[3] (UBO)

Berlin-Schöneberg, 15. November 1951
Benn an Friedrich Wilhelm Oelze
im Anschluß an Oberneuland kam ich in eine gemäßigte lyrische Produktivität – anbei die Ergebnisse.[4] Zur Erinnerung an die Tage Ihnen, Ihrer Gattin u. Mrs. Borchardt vorgelegt. (UBO)

1 Vgl. S. 215 Anm. 3.
2 »Spät«.
3 Nach Empfang des Georg-Büchner-Preises.
4 Das Gedicht »Spät«.

[Berlin-Schöneberg], 26. Januar 1952

Benn an Friedrich Wilhelm Oelze

vielen Dank für die schnelle u. interessante Beantwortung meiner Bitte btr. USA u. Gedichte. Ich werde, wenn Sie erlauben, Ihren Brief an die beiden Herren [5] in Cambridge senden. Ich selbst besitze diese Gedichte nicht,[6] zerschnitt mein Belegsexemplar, um Marion Davis in die S[timme] h[inter] d[em] V[orhang] einzusetzen u. verlor den Rest. Vergaß auch alles. Es ist mir ganz neu, daß ich Reim: Kiel u. Spiel anbrachte. Aber Zickzack meinte ich *deutsch,* wußte nicht, daß das auch ein Tanz sei (Ist es das überhaupt??) Ich gebrauche ja Zickzack mehrmals in St[imme] h[inter] d[em] V[orhang] im Sinne von verdreht u. Durcheinander. (UBO)

Benn an Edgar Lohner [Berlin], 19. Februar 1952

Zu dem Gedicht »Spät«.

a) »Silberapparat«. Gemeint ist ein Telefonapparat, und da es sich um reiche Leute handelt, stelle ich es so dar, als bestünde er aus Silber, ich hätte auch schreiben können aus Elfenbein, wenn es in den Rhythmus der Reihe gepaßt hätte.

b) Der Name Louella Parsons ist mir unbekannt. Mir lag nur an einem Vornamen, und dieser stand meines Erinnerns in dem Zeitungsartikel, dem ich, in meiner Stammbar sitzend, den ganzen Stoff entnahm.

c) »Steinfliesen«. Ich stellte mir vor, Marion ginge in dieser Begräbnisstunde auf der Terrasse oder sonstwo hin und her und auf die letzte warf sie das Glas – es klirrt, es ist aus.

d) »Mischung – hochprozentig«. Mischung ist Cocktail oder irgendein Getränk, das berauscht. Hochprozentig soll heißen, dieser Cocktail ist sehr stark, sehr berauschend, er ist hochprozentig in Bezug auf den Alkoholgehalt. (BR 226 f)

5 Cid Corman und Edgar Lohner, die das Gedicht ins Englische übersetzten.

6 »Spät«, 1–6.

Außenminister
Entstanden 1952
Erstdruck in Merkur VI, 9/1952 [1]

Berlin-Schöneberg, 26. Juli 1952

Benn an Friedrich Wilhelm Oelze

Im September-Heft von »Merkur« 6 neue Gedichte von mir, darunter jenes »Lebe wohl«, das Sie im Archiv haben; ferner »Außenminister«, von dem ich sprach (in jenem journalistischen Stil wie »1886«, »Clemenceau« usw.) (UBO)

März. Brief nach Meran
Entstanden 1952
Erstdruck in Merkur VI, 9/1952 [1]

Benn an Hans Egon Holthusen [München], 19. April 1952

Blumen tragen die Sonne, den Sommer und die Nacht, ich empfinde sie als durchaus tragisch: sinnlos u. schnell verblühend (»Blüht nicht zu früh, ach blüht erst, wenn ich komme –«). Sie, Herr Holthusen, wissen wie ich, wie schwer es ist, etwas aus sich herauszustellen, fest u. fertig zu machen, sich zu einem Vers oder einem Satz zu bekennen, – daß es überhaupt geschieht, ist ungeheuerlich.

(BR 230 f)

Rede auf Else Lasker-Schüler
Entstanden 1952
Erstdruck in Der Tagesspiegel, 24. Februar 1952

Berlin-Schöneberg, 24. Februar 1952

Benn an Friedrich Wilhelm Oelze

[. . .] Trete nächsten Sonnabend im British Centre zum 1. Mal seit

1 Vgl. S. 215. Anm. 2.
1 Vgl. S. 215. Anm. 2.

20 Jahren vor das Berliner Publikum: 10 Minuten über die Lasker-Schüler, Gedächtnisabend, war ja mal meine Freundin, 1912, – [. . .] (UBO)

[Berlin-Schöneberg], 25. Februar 1952

Benn an Friedrich Wilhelm Oelze

In dem kleinen Aufsatz über E[lse] L[asker] Sch[üler], den ich Ihnen sandte, u. den ich eben erst durchlas, ist ein Druckfehler: statt Hang bitte ich: Rang zu setzen. Nicht wichtig, aber stört mich [. . .] (UBO)

Erwiderung an Alexander Lernet-Holenia
Entstanden 1952
Erstdruck in Die Neue Zeitung Nr. 246 (18./19. Oktober 1952)

[Berlin-Schöneberg] 28. Oktober 1952

Benn an Friedrich Wilhelm Oelze

Da ich zum Schreiben wenig Zeit habe, bzw. in Dämmer u. Dösen meine Tage verbringe, sende ich Ihnen, mit der Bitte um baldige Rücksendung, einen Briefwechsel öffentlicher Art, der Ihnen sicher unbekannt geblieben ist, da Sie fort waren. Hat mir viele Zuschriften eingetragen. (UBO)

[Berlin-Schöneberg], 6. November 1952

Benn an Friedrich Wilhelm Oelze

Sie haben vollkommen recht, L[ernet] H[olenia] wollte etwas verschleiern. Ich weiß nicht, ob ich seinerzeit schrieb, daß L[ernet] in einer österreichischen Zeitschrift vor etwa 5 Monaten eine recht bösartige Kritik über die St[imme] h[inter] d[em] V[orhang] schrieb, in der nicht der literarische Teil interessant war, sondern der persönlich unangenehme Ton. Er schrieb, ich gehöre jetzt zu den meistgelesenen deutschen Autoren, verdiente nicht weniger als Jünger und Salomon (!) und es wäre mir besser, wenn ich nur 4.50 M im Monat verdiente wie früher. Da L. das wider besseres Wissen schrieb aus einer Art Neid und Eifersucht, fand ich das in

Anbetracht unserer guten Beziehungen ein starkes Stück. Ich nahm es ihm übel, ich hatte ihn immer für einen gentleman gehalten. Im Zug nach Knokke nun, auf dem Bahnhof von Brügge, wo schon das ganze lyrische Geschmeiß saß, stürzte er aufs Freundschaftlichste auf mich zu, streckte mir die Hand entgegen [,] was ich mit eisiger Kälte und Zurückhaltung beantwortete zum allgemeinen Ergötzen. In Knokke wohnten wir dann im selben Hotel und er kam gleich nach unserer Ankunft zu mir und bat mich um Entschuldigung und bat, daß ich das Vorgefallene vergäße. Nun, Sie wissen, ich bin nicht sehr seriös und im Grunde auch nicht nachtragend und wir wurden wieder nett miteinander. Er ist ja persönlich ein sehr eleganter und gewandter Mann, er war der einzige Österreicher da und saß immer mit mir am selben Tisch im Restaurant, schloß sich sehr an mich an [. . .] Er war glücklich, daß ich wieder nett mit ihm. Darum schrieb er wohl seinen Brief, der mich sehr überraschte, und darum antwortete ich so höflich, nachdem die Neue Zeitung mich gebeten hatte, eine Antwort für sie ja zu verfassen. Das steht also hinter der ganzen Sache.
(Herr Niedermayer wollte den Briefwechsel mit L[ernet] H[olenia] sofort als Broschüre fertig machen, aber ich war nicht damit einverstanden. Ich habe zur Zeit einen gewissen Horror vor Zeitungen und Öffentlichkeit). (UBO)

Frühe Lyrik und Dramen
Erstdruck Wiesbaden 1952

Benn an Max Niedermayer [Berlin], 1. Dezember 1951
vielen Dank für die Zusammenstellung der Gedichte.

I) Ich bin dafür, auf jeden Fall fortzulassen:
1) Pastorensohn 2) Tripper 3) Puff

II) Mir unbekannt sind (Seite 2) 1) Café 2) Notturno I
3) Chanson. Wenn ich um Abschrift davon bitten dürfte.
[. . .]

IV) Ich finde, man sollte *Mutter*, *Gesänge* und *Der junge Hebbel* in »Trunkene Flut« lassen. Ob man die 3: 1) Ein Land, 2) Auf

deine Lider, 3) Wo keine Träne fällt, aufnimmt, soll Frl. Schlüter, bitte, entscheiden. Sie passen inhaltlich ja mehr in »Trunkene Flut«.
Dies meine heutigen Eindrücke, aber ich glaube, sie werden sich nicht wesentlich ändern. Dolle Sachen sind es ja zum Teil – ist man nun herab- oder heraufgekommen? (BR 221 f)

[Berlin-Schöneberg], 2. Mai 1952

Benn an Friedrich Wilhelm Oelze
Was in dem Band »Frühe Gedichte u. Dramen« stehen wird, weiß ich nicht oder habe es vergessen. Korrektur habe ich noch nicht bekommen. (UBO)

Berlin-Schöneberg, 26. Juli 1952

Benn an Friedrich Wilhelm Oelze
Bin beschäftigt mit Durchsicht u. Korrektur der »frühen Gedichte u. Dramen«. (UBO)

Berlin-Schöneberg, 29. Juli 1952

Benn an Friedrich Wilhelm Oelze
[. . .] ich komme nicht weiter mit diesen Korrecturen [. . .] Mein Urteil lautet etwa so: ich kann die Korrecturen nur lesen, nachdem ich zahlreiche Schnäpse u. Cocktails im Gemüt u. Magen habe – dann allerdings finde ich es im Ganzen als Wurf u. Wahnsinn gut. Eine reine Krankheit das Ganze, encephalitische Excesse, Ejaculationen von Zwangsvorstellungen u. Nonsens [. . .] (UBO)

Berlin-Schöneberg, 10. August 1952

Benn an Friedrich Wilhelm Oelze
ich habe mich mit Herrn N[iedermayer] dahingehend geeinigt, daß der Band erscheint: limitierte Ausgabe, keine Reklame, keine Besprechungsstücke – nur für Liebhaber bestimmt. Ich schreibe dazu ein Vorwort, was ich heute tat, u. das ich Ihnen zusenden werde, wenn ich die Korrectur habe. Sie kommen darin vor, als Warner u. getreuer Eckehart [. . .] (UBO)

Vorbemerkung 10. August 1952
Diese frühen Gedichte und Dramen jetzt neu herauszugeben, besteht eine besondere Veranlassung nicht. Sie auf sich beruhen zu

lassen, wenn man überhaupt literarische Einzelfiguren zur Diskussion stellt, wäre gewissermaßen unsachlich. Mein freundlicher Verleger will ein vollständiges und ungeschminktes Bild von mir entwerfen.

Als ich nach 1945 wieder besprochen wurde, schrieb die »Weltwoche« in Zürich, die »Statischen Gedichte« (1947) seien schwach gegenüber den früheren von 1912–1920. Der Kritiker fügte hinzu, was spricht man eigentlich so viel von Sartres Lebensekel – dreißig Jahre nach Benn? Also ein historischer Hinweis. Übrigens sind von diesen frühen Gedichten bei ihrem Erscheinen einige in verschiedene europäische Sprachen übersetzt, zum Beispiel ins Polnische, Rumänische, Russische und neuerdings einige ins Französische (Les Cahiers de la Pleiade, Hiver 1950/51, Heft XI). Eines ist in eine moderne italienische Anthologie übergegangen (Verlag Sansoni, Florenz, 1950). Und in der jetzt im Herbst 1952 erschienenen internationalen Anthologie »Un demi Siècle de Poésie« (herausgegeben von der Biennale internationale de Poésie, Knokke, Belgien), in der Gedichte von fünfzig Autoren aus allen fünf Erdteilen vereint sind, finden sich von mir auch nur Gedichte aus dieser frühen Periode.

Ich gestehe, um die Korrekturen des vorliegenden Bandes lesen zu können, bedurfte es zahlreicher Apéritifs und Cocktails für Gemüt und Magen, dann allerdings erschien mir das Ganze als Wurf und Wahnsinn gut. Ich dachte zurück. Es muß eine schwere Krankheit gewesen sein, jetzt ist sie ausgeheilt. Ist sie ausgeheilt? Enzephalitische Prozesse, halb lyrische Epilepsie, halb moralische Lethargien – und heute?

Es waren die Jahrzehnte, in denen der Gegensatz von Trieb und Seele, Konstitution und Erkenntnis, Geist und Leben nicht nur Klages, sondern uns alle bedrängte, die Jahrzehnte nach Nietzsche und Freud – merkwürdig entfernt heute alles und fast nur noch eine Erinnerung, eine Erinnerung an Quälendes, an Fesseln und an einen Druck. Vielleicht waren es auch nur die allgemeinen Fesseln der Jugend, heute hat man andere Fesseln, die des Alters, nämlich wie man mit sich fertig wurde und was das alles eigentlich bedeutet.

Im allgemeinen weiß ich nicht, was ich schreibe, was ich vorhabe und wie etwas in mir entsteht, damals wie heute, ich weiß nur, wann das Einzelne fertig ist. Aber das Ganze ist niemals fertig. »Die Krone der Schöpfung, das Schwein, der Mensch«, schreibt mein Freund Oelze abratend und bedenklich, sei ein entscheidender Vers in diesem Buch. Er ist nicht nur entscheidend, er ist infernalisch, er ist ungoethisch, er schmeckt nach Schwefel und Absinth, aber ich griff ihn während meines Lebens in meinen Arbeiten immer wieder auf. In einer meiner spätesten Veröffentlichungen lehrt eine Stimme als letzte Maxime und Ausflucht: »Im Dunkel leben, im Dunkel tun, was wir können« – es ist eine ernste Stimme, dies ist ihre Bergpredigt. Sie will sagen, laßt doch euer ewiges ideologisches Geschwätz, euer Gebarme um etwas »Höheres«, der Mensch ist kein höheres Wesen, wir sind nicht das Geschlecht, das aus dem Dunkel ins Helle strebt – wohin wir streben, weiß ich offen gestanden nicht, aber was wir erreichten, war das Überhebliche, das Hybride, auch das Dumme – also ein gewisser Abbau dieser unserer Arroganz schien am Platze, ein kurzer Aufenthalt im Dunkel, auch im Gemeinen, schien dieser Stimme moralisch angebracht –: dieser Art war es, was mir immer wieder die Schwalbe sang (sie sang allerdings auch noch anderes).

»Gedichte« (frühe) – nun werden sich wieder gewisse Schöngeister, die am Busen der (Provinz-)Natur liegen, äußern und sagen: Den Menschen tierisch zu machen, das mag den Gedichten gelungen sein, höhere Pornographie wollen wir dem Autor nicht absprechen, unser aber sind die Fischlein und die leuchtende Anmut und das Beerenmoos und weitere Erinnerungen an tausend weitere gedruckte Gedichte. Ich meinerseits, wenn ich bewundernd die skrupellose Art ansehe, wie die Ausländer ihre Lyrik starten, sei es Mallarmé, sei es Henry Miller, ohne jede Rücksicht auf Schulbuchfähigkeit, Präsidententelegramme, Akademiebelohnungen und -belehnungen, empfinde diese deutschen Bewisperer von Gräsern und Nüssen und Fliegen so, als lebten sie etwas beengt durch wirtschaftliche und moralische Nöte, zwischen Kindern und Enkeln und in Einehen – ich kann sie nicht als die alleinigen Vertreter unserer Lyrik ansehn. Der menschliche Leib ist ein metaphysisches Massiv, aus ihm steigen die Geheimnisse, ohne ihn keine Freiheit und kein Fluidum, ohne ihn keine Erkenntnis, in ihm allein entwickelt der Tod sein Feld. Und was zum Schluß das allgemeine öffentliche

Menschheitsbewußtsein und seinen Geschmack angeht, so wird man es beachten dürfen, aber man stößt auch auf Stimmen, die darüber zurückhaltend sprechen und den Verfertiger von Statuen und Gedichten für ausschlaggebend halten. In diesem Sinne und um dem Buch wenigstens durch einen Satz etwas Glanz und etwas Hoffnung zu verleihen, schließe ich mit der großartigen Stelle aus Malraux' »Psychologie der Kunst«: »Mögen die Götter am Tage des Gerichts den einstigen Formen des Lebens das Volk der Statuen gegenüberstellen! Dann wird von der Gegenwart der Götter nicht die von ihnen geschaffene Welt der Menschen Zeugnis ablegen: die Welt der Künstler wird es tun.« (GW IV, 409 ff)

Benn an Marguerite Schlüter [Berlin], 28. August 1952

Von den übersandten Sachen[1] könnte höchstens das von mir in etwas neuer Fasson redigierte *Finish* in Frage kommen, alles andere *nicht*. Ich überlasse die Entscheidung Ihnen u. dem Verlag. Es soll abhängig davon sein, ob noch Platz ist, ohne einen neuen Bogen anwenden zu müssen. Ich persönlich bin weder dafür noch dagegen. Oh, hätte ich nie gedichtet, sondern Hasenfelle aufgekauft oder Orgel gespielt als Kantor in einem kleinen Dorf. (DT 227 f)

Berlin-Schöneberg, 1. September 1952

Benn an Friedrich Wilhelm Oelze

Zur Beruhigung: ich habe auf Seite 2 der Vorrede einiges fortgelassen, gemildert, entbanalisiert, modifiziert, bremen-isiert [...] Schuld daran ist meine Frau, die es meiner unwürdig fand, mich auf Kosten der kleinen »Wisperer« zu rühmen. (UBO)

Benn an Marguerite Schlüter [Berlin], 6. Oktober 1952

Zu »Dramen«: Könnte man nicht die Personen von »Verm. [essungs]dir«[igent] S. 105, untereinandersetzen, also:

1 Bezieht sich auf die Zusammenstellung der Texte für den Band »Frühe Lyrik und Dramen«. Dem Verlag waren einige frühe Gedichte zugänglich gemacht worden (durch den Benn-Sammler Fritz Werner, Freiburg), deren Aufnahme in den Band nun zur Diskussion stand.

Personen:

Jef van Pameelen, ein Arzt
Picasso
Mieze
Eine Frau
Pameelens Vater

Das Jetzige sieht so dürftig aus!
Bei »Etappe« erscheint mir das nicht so nötig. Dagegen als Jahreszahl bei »Etappe«, s. 137, bitte *1915*
S. 112 nicht: Sie, sondern: sie (DT 228)

Rezension zu Die Sackgassen[1]
Enstanden 1952
Erstdruck in Die Neue Zeitung Nr. 156, 5./6. Juli 1952

Benn an Max Niedermayer [Berlin], 9. August 1949

Also Frau Sternheim, die ich seit 1916 kenne, damals hatten sie eine fürstliche Besitzung bei Brüssel, und ich war im Ersten Weltkrieg oft bei ihnen, aber ich war mit Sternheim und ihr alle die Jahre später auch sehr intim (Sternheim starb 1943 in Brüssel) – sie schreibt mir, sie habe jetzt einen Roman vollendet, an dem sie seit 1917 gearbeitet habe, betitelt: Die Sackgasse. Diese Frau St. war eine sehr kluge Frau, der Sternheim auch geistig viel verdankte (nicht nur wirtschaftlich, sie war sehr reich) die an den Sternheimschen Produkten aktiv mitarbeitete und von der ich mir denken könnte, daß dies ihr Lebenswerk nicht uninteressant ist. Sie hat viel durchgemacht, wie sie schreibt, während der Besatzungszeit, war im Lager und ich fände es sehr nett, wenn auch nur als Ovation für den toten Sternheim, Sie ihr schrieben, Sie hätten von ihrem Manuskript gehört durch mich, Sie interessierten sich dafür. Sie können ja so unverbindlich und platonisch schreiben, wie Sie mögen, es ist ja zunächst nur eine Art Höflichkeit und Sympathieerklärung an

1 Thea Sternheim, »Die Sackgassen«.

den Namen St. Aber vielleicht steckt etwas Interessanteres dahinter als hinter der Neo-Romantik und Christentumsrenaissance und Biedermannsjovialität, die jetzt unser literarisches Vaterland wieder durchzieht. (BV 28)

Benn an Thea Sternheim [Berlin], 10. Juni 1952
Diese seltsamen Dia-Monologe! Ich fürchte, ich werde dem Oeuvre mit meinem Geschwätz nicht gerecht werden können. – Einige Druckfehler sind wohl drin? (BR 236)

Berlin-Schöneberg, 26. Juli 1952
Benn an Friedrich Wilhelm Oelze
Lasen Sie zufällig meine Rezension von »Sackgassen« in der N[euen] Z [eitung] vom 9/6. VII.? Wenn das Buch in meinen Händen ist, sende ich es Ihnen. (UBO)

Berlin-Schöneberg, 23. September 1952
Benn an Friedrich Wilhelm Oelze
Gestern trafen Frau Sternheim (81) u. Tochter (46) von Paris hier ein, aus dem Buch »Sackgassen« wird – Festspielwochen – hier vorgelesen u. sie wurde eingeladen [. . .] Sende Ihnen die »Sackgassen« zum Lesen, wenn sie wieder fort ist. (UBO)

Berlin-Schöneberg, 16. Dezember 1952
Benn an Friedrich Wilhelm Oelze
Ich sende Ihnen und Ihrer Gattin ein Buch, dessen äußere Umhüllung in dem einen Falle nicht mehr gut ist, da von uns gelesen: Frau Sternheims »Sackgassen«. Vielleicht finden Sie Anschluß daran, etwas schwierig u. manchmal ärgerlich ist es. (UBO)

Altern als Problem für Künstler
Entstanden 1953
Erstdruck in Merkur VIII, 4/1953 (?)

[Berlin-Schöneberg], 27. Oktober 1953

Benn an Friedrich Wilhelm Oelze

Ich bereite eine neue Arbeit vor, einen Vortrag, den ich im März in Stuttgart [...] u. dann in München in der Akademie halten will, vielleicht auch in der Schweiz [...] Das Thema, das ich mir ausgesucht habe, liegt *weit* ab von *unseren* Unterhaltungen, u. vielleicht finden Sie es uninteressant, aber es bietet manchen reizvollen Gedanken, es lautet etwa »Das Altwerden als Problem für Künstler«. Ich bearbeite es teils historisch-dokumentarisch, teils werde ich persönliche Erfahrungen u. Erlebnisse anbringen. Schreiben Sie mir bitte *sofort,* ob Sie sich dabei was denken können. Die Dauer des Vortrags soll 50 Minuten sein, also recht lange. (UBO)

[Berlin-Schöneberg], 30. Oktober 1953

Benn an Friedrich Wilhelm Oelze

Das Thema »Altern« werde ich natürlich sehr variiert behandeln, ähnlich wie »Probleme der Lyrik«. Ich meine das Altern 1) nicht wirtschaftlich 2) nicht biologisch, sondern ausschließlich introspectiv. Dabei gibt es manche Spezialfragen über Früh- u. Spätwerk (welches hat Recht?), was bewirkt die Wandlungen, endet jedes Altwerden im Klassisch-Antiken usw. Natürlich nehme ich vielen Bezug auf den olympischen Urgroßvater (»Reflexionen u. Maximen, – in denen jeder, der Sorgen hat, alle Woche ⟨?⟩ mehrere Stunden lesen sollte«). In diesem Zusammenhang gedachte ich gerade die letzten Tage an meine Äußerungen an Sie über »Faust II«, bekam sie aber nicht mehr zusammen, ich wage nicht, Sie um Angabe zu bitten ...

Besitzen Sie zufällig [...] das Buch von E. Brinckmann: »Spätwerke großer Meister«? [...] Ich werde auch Musik u. Malerei streifen. (UBO)

Benn an Thea Sternheim Berlin, 3. November 1953

Es ist sehr sehr freundlich von Ihnen [...] mich bei meinem Vortrag zu beraten. Manches von den mir übersandten Notizen ist mir sehr nützlich und interessant, besonders beschäftigt mich, was Sie über Gide schreiben und auch seine Tagebuchblätter werde ich zum Teil verwerten. [...]

Aber nun hätte ich die große Bitte an Sie, ob Sie mir vielleicht noch eine Frage beantworten könnten. Mich beschäftigt nämlich im Augenblick vor allem die Frage, was dachten eigentlich die großen Matadore am Schluß ihres Lebens über sich selbst und ihr Werk. Ich habe hier einige von der alten Garde gesprochen (keine Schriftsteller, sondern Maler und Bildhauer) und die sagten, sie könnten überhaupt nichts mehr von ihren Sachen ansehen, nicht die früheren, ganz zu schweigen von den jetzigen. Ich finde auch in den Biographien in der Literatur über große Künstler die widerspruchsvollsten Angaben hierzu. Die meisten sind allerdings der Ansicht, daß sie erst im hohen und höchsten Alter etwas Wertvolles geschaffen hätten. Wie also steht es in dieser Hinsicht mit Gide?

Soweit ich mir über ihn ein Urteil gebildet habe, würde ich annehmen, daß er mit sich und seinen Leistungen sehr zufrieden war und nie bezweifelte, daß er gar nichts besser hätte machen können. Dazu paßt, daß, wie Sie mir ja auch einmal mitteilten oder erzählten, er zum Schluß überaus eingebildet und selbstgefällig geworden war. Es wäre nett von Ihnen, wenn Sie mir darüber noch ein Wort schrieben. Sie müssen nicht fürchten, daß ich das, was Sie mir erzählen, in unpassender oder indiskreter Weise verwenden würde. Die Antwort eilt nicht – nun, und wie denken Sie, verehrte Stoisy, über das Altwerden von Künstlern, was haben Sie darüber erfahren, erlebt und von anderen gehört. Was das Lebensalter von Künstlern angeht – ein Thema, das Sie ja auch in Ihrem Brief erwähnen, so ist es tatsächlich im höchsten Maße erstaunlich, wie uralt so viele werden. Darüber spreche ich auch in meinem Vortrag. Es muß irgendeine geheime Beziehung zwischen geistiger Produktivität und Krankheitsabwehr geben, eine Theorie übrigens, die mit der modernen medizinischen Auffassung sich deckt, daß Krankheiten viel mehr zentralen Ursprungs sind, als man bisher annahm.

(BR 256 f)

[Berlin-Schöneberg], 15. November 1953

Benn an Friedrich Wilhelm Oelze

Zu dem einen angeschlagenen Thema habe ich Ihnen hier eine kleine Liste[1] zusammengeschrieben, die natürlich nicht viel besagt, aber doch überraschend ist, wie mir scheint. Natürlich kann man dazu sagen, es werden eben offenbar die meisten nur »groß«, wenn sie lange leben und produzieren. Aber man könnte auch sagen, daß die Kunst nach ihrer phänomenologischen Seite hin ein Entspannungs- und Ableitungsmoment enthält und dies abwehrend wirkt im Sinne der modernen Lehre von Speransky, daß alle Krankheiten und Krankheitsdrohungen viel mehr von zentralen Impulsen reguliert werden als man bisher annahm. Aber wie gesagt dies ist nur ein Zufallsbefund bei meinen Untersuchungen. Mir liegt mehr daran, eine Art Selbstporträt des Alten G. B. hineinzubugsieren, in dem ich »meinem Affen Zucker geben« kann, Sie kennen meine Vorliebe für diese Redensart. (UBO)

[Berlin-Schöneberg], 15. November 1953 [Postkarte]

Benn an Friedrich Wilhelm Oelze

ich ergänze meine Liste Literatur, die ich heute übersandte, durch Folgendes: Voltaire 84, Gide 82, v. Ebner-Eschenbach 86, Claudel (heute) 85, Spitteler 79, R. Rol[l]and 78, weitere werden folgen. Mit Flaubert haben Sie Recht: er wurde 59 Jahre. (UBO)

1 Die Liste enthält die folgenden Namen:
»*Schriftsteller:* Shaw 94, Hamsun 93, Maeterlinck 87, Lagerlöf 82, Goethe 83, Tolstoi 82. Ric. Huch 83, Hauptmann 84, Ibsen 78, Björnson 78, C. F. Meyer 73, G. Keller 71 / Th. Mann 78, Hesse 76, Carossa 75, Schröder 75
Maler: Tizian 99, Hals 86, Goya 82, Degas 83, Thoma 85, Michelangelo 89, Munch 81, Liebermann 88 / Tintoretto 76, Tiepolo 74, Rodin 77, Nolde 86, Rohlfs 89, Matisse 84, Hofer 75, Braque 73.
Musik: Verdi 88, R. Strauss 85, Pfitzner 80, H. Schütz 87, Händel 74, Buxtehude 70, Palestrina 71, Bruckner 72, Wagner 70, Sibelius 88.
Ich habe dies nur beiläufig, nicht systematisch untersucht, wahrscheinlich findet man noch mehr. Und die meisten in einem Zeitalter, in dem die Lebenserwartung wesentlich niedriger war als heute. 15. November 1953«

Berlin-Schöneberg, 20. November 1953

Benn an Friedrich Wilhelm Oelze

Ihre Altersliste, für die ich bestens danke, hat mir natürlich nicht viel Neues gesagt. Die Zahlen waren mir bekannt. Ihre Auslegung dazu von der Kunst als »Verzehrungsphänomen« klingt mir etwas zu bürgerlich- romantisch. Zumal, wenn man von Ihren Namen die absetzt, die an acuten Infektionskrankheiten (Typhus: Schubert, Büchner, Unfall: Shelley, Byron) gestorben sind, ferner sind die Tuberkulosefälle besonders zu beurteilen (Novalis, Chopin, Schiller), aber auch diese sind weniger von der Kunst verzehrt, als vom Koch'schen Bazillus. Raffael starb an acuter Krankheit nach schweren Ausschweifungen (s. Vasari) usw. usw. Ferner scheiden ja auch die mit acuten Geisteskrankheiten aus (van Gogh, Lenau, Hugo Wolf, Hölderlin, Maupassant, Nietzsche), ferner die Selbstmörder (Kleist, Schumann). Auf meine Liste setze ich noch Donatello (80), Swift (78), Swinburne (72), Kipling (71), Yeats (74), Heidenstam (81), Maillol (83), Tagore (80), Bonnard (80), Pontoppidan (86).

(UBO)

[Berlin-Schöneberg], 7. Januar 1954

Benn an Friedrich Wilhelm Oelze

sehr herzlichen Dank für Ihre Korrekturen, die ich größtenteils sofort übernommen habe [...] Ihrem Vorschlag, den Faustbrief in extenso zu übernehmen, kann ich nicht nachkommen. Es sind zuviele Betrachtungen u. Ausführungen dabei, während ich in dem an sich schon sehr heiklen letzten Teil, dem Hubschrauberteil, nur Exclamatives, Expressives, Fertiges verwenden zu können glaubte –: Tatsachen, nicht Darstellungen [...]

Wenn ich Sie um Kritik bat, so zielte ich weniger auf das Allgemeine u. Gedankliche als auf die praktische Seite: nämlich wie wird sich das Ding als Vortrag machen, kann es fesseln, Zuhörer 50 Minuten vom Einschlafen zurückhalten, hat es in diesem nützlichen Sinne Schlagkraft? Ist es gut gebaut in seinem Hin- u. Her von Persönlichem u. Objektiven, von Wissenschaft u. Dichtung? Ich habe den Vortrag auch Herrn N[iedermayer] geschickt, der ihn natürlich sofort drucken möchte. Ich will das nicht. Ich habe die kleinen Hefte satt, außerdem habe ich dem »Merkur« es in Aussicht gestellt. Ist aber wohl zu lang dafür. Nun, alles nicht mehr wichtig für mich, sowie es fertig ist, liegt es ja weit ab von mir, wie ein Strauß, den man ins Zimmer stellt. (UBO)

[Berlin-Schöneberg], 14. November 1954

Benn an Friedrich Wilhelm Oelze

Donnerstag reise ich nach Bern, wo Sonntag 40 Minuten lang vor 200 Personen Publikum die Radiosache steigt. Thema: jener Altersvortrag, aber gänzlich modifiziert, alles Aggressive fortgelassen, auch der Appell an die jüngere Generation fort: Entschärft, sonntäglich, mit neuer Einleitung u. Schluß. (UBO)

Benn »An Emil Preetorius« [2] 1954

Ich hatte neulich in München den Vorzug, in der Bayerischen Akademie der Schönen Künste, deren Präsident Sie sind, einen Vortrag zu halten, sein Thema war: »Altern als Problem für Künstler«. Leider erst nachdem ich meinen Vortrag fertig hatte, bekam ich eine Arbeit in die Hände, in der ich zu diesem Thema des Alterns der Künstler eine wahrhaft tiefsinnige Bemerkung fand. Sie hängt mit dem von mir eben erwähnten Begriff der Vollkommenheit zusammen. Sie findet sich in dem Vortrag, den Hindemith 1950 in Hamburg über Bach hielt. Hindemith spricht zum Schluß von dem alten Bach, von seinen letzten Jahren, dem letzten Jahrfünft, und nun sagt er: »Für dieses Höchsterreichte muß er einen teuren Preis zahlen: Die Melancholie, die Trauer, alle früheren Unvollkommenheiten verloren zu haben und mit ihnen die Möglichkeit weiteren Voranschreitens.« »Aus dieser außerordentlichen Ebene endgültiger Ratlosigkeit«, sagt er dann weiter, und dann spricht er »von der ausweglosen Situation«, in die – was? – die Vollkommenheit ihn führte. Also mit allem, was diese Großen geschaffen haben, schließen sie sich gleichzeitig von diesem allem aus, da sie es nun nicht mehr schaffen können, sie schufen für andere das Vollkommene und bleiben selber zurück in Melancholie und Trauer, »in auswegloser Situation«. Ich finde diese Bemerkung von Hindemith ganz

2 »An Emil Preetorius« in »Im Umkreis der Kunst«. Eine Festschrift für Emil Preetorius zum siebzigsten Geburtstag, 1954.

ungewöhnlich interessant und möchte sie hier als Ergänzung meines Vortrags anfügen, da Sie die Freundlichkeit hatten, sich diesen meinen Vortrag anzuhören. (GW IV, 336)

Geliebte Gedichte [1]
Entstanden 1953
Erstdruck in Die Weltwoche, 2. Januar 1953

Benn an Friedrich Wilhelm Oelze [Berlin], 5. Mai 1941
Das Gedicht von Schiller [2] S. 51 ganz groß! Man sieht, daß das Glück in seiner höchsten Form wahllos kommt u. unerreichbar ist u. die gleichen tragischen Züge trägt wie seine Gegenerscheinungen beispielsweise bei Hiob oder Niobe. Im übrigen wird einem von Neuem überraschend klar, daß Gedicht reine Mathematik ist; Algebra, in sich geschlossenes Axiom. Sehr schwer zu entziffern; Sanskrit, selbst für Forscher. Behauptung, Voraussetzung u. Beweis alles äußerst irreal u. mit der gewöhnlichen Erfahrung nicht zu erschließen. (UBO)

Benn an Friedrich Wilhelm Oelze [Berlin], 16. November 1941
Ich blätterte in Platens Sonetten. Wunderbare Verse darin! Klassisch schöne Reihen. Ein Sonett als Ganzes wird ja immer etwas Gezwungenes an sich haben, eine ganz echte lyrische Form ist es wohl für uns nicht, es zwingt zu Füllseln und Lee(r)heiten ⟨?⟩. Aber z. B. Nr. LX (»Wer wußte je das Leben recht zu fassen ...«) ist schlechthin unvergleichlich, – die berühmten ewigen Schlußverse: »dem Schläfer fällt es nimmermehr vom Dache und auch der Läufer wird es nicht erjagen«. Ich habe mir lange Jahre nichts aus ihm gemacht, aber jetzt steht er mir sehr nahe. – (UBO)

1 Antwort auf eine Umfrage der »Weltwoche« nach drei Lieblingsgedichten.
2 »Das Glück«.

Destillationen, Neue Gedichte
Erstdruck Wiesbaden 1953

Benn an Max Niedermayer [Berlin], 28. Januar 1953

Anbei, wie verabredet, einige (sogenannte) Gedichte[1], alle aus der trüben Atmosphäre des Bayerischen Platzes. Ich bin keineswegs entschlossen, sie zum Drucken vorzuschlagen, vielmehr zögere ich sehr. Vor allem frage ich mich, ob man auch die leichteren und leichtsinnigen von sich geben soll, ob es nicht mehr meinem Alter und meiner Stellung entspricht, nur ganz seriös und reif und abgeschlossen aufzutreten. Die Gedichte aus dem Septemberheft des Merkur[2] sind ja wohl alle seriös, an die aus dem Darmstädter Heft[3] erinnere ich mich nicht mehr genau und ich besitze die Nummer der Zeitschrift nicht. Ich schicke es Ihnen zunächst zur Privatlektüre u. diese Lektüre eilt nicht. Einiges z. B. Radio II werde ich wohl sicher nicht bringen, die darin angepöbelten Professoren sind ja eigentlich ganz nett gegen mich immer gewesen.

Je älter man wird, um so schwieriger wird alles. Man sollte zu Resultaten kommen, aber man kommt zu keinen. Man sollte antworten, aber es bleiben nur Fragen. Man sollte abschließen, aber es bleibt alles offen. Vielleicht sollte man wirklich den Anstand aufbringen, ganz zu schweigen. (BR 243 f)

Benn an Max Niedermayer [Berlin], 4. Februar 1953

Ihr Urteil über die Gedichte ist bemerkenswert. Z. B. daß Sie »Amarylle«[4] gut finden, ist geradezu überraschend, es ist bestimmt

1 Das Manuskript des späteren Bandes »Destillationen«.
2 Im Septemberheft, 55 (1952) des »Merkur« erschienen die Gedichte: »Lebe wohl –«, »Keiner weine«, »März. Brief nach Meran«, »Außenminister«, »Verzweiflung«; siehe auch S. 200.
3 »Das literarische Deutschland«, II, 20 (20. Oktober 1951) enthält die Erstveröffentlichung des aus 6 Gedichten bestehenden Zyklus »Spät«. Der Band »Destillationen« enthält 5 dieser Gedichte, das vierte: »Little old Lady« wurde von Benn in »Die Stimme hinter dem Vorhang« aufgenommen, siehe auch S. 198.
4 »Nimm fort die Amarylle«, entstanden 1953.

ein raffiniertes u. echtes Gebilde, aber für den Normalleser infolge des »gründlich« anstößig. Gelungen scheint mir »Jener« [5] (»Komm in unser umblühtes Haus«), es ist einfach u. raffiniert. Sonntag im »Tagesspiegel« stand »Eingeengt« [5], das streift vielleicht schon das Idealistische u. ist mir infolgedessen verdächtig, [...] »Es gibt« [5] – ist das »Wunder« von Herrn Oelze –. Nicht ganz klar bin ich mir über »Den jungen Leuten« [5]. – »Viele Herbste« [6] ist vielleicht etwas derb. – [...] Aber vielleicht wächst sich »Destille« [6] noch mit 2 weiteren Knospen aus u. vielleicht nenne ich den ganzen Band *»Destillation«,* es sind ja keine natürlichen Gedichte, sondern gefilterte, sublimierte, eben destillierte. Aber vielleicht finde ich noch etwas anderes. (BR 243 f)

Benn an Marguerite Schlüter [Berlin], 25. Februar 1953
anfänglich fand ich das vertikale »Monologische Kunst« [7] befremdend, aber die Schrift auf dem Titel sehr schön, jetzt gefällt mir das Vertikale besonders gut. Da »Destillationen« auch an sich ein fragwürdiger Titel ist u. nicht besonders hervorgehoben zu werden verdient, wäre es vielleicht nicht schlecht, auch ihn in die Vertikale zu dirigieren. (DT 229)

Benn an Marguerite Schlüter [Berlin], 5. März 1953
in Ihre Hände befehle ich meine Destillate, höchstens könnte man S. 10 Amarylle noch: einfügen auf Zeile 2. II Vers hinter: gründlich: – und dann ist ja Hannibal (S. 27) nicht über den Brenner gezogen, wie ich schon in den Fahnen korrigierte, sondern von Frankreich aus, vermutlich über den Simplon. Es würde ja wohl niemand

5 »Jener«, entstanden 1953; »Eingeengt«, entstanden 1. Januar 1953; »Es gibt –«, entstanden am 4. November 1952; »Den jungen Leuten« am 29. Dezember 1952.
6 Das Entstehungsdatum von »Viele Herbste« nicht feststellbar; »Destille«: I und II: 11. Januar 1953, III: 23. Januar 1953, IV: 4. Februar 1953.
7 Die Bemerkung bezieht sich auf die Gestaltung des Umschlags zu »Ein Briefwechsel zwischen Alexander Lernet-Holenia und Gottfried Benn«, Wiesbaden 1953.

bemerken, aber vielleicht setzen wir doch besser: Simplon. Ich stelle anheim, Brenner klingt handlicher. (DT 229)

[Berlin-Schöneberg], 5. März 1953

Benn an Friedrich Wilhelm Oelze

Wenn Sie, Verehrter, gelegentlich einen Blick in die beiliegenden Songs[8] werfen wollen, werden Sie in der Richtung nachdenken, daß Ihnen einige keinesfalls gefallen können. (UBO)

[Berlin-Schöneberg], 10. März 1953

Benn an Friedrich Wilhelm Oelze

Tausend Dank für die *Druckfehler* [...] Mit Con Sordino wollen wir es so lassen [...] mir gefällt es so besser u. schließlich ist Con Sordino – *großgeschrieben* – ein musikalischer Begriff, den man als Hauptwort verwenden kann[9]. (UBO)

Berlin-Schöneberg, 17. März 1953

Benn an Friedrich Wilhelm Oelze

Streichen Sie F. W. O. nach: An –:[10] 1) sachlich: wenn nicht Sie, wer wäre innerhalb der Schwelle? 2) historisch: An – eine reizende Frau, elegant u. rassig, die sich die Sache aber zu leicht vorstellte. (UBO)

Berlin-Schöneberg, 17. März 1953

Benn an Friedrich Wilhelm Oelze

Freut mich, daß Sie in den Destillationen vom alten, beliebten Experimentellen was spüren. Ich fürchte, es sind langweilige altmodische Aussagegedichte. (UBO)

8 Gedichte, die dann in dem Gedichtband »Destillationen« veröffentlicht wurden.

9 Bezieht sich auf das Gedicht »Melodien«, entstanden 1952.

10 Oelze hatte an Benn scherzhaft in einem Brief die Frage gerichtet, hinter »An –«, entstanden 1953, müsse wohl F. W. O. stehen?

Nihilistisch oder positiv?
Entstanden 1953
Erstdruck in Neue Deutsche Hefte I, April 1954

Benn an Wolfgang Wilhelm [Berlin], 31. Juli 1954

Was den Inhalt Ihres Schreibens angeht, so glaube ich, Sie haben mich in dieser Züricher Radiosache[1] etwas mißverstanden. Ich vertrete ja keinen biologischen Optimismus, wenn ich feststelle, ich habe den Eindruck, daß die europäische Menschheit von einer schwerverständlichen Vitalität und Euphorie ist. Ich sage ja nicht, daß dieser Optimismus mir gefällt, daß ich ihm angehöre oder gar daß ich ihn propagierte. Ich hätte natürlich hinzufügen können, daß mir persönlich eine optimistische Menschheit noch weniger sagt und zusagt als eine pessimistische. Ohne weiteres könnte ich Ihnen viele Züge einer optimistischen Lebenshaltung und Lebensführung der europäischen Menschheit, die meiner Beurteilung Gewicht geben würden, anführen. Ich habe mich also nicht etwas frühzeitig auf die Bretter gelegt, wie Sie schreiben, ich habe mich nämlich überhaupt nicht auf die Bretter gelegt, sondern habe in meiner Ecke aufrechtstehend gewisse Beobachtungen registriert. Wenn Sie sich davon überzeugen wollen, was ich aber durchaus nicht erwarte und verlange, könnten Sie sich in meiner letzten Publikation, dem Vortrag »Altern als Problem für Künstler« (Limes Verlag) von meiner unveränderten Haltung überzeugen.

(BR 275 f)

Teils-teils[1]
Entstanden 1954
Erstdruck in Merkur, VIII, 9/1954

Benn an Hans Paeschke [Berlin], 25. Juni 1954

Teils-teils fragwürdig, könnte mehr Interpunktion haben [,] aber so besser im Fluß. (BR 267)

1 Eine Sendung von Radio Zürich, die das Stück »Nihilistisch oder positiv?« brachte. Vgl. GW I, 399.
1 Das Gedicht wurde dann in die Sammlung »Apreslude«, 1955, aufgenommen.

Schöner Abend
Entstanden 1954
Erstdruck in GW III, 461

Benn an Hans Paeschke [Berlin], 25. Juni 1954
Schöner Abend, banal u. sanft, nur als Ergänzung von 1 u. 2[1] angebracht. (»Er kann auch anders, Gemütswerte«) (BR 267)

Aprèslude
Erstdruck Wiesbaden 1955

Benn an Astrid Claes [Berlin], 22. September 1954
Das Ebereschengedicht[1] hat mir viele Anbetungszuschriften eingebracht, aber mir fiel die Reihe: »zu Gott geboten« schwer u. ich zögerte, sie zu lassen. (BR 277)

Benn an Marguerite Schlüter [Berlin], 28. Januar 1955
Dank für Auskunft u. zur Versöhnung das ganze Gedicht [»Tristesse«], das Sie aber doch wahrscheinlich mit Bedenken erfüllen wird. (DT 233)

Benn an Marguerite Schlüter [Berlin], 4. Februar 1955
Wenn Herr Niedermayer weiß, daß ich noch mehr Gedichte habe, so weiß er mehr als ich, ich müßte direkt mal in meinen Notizbüchern nachsehn, aber ich warte noch etwas damit. (DT 233)

[Berlin-Schöneberg], 16. März 1955
Benn an Friedrich Wilhelm Oelze
Damit Sie aber sehen, daß ich wieder bei mir selbst – bei mir allein

1 Den Gedichten »Melancholie« und »Teils-teils«, die Benn zusammen mit »Schöner Abend« an Paeschke zwecks Veröffentlichung geschickt hatte. Die beiden ersten wurden in »Merkur«, VIII, 9 (1954) veröffentlicht.
1 Erstveröffentlichung in »Welt am Sonntag« Nr. 37, 12. September 1954, dann aufgenommen in »Aprèslude«.

gelandet bin, alleiner als je, beifolgende Anlage: »Tristesse« [2], aus den letzten Zeiten. (UBO)

Benn an Marguerite Schlüter [Berlin], 3. Mai 1955
ich kündige Ihnen neue Arbeit an: Ende der Woche oder Anfang nächster sende ich Sortiment Gedichte zur Auswahl, Fehlfarben vermutlich, etwa Stück 10. Bei Nichtkonvenierung bitte unfrankiert Rücksendung an den Stumpenfabrikanten. (Für eventuellen neuen Band) (DT 234)

Benn an Marguerite Schlüter [Berlin], 12. Mai 1955
falls Sie sich mit den Gedichten befaßt haben – hier ist noch eines [3], das das letzte sein soll u. nach ihm sollte meiner Meinung nach der ganze Band heißen. (DT 235)

Benn an Marguerite Schlüter [Berlin], 14. Mai 1955
anbei noch ein Gedicht [4], mit dem wir den Band eröffnen könnten. Haben Sie noch Platz? Ist, glaube ich, geeignet dafür. Ich nenne es »Poetik«, da ich Dichter, Gedichte, Verse schon über andre Gedichte früher stellte. (DT 235)

Benn an Marguerite Schlüter [Berlin], 16. Mai 1955
»Apreslude« war als Schlußgedicht gedacht u. gemacht.
»Gedicht.« als I. Gedicht. Dank für Ihre Reihenfolge, habe sie etwas geändert. Einen Titel geändert: nicht: »Warum gabst du uns die tiefen Blicke«, sondern: »2 Träume«. (DT 235 f)

Benn an Marguerite Schlüter [Berlin], 17. Mai 1955
Erhielt heute Ihren Brief vom 16. 5. Wissen Sie: »*Worte*« als erstes ist mir eigentlich zu sentimental. »*Gedicht*« ist technischer, theoretischer, propädeutischer. (DT 235 f)

2 Das beiliegende Typoskript ist von GB signiert, nicht datiert.
3 «Apreslude«.
4 Gedruckt u. d. T.: »Gedicht«.

Benn an Marguerite Schlüter [Berlin], 23. Mai 1955

haben Sie noch eine Seite für dies kleine Gedicht [5]? Es ist zart u. traurig u. paralysiert vielleicht einige von den harten u. schnöden. *Und nun ist Schluss.* Es sind jetzt 25: ein Viertelhundert. Jetzt stelle ich die Weiche u. mache was andres. (DT 236)

[Berlin-Schöneberg], 19. Juni 1955

Benn an Friedrich Wilhelm Oelze

Der 2. [Grund des Schweigens] war, daß ich mit einem neuen Lyrikband, 25 Gedichte, beschäftigt war, der bald bei Limes erscheint, Titel: *Aprèslude.* (UBO)

Benn an Marguerite Schlüter [Berlin], 24. Juni 1955

ich empfange Sie bei Ihrer Rückkehr mit dem Mskpt. der Gedichte. Ich habe sie geordnet u. numeriert. Herausgenommen habe ich das: »Kommt, reden wir zusammen« Gefiel mir nicht. Gab dafür ein anderes »Nike«. (DT 236)

Benn an Marguerite Schlüter [Berlin], 18. Juli 1955

1) Nehmen Sie also bitte: »Kommt reden wir zusammen« noch mit herein [6]. Aber mir wäre es angenehmer, nicht zwischen S. 8 u. 9, sondern später irgendwo.
2) Warum haben Sie »Nike« nicht getrennt in Versen gesetzt? *Mir ist es gleich.*
3) Ich fand Druckfehler in Nike S. 18: nicht *d*en, sondern gen (= gegen):
4) S. 37 vielleicht Komma hinter Dornen,
5) S. 39 u. 40: Reverie oder Rêverie? Mir gleich.
6) S. 22: bitte –
S. 32: bitte – (DT 237)

5 »Letzter Frühling«; als vorletztes Gedicht in den Band aufgenommen.
6 Auf Wunsch des Verlages wurde das Gedicht wieder in den Band »Aprèslude« eingefügt.

Benn an Erna Pinner Berlin, 25. August 1955

Vielleicht sende ich Dir in den nächsten Tagen ein neues kleines Gedichtheft, gerade erschienen. Eigentlich wollte ich es niemandem senden, denn ich hätte es vielleicht nicht herausgebracht, aber mein Verleger reißt mir alles aus der Hand. Titel: »Apèslude«, (etwa 25 Gedichte). (BR 293)

Benn an Astrid Claes [Berlin], 15. September 1955

Vielen Dank für Ihren Brief vom 12. IX. in Sachen Apèslude. Sie mögen das Heft nicht, schade für mich, aber es läßt sich nicht ändern. Ihr Urteil ist so pauschal, daß ich eigentlich nicht weiter darauf eingehen kann. Wenn ich fragte: »bitte, wo gehe ich gleichgültig mit dem Wort um?« – das Technische betreffend, oder: »wo bemerken Sie bei mir eine Ungeduld«?, das Psychologische betreffend, würden Sie vielleicht Ihr Urteil garnicht sehr fundieren können. Aber es ist auch nicht wichtig. Es kann eben nicht jeder jeden Tag so schöne Gedichte machen wie »Delphin« oder »Mannequin«. [Gedichte von Astrid Claes]. (BR 294)

Benn an Edgar Lohner Berlin, 1. Oktober 1955

Den neuen Gedichtband habe ich Ihnen nicht geschickt, er ist mehr ein Werk von Niedermayer als von mir. Sie kennen die Tapferkeit von alten Boxern, die sie zwingt, noch einmal in die Mitte des Rings zu treten, statt von ihren Zinsen zu leben oder eine Bar zu eröffnen. So ungefähr ist was es bedeutet das Schlußgedicht: Apèslude. (BR 295)

Benn an Marguerite Schlüter [Berlin], 23. März 1956

1) Ich möchte, daß »Die Züge deiner« im letzten Teil steht, wo Sie es bisher eingesetzt haben.
2) Wenn Sie meinen, beginnen Sie diesen letzten Teil mit 1949–1955.
3) »Rosen« gehört dann auch in diesen letzten Teil. (DT 244)

Benn an Marguerite Schlüter [Berlin], 26. März 1956

noch eine Kleinigkeit: bitte setzen Sie »Die Züge deiner« *nicht* hinter »Tristesse«, das sind ja 2 widerspruchsvolle Gedichte, es wäre komisch, sie so [zu] gruppieren, bitte erst hinter »Teils-teils« oder noch weiter fort. (DT 245)

Benn an Käthe von Porada [Berlin], 4. April 1956

Wollen Sie meinen neuesten kleinen Gedichtband haben –: »Après-lude«? Sende ihn Ihnen. (DT 148)

Einleitung
zu Lyrik des expressionistischen Jahrzehnts
Entstanden 1955
Erstdruck in Lyrik des expressionistischen Jahrzehnts,
Wiesbaden 1955

[Berlin-Schöneberg], 12. Januar 1955

Benn an Friedrich Wilhelm Oelze

Ich sitze über einigen Pflichtaufsätzen, die mich langweilen, z. B. Vorrede für 1 Anthologie (Limes) über Lyrik des Expressionismus. (UBO)

Benn an Erna Pinner Berlin, 18. Januar 1955

Ich habe gerade einen längeren Aufsatz beendet als Einleitung für eine Anthologie meines Verlages: »Lyrik des expressionistischen Jahrzehnts, 1910–1920«: Da bin ich in Germany der einzig noch Lebende von der Generation u. mußte meinem Verleger den Gefallen tun. Dabei habe ich noch mal jene Jahre 1910–1914 an mir vorüberziehn lassen, diese herrlichen, großartigen Jahre – war es nur die Jugend, die das so strahlend heute sehn läßt oder war es doch eine wirklich glänzende, bewegte geniale Zeit mit so viel Möglichkeiten, die dann kaputtgingen? Diese Jahre u. dann 1918 bis 1933 waren wohl Deutschlands u. Berlins wunderbarste, ich möchte sagen: *Pariser* Jahre, so voll Talenten u. so voll Kunst. Wird nie wiederkommen. (BR 281)

Benn an Marguerite Schlüter [Berlin], 27. Januar 1955

1) im Original[1] steht: (liegt vor mir:) *l'adjectiv.*

1 Bezieht sich auf ein Zitat aus E. F. Tommaso Marinettis Futuristischem Manifest, das Benn in seiner Einleitung zu dem Ausw. bd. »Lyrik des expressionistischen Jahrzehnts« (1955) verwendet hatte.

2) nehmen Sie bitte die 3 genannten Gefallenen [2]: L. E. S dazu. Von Trakl schreibt Fechter: »der ein freiwilliges Opfer des Krieges wurde« (DT 232)

Benn an Marguerite Schlüter [Berlin], 5. Februar 1955

Ich schlage vor auf Spalte 107 hinter »zu knistern begann«, zu schreiben »Bei Martini dagegen lesen wir:« und nun den 1. Satz aus seinem Aufsatz Exp. in der Heidelberger Literaturgeschichte. Dann weiter wie es dasteht: »Was die Literatur angeht« – usw.

Wenn es keine Mühe macht, fände ich das ganz interessant.

(DT 234)

Benn an Friedrich Sieburg Berlin, 22. Juni 1955

vielen Dank für Ihre Besprechung des Buches der express(ionistischen) Lyrik in der »Zeit«. Ich danke eigentlich im Namen meines Verlegers, der z. Z. im Ausland ist und schon sehr betrübt war, daß das Buch keine Beachtung fand, und nun kommen Herr F. S. persönlich und befassen sich damit, und auch die F. A. Z. tut es. Ich habe Herrn Niedermayer immer gesagt: das ist ein totgeborenes Kind, ein Zwitter, halb Wissenschaft u. halb Poesie. Es zu besprechen, dazu gehört Bildung u. man muß unterrichtet sein, das ist bei der Jugend nicht der Fall u. die ältere Generation hat dies Thema satt. Aber – leider fand ich einen Satz von mir erst zu spät in einem meiner alten Notizbücher, sonst hätte ich ihn als Motto für das ganze Buch vorgeschlagen: – »was wäre der Sommer ohne die Flüge der Schwalben und was wäre das Land ohne die Gräber der Dichter« – vielleicht bewog Sie eine ähnliche Stimmung, sich in so fesselnder Weise über das Buch zu äußern. (BR 288 f)

Benn an Erna Pinner Berlin, 25. August 1955

Was den Band expression.[istischer] Gedichte angeht, in den Du Einsicht nahmst, so ist er ein großer Erfolg, Paris, Zagreb, Stockholm haben ihn lang u. gut besprochen. Leider fiel mir zu spät ein Satz aus einem alten Notizbuch von mir in die Hände, der gut als

2 Ernst Wilhelm Lotz, Gerrit Engelke u. Reinhard Johannes Sorge.

Motto für den Band gepaßt hätte: »Was ist der Sommer ohne die Flüge der Schwalben und was ist das Land ohne die Gräber der Dichter.« (BR 293)

Benn an Kasimir Edschmid [Berlin], 5. Oktober 1955
Ich hatte während der letzten Wochen Veranlassung, auf unsere Generation noch einmal zurückzublicken. Ich schrieb die Einleitung zu einer Anthologie, die mein Verlag herausgibt unter dem Titel »Die Lyrik des expressionistischen Jahrzehnts«. Ich blickte dabei nicht auf die Prosa, deren führender Autor in dem Jahrzehnt Sie waren, aber vielleicht umfaßt mein Aufsatz auch einiges von Ihrer Person. Darf ich Ihnen einige Sätze hier anführen: »Es war eine belastete Generation: verlacht, verhöhnt, politisch als entartet ausgestoßen – eine Generation jäh, blitzend, von Unfällen und Kriegen betroffen, auf kurzes Leben angelegt. Ich habe mich in den letzten Jahren oft gefragt, welches das schwerere Verhängnis ist, ein Frühvollendeter oder ein Überlebender, ein Altgewordener zu sein. Ein Überlebender, der zusätzlich die Aufgabe übernehmen mußte, die Irrungen seiner Generation und seine eigenen Irrungen weiterzutragen, bemüht, sie zu einer Art Klärung, zu einer Art Abgesang zu bringen, sie bis in die Stunde der Dämmerung zu führen, in der der Vogel der Minerva seinen Flug beginnt. Meine Erfahrung hinsichtlich des Überlebens heißt: Bis zum letzten Augenblick nichts anerkennen können als die Gebote seines inneren Seins. Das heißt, man muß als Künstler auf die Dauer nicht nur Talent, sondern auch Charakter haben und tapfer sein.« (BR 297 f)

Provoziertes Leben[1]
Erstdruck 1955

Benn an Heinz Ullstein Berlin, 27. April 1955
größte Verblüffung befiel mich, als ich heute morgen den reizvollen Band von Ihnen erhielt und Ihren freundlichen Brief dazu. Ich hatte diese ganze Sache meinem Verleger in Wiesbaden überlassen u.

ahnte nicht einmal, welche Auswahl Sie treffen würden. Allerlei! Wenn das man gutgeht! Dieser Autor, der nun auf ein langes, viel zu langes Leben zurückblickt, ist sich selber immer fragwürdiger geworden u. wirft lieber in sein Oeuvre keinen Blick mehr hinein [...] P. S. ich freue mich sehr, daß die Rede auf H[einrich] Mann im Band ist. Sie ist ja nicht beliebt in der Bundesrepublik – wissen Sie noch den Abend, als ich sie hielt, Sie waren da u. hinterher waren wir bei Schlichter mit Kiepenheuer u. Frau Jannings – long, long ago. (BR 286 f)

Benn an Ulrich Riemerschmidt [Berlin], 10. Juni 1955

Ihnen endlich meinen Dank auszusprechen für die Redaktion des Ullsteinbuchs, ist mir ein aufrichtiges Bedürfnis. Es ist eine Auswahl von wirklichem Geschmack u. Urteil, Sie haben mir ein interessanteres Profil gegeben, als ich eigentlich beanspruchen kann. Von allen Seiten höre ich die größte Bewunderung für Ihre Arbeit. Mein italienischer Übersetzer, Herr Traverso in Florenz, dem ich es als »G. B-Potpourri« sandte, schreibt, das ist »kein Potpourri, sondern die Quintessenz, das geistige Testament in symphonischem Aufbau, das Sie uns hinterlassen«. Da an diesem Aufbau ich ja ganz unbeteiligt bin und nur Sie sich der Mühe unterzogen, ihn zu gestalten, möchte ich Ihnen diese Worte aus Italien übermitteln und sie mit der Versicherung meines wärmsten Dankes verbinden.
Das Buch soll sogar gekauft werden, höre ich. (BR 288)

1 Ullstein Buch Nr. 54, enthält eine Auswahl aus Benns Prosaschriften (»Gehirne«, »Das moderne Ich«, »Können Dichter die Welt ändern«, »Urgesicht«, »Saison«, »Das Genieproblem«, »Zur Problematik des Dichterischen«, »Nach dem Nihilismus«, »Rede auf Heinrich Mann«, »Weinhaus Wolf«, »Franzosen«, »Die Kunst in Europa«, »Provoziertes Leben«, »Bezugssysteme«, »Block II, Zimmer 66«, »Pallas«).

Gesammelte Gedichte
Erstdruck Wiesbaden 1956

Benn an Marguerite Schlüter [Berlin], 9. Oktober 1955

Nun der große Gedichtband[1]: mir schwebt vor, als Einleitung 2 oder 3 der großen, anerkannten Anthologie-Gedichte zu bringen, dann chronologisch, mit vielleicht nochmals hervorgehobenen sozusagen programmatischen *schönen* Gedichten (vielleicht in besonderem Druck?), wenn eine neue Periode beginnt. (DT 236)

Benn an Hans Paeschke Berlin, 6. Januar 1956

Also erlaube ich mir, Ihnen ein letztes Gedicht[2] zu senden, nach meinem Wunsch für die Aprilnummer, die ja wohl kurz vor dem berüchtigten Geburtstag erscheint. Sollte es schlecht ausgehn, ist es mein Abschied für Sie und von Ihnen. (BR 304)

Benn an Max Niedermayer [Berlin], 16. Februar 1956

Eine Einleitung möchte ich nicht verfassen, das würde sofort wieder das Gedanklich-Essayistische einführen, während ich es für besser halte, diesmal das lyrische Werk für sich allein sprechen zu lassen. Auch historische Rückblicke erschienen mir störend. Aber Ihr Gedanke, das letzte Gedicht als 1. zu setzen, gewissermaßen als Schluß u. Abschied, erscheint mir gut. Es würde als solches vielleicht noch besser hervortreten (u. jede Einleitung ersetzen), wenn Sie das Datum 6. I. 1956 daruntersetzten. Dann sähe man, das ist das letzte Gedicht des Bandes. Ich überlege mir, ob ich einen anderen Titel dafür nehmen soll, der noch mehr das Schlußhafte hervorkehren sollte, also z. B. Nachwort oder dergl. aber ich finde den jetzigen Titel: »Kann keine Trauer sein« lyrischer u. ich möchte sagen erhabener. (BR 305 f)

Benn an Marguerite Schlüter [Berlin], 11. März 1956

ich habe Brief vom 8. III. u. Karte vom 9. III. durchdacht u. finde

1 »Gesammelte Gedichte«.
2 »Kann keine Trauer sein«; vgl. »Merkur«, X, 5 H. 99, (Mai 1956).

Ihre Vorschläge ausgezeichnet:

1) Erweitern wir also die Gruppe
   1922–1936 um jene 11 Gedichte
2) Lassen wir die Bandbezeichnungen fort.
3) (neu:) schreiben wir die 3 letzten kleinen Bände[3] nicht mit Jahreszahlen, sondern wie das andere: 1951–1955.
4) damit die Leute nicht sagen, wie mies ist dieser Mann zum Schluß geworden, möchten wir vielleicht die letzten Gedichte dieser Gruppe 1951–1955 anders ordnen, ich meine als letzte 6 oder 8 Gedichte, die mir am besten erscheinen, nämlich etwa:

Nur 2 Dinge (D. S. 19)[4]
Reisen (Fr. 31)
Spät (D. 35)
Zerstörungen (Fr. 12)
Tristesse (Après)
Die Züge deiner (Après)
Teils, teils (Après)
Das sind doch Menschen (Après)
Keiner weine (D. 23)

Vorschlag, *bitte denken Sie darüber nach. Ich würde ganz fortlassen:*

Viele Herbste (D. 25)
Den jungen Leuten (D. 20)
Was schlimm ist (D. 15)

(DT 240)

Benn an Marguerite Schlüter [Berlin], 16. März 1956

Alaska muß m. E. als Zyklustitel bleiben, da es immer noch in gewissen Kreisen ganz bekannt ist. Da ich kein Exemplar der »Frühen Lyrik u. Dramen« besitze, weiß ich nicht, wie es da aussieht. Eigentlich ist ja natürlich der ganze Titel Quatsch, wenn nicht das Ein-

3 »Fragmente« (1951), »Destillationen« (1953), »Apreslude« (1955).
4 Im Original »hs.« an die letzte Stelle gezeichnet. Die endgültige Reihenfolge der genannten Gedichte ist: »Reisen« / »Die Züge deiner« / »Spät« / »Zerstörungen« / »Das sind doch Menschen« / »Tristesse« / »Teils – teils« / »Keiner weine« / »Nur zwei Dinge«. Am Schluß des Bd. dann noch »Epilog 1949«.

leitungsgedicht dabei ist, aus dem man den Sinn des Titels ersieht. Aber das Einleitungsgedicht ist wohl zu doll: Auch müßte auf jeden Fall der Schluß mit *Ikarus* hinein, der ist ja recht prägnant. Wenn wir schon »Arzt« u. »Fleisch« mit aufnehmen, ist ja auch Alaska in Originalform [5] nicht mehr unzart [...]
Ich würde die Serie 1922–1936 enden lassen mit »Dennoch die Schwerter halten«. Die weitere Anordnung ist vielleicht nicht so wichtig.
Ihren Zettel habe ich mit Zetteln beantwortet. Wenn die prominenten Inhaber der Firma es wünschen, nehmen wir also »Viele Herbste« dazu u. als Ovation für Sie persönlich auch »Was schlimm ist«. Falls Sie das Klabundgedicht [6] reinnehmen wollen, müßte man den Anlaß angeben wie im Almanach – aber lohnt das? (DT 242)

Benn an Marguerite Schlüter [Berlin], 20. März 1956
Dank für Schreiben vom 19. III. u. Inhaltsverzeichnis von 1951 bis 1955. 2 Umstellungen habe ich mir erlaubt zu ändern.
1922–1936 würde ich *nicht* mit dem Klabundgedicht beginnen, sondern, wie Sie schrieben, mit »Der Sänger«. Dann 2) »Trunkene Flut« 3) Palau u. dann »Schutt« usw., wie Sie angaben. Klabundgedicht mittendrin mit Notiz wie im Almanach.
»Little old lady« gehört zu »Spät«, gut, daß Sie es erinnern!
Die »Epilog« 1949 Gedichte gefallen mir jetzt nicht mehr so sehr für den Schluß, aber wir wollen es nun so lassen. Ob mit oder ohne 1949 weiß ich nicht, was meinen Sie? Vielleicht:
»Epilog« (1949).??
[...]

5 Der Zyklus, in die »Gesammelten Gedichte« wie in GW II mit 8 Gedichten aufgenommen, wurde erstmalig, 12 Gedichte umfassend, 1913 in verschiedenen Heften der »Aktion« veröffentlicht. Anzahl, Auswahl und Reihenfolge der Gedichte änderte sich wie bei verschiedenen anderen *unechten* Zyklen mit jeder neuen Veröffentlichung.
6 »Widmungsgedicht für Klabund«, geschrieben in ein Exemplar der »Gesammelten Schriften«, Berlin 1922; erstmalig veröffentlicht im »Limes-Lesebuch« I, Wiesbaden 1955; wiederabgedruckt in den »Gesammelten Gedichten«.

»Kann keine Trauer sein« gefällt mir nicht als Einleitungsgedicht, gefällt mir überhaupt nicht, also: so lassen oder ganz fortlassen! (DT 243)

Benn an Marguerite Schlüter [Berlin], 23. März 1956

1) Ich möchte, daß »Die Züge deiner« im letzten Teil steht, wo Sie es bisher eingesetzt haben.

2) Wenn Sie meinen, beginnen Sie diesen letzten Teil mit 1949–1955.

3) »Rosen« gehört dann auch in diesen letzten Teil.

Als Sie am 20 III schrieben, haben Sie meinen letzten Brief vom 20 III noch nicht in Händen [gehabt]?

Nun ist wohl alles klar? (DT 244)

Benn an Marguerite Schlüter [Berlin], 4. April 1956

[...] »Die Züge deiner« würde ich nicht als vorletztes Gedicht setzen, sondern etwa zwischen »Reisen« u. »Spät« (Das Ding wird doch erst zu Pfingsten fertig oder im Hochsommer!) (DT 244)

Primäre Tage
Erstdruck 1958

Benn an Friedrich Wilhelm Oelze [Berlin], 28. April 1940

Ich trete in Konkurrenz mit Herrn Thorbecke[1] und sende Ihnen statt Brief ein paar Verse[2], teils alter, teils neufrisierter, teils neuerer Herkunft. *Lehr*gedichte, auch darin der Bremer Schule ähnelnd. (UBO)

1 Identität nicht mehr festzustellen.

2 Dem Brief liegen die von GB signierten und datierten (19)40 Typoskripte der folgenden Gedichte bei: »Wer Wiederkehr in Träumen weiß«; »Wenn dir am Ende der Reise« (1939); »Dann gliederten sich die Laute« (1939), deren erstes und letztes im »Merkur«, XII, 3 (1958) veröffentlicht wurden.

Benn an Friedrich Wilhelm Oelze [Berlin], 29. April 1940

Ich überfiel Sie mit Gedichten. Zu dem einen hatte ich 2 Versionen und Sie haben die falsche bekommen. Ich bitte Sie sehr, in dem Gedicht: »Wer Wiederkehr in Träumen weiß« [3] den 2. Vers [4] zu streichen und dafür zu setzen:

»Starben die Götter? Nein, sie leben her!
Sie haben noch ihr Tier u. ihre Reben
und nehmen Opfer über u. vergehen,
wohnen im Haus u. wandeln auf dem Meer.«

Obschon dieser Vers im Reim sich von den anderen 3 abhebt, *bitte ich sehr,* ihn an Stelle des Ihnen übersandten zu setzen u. [es?] handschriftlich zu korrigieren. (UBO)

3 Entstanden 1940.

4 Im Typoskript von Dr. Oelze lautet die ursprüngliche zweite Strophe:

Die Götter tot? Sie leben her!
Mit ihrem Tier, mit ihren Reben,
in Hainen wandelnd, auf dem Meer,
und nehmen Opfer und vergehen.

Über das Dichten

Aus »Gespräch« 1910

[...] was heißt das denn eigentlich: Dichten, und um was handelt es sich, wenn man irgend etwas beschreiben will? Feiner, flüchtiger, noch nie gesagter Dinge will man doch habhaft werden und sie so aufbewahren, daß sie den Schmelz nicht verlieren, den sie trugen, als sie zu uns kamen. Du mußt also eine ganze Heerschar von Worten und Bildern und Vorstellungen haben, denen du gebieten kannst; und du mußt sie zusammenpassen und du mußt sie ändern, sie müssen ganz geschmeidig vor dir sein, und meinst du, du vermöchtest dies, ohne ganz genau zu wissen, woher sie eigentlich kommen und was denn in ihnen steckt? Meinst du, du könntest irgend etwas anfangen mit hergelaufenen Worten, die blaß und matt und müde zu dir kommen? [...] Und zwar handelt es sich um Worte, die für die Beschreibung sehr wichtig sind; um Worte über Gerüche, Farben und Geräusche, über Leibliches und Tierisches; die sind nun bei ihm und können ihm helfen, sooft er etwas Neues, etwas Lebendiges, Bewegliches beschreiben will. Er hob sie ja von lauter lebendigen, beweglichen, miteinander spielenden Dingen. (GW IV, 182)

Das hieße also, ehe man einen Roman oder ein Gedicht schreiben wollte, müßte man Chemie, Physik, experimentelle Psychologie, Atomistik, Embryologie studieren? (GW IV, 180)

Aus »Schöpferische Konfession« 1919

Ich finde nämlich in mir selber keine Kunst, sondern nur in der gleichen biologischen gebundenen Gegenständlichkeit wie Schlaf oder

Ekel die Auseinandersetzung mit dem einzigen Problem, vor dem ich stehe, es ist das Problem des *südlichen Worts.*

Wie ich es einmal versucht habe darzustellen in der Novelle »Der Geburtstag« (Gehirne); da schrieb ich: »da geschah ihm die Olive«, nicht: da stand vor ihm die Olive, nicht: da fiel sein Blick auf eine Olive, sondern: da geschah sie ihm, wobei allerdings der Artikel noch besser unterbliebe. Also, da geschah ihm »Olive« und hinströmt die in Frage stehende Struktur über der Früchte Silber, ihre leisen Wälder, ihre Ernte und ihr Kelterfest.

Oder an einer anderen Stelle derselben Novelle: »groß glühte heran der Hafenkomplex«, nicht: da schritt er an den Hafen, nicht: da dachte er an einen Hafen, sondern: groß glühte er als Motiv heran, mit den Kuttern, mit den Strandbordellen, der Meere Uferlos, der Wüste Glanz. [. . .] Oder in einer anderen Novelle schreibe ich weichliche Freudengrüße über: »Anemonenwald«. Allen Leichtsinn, alle Wehmut, alle Hoffnungslosigkeit des Geistes enthülle ich oder trachte ich zu enthüllen als Schichten dieses Querschnittes von Begriff. Da sollte einer sein, der ging durch diese kleinen Blumen, im Wald, durch die verwehenden Gebilde, er dachte, das ist noch nicht so weit, wir brauchen uns noch nicht so zu beunruhigen, es ist ja bis zum Abschluß noch sehr weit, dies ist nur »zwischen den Stämmen feines, kleines Kraut; anderes würde kommen bis in das Unendliche hinein, Anemonenwälder und über sie hinaus Narzissenwiesen, aller Kelche Rauch und Qualm, im Ölbaum blühte der Wind und über Marmorstufen stieg, verschlungen, in eine Weite die Erfüllung«. – Dann aber nach Jahren eben des Lebens Jahren, sah er, »dies war der Anemonenwald gewesen, um ihn gebreitet, am Saum den Hauch.« [. . .] Mich sensationiert eben das Wort ohne jede Rücksicht auf seinen beschreibenden Charakter rein als assoziatives Motiv und dann empfinde ich ganz gegenständlich seine Eigenschaft des logischen Begriffs als den Querschnitt durch kondensierte Katastrophen. Und da ich nie Personen sehe, sondern immer nur das Ich, und nie Geschehnisse, sondern immer nur das Ich, da ich keine Kunst kenne und keinen Glauben, keine Wissenschaft und keine Mythe, sondern immer nur die *Bewußtheit,* ewig sinnlos, ewig qualbestürmt –, so ist es im Grunde diese, gegen die ich mich wehre, mit der südlichen Zermalmung, und sie, die ich abzuleiten trachte in ligurische Komplexe bis zur Überhöhung oder bis zum Verlöschen im Außersich des Rausches oder des Vergehens.

(GW IV, 188 ff)

Aus »Epilog und lyrisches Ich«[1] 1921

Einige Jahre später. Neue Arbeiten, neue Versuche des lyrischen Ich. Digestive Prozesse, heuristische Kongestionen, transitorische monistische Hypertonien zur Entstehung des Gedichts. Ein Ich, mythen-monoman, religiös, faszinär: Gott ein ungünstiges Stilprinzip, aber Götter im zweiten Vers etwas anderes wie Götter im letzten Vers – ein neues ICH, das die Götter erlebt: substantivistisch suggestiv.

Es gibt im Meer lebend Organismen des unteren zoologischen Systems, bedeckt mit Flimmerhaaren, Flimmerhaar ist das animale Sinnesorgan vor der Differenzierung in gesonderte sensuelle Energien, das allgemeine Tastorgan, die Beziehung an sich zur Umwelt des Meers. Von solchen Flimmerhaaren bedeckt stelle man sich einen Menschen vor, nicht nur am Gehirn, sondern über den Organismus total. Ihre Funktion ist eine spezifische, ihre Reizbemerkung scharf isoliert: sie gilt dem Wort, ganz besonders dem Substantivum, weniger dem Adjektiv, kaum der verbalen Figur. Sie gilt der Chiffre, ihrem gedruckten Bild, der schwarzen Letter, ihr allein. [...]

Nun ist solche Stunde[2], manchmal ist es dann nicht weit. Bei der Lektüre eines, nein zahlloser Bücher durcheinander, Verwirrungen von Ären, Pêlemêle von Stoffen und Aspekten, Eröffnung weiter typologischer Schichten: entrückter strömender Beginn. Nun eine

1 Im Benn-Archiv des Schiller-Nationalmuseums in Marbach befindet sich ein Typoskript, handschriftlich mit »Lebenslauf von Gottfried Benn« überschrieben, das, von geringfügigen Abweichungen abgesehen, mit dem als »Epilog« veröffentlichten Text in den »Gesammelten Schriften« (1922) identisch ist. Das letzte Blatt ist datiert und signiert: Berlin 19. VIII. 1921. Gottfried Benn. Das Enstehungsjahr des »Lyrischen Ich« gibt Benn 1927 an [Vgl. S. 46 in GW, IV vgl. auch »Die Literarische Welt«, III, 11 (1927), S. 2]. Zu einem Essay sind die beiden Texte zum ersten Mal in »Gesammelte Prosa« (1928) zusammengefaßt.

2 des Schaffens.

Müdigkeit aus schweren Nächten, Nachgiebigkeit des Strukturellen oft von Nutzen, für die große Stunde unbedingt. Nun nähern sich vielleicht schon Worte, Worte durcheinander, dem Klaren noch nicht bemerkbar, aber die Flimmerhaare tasten es heran. Da wäre vielleicht eine Befreundung für Blau, welch Glück, welch reines Erlebnis! Man denke alle die leeren entkräfteten Bespielungen, die suggestionslosen Präambeln für dies einzige Kolorit, nun kann man ja den Himmel von Sansibar über den Blüten der Bougainville und das Meer der Syrten in sein Herz beschwören, man denke dies ewige und schöne Wort! Nicht umsonst sage ich Blau. Es ist das Südwort schlechthin, der Exponent des »ligurischen Komplexes«, von enormem »Wallungswert«, das Hauptmittel zur »Zusammenhangsdurchstoßung«, nach der die Selbstentzündung beginnt, das »tödliche Fanal«, auf das sie zuströmen die fernen Reiche, um sich einzufügen in die Ordnung jener »fahlen Hyperämie«, Phäaken, Megalithen, lernäische Gebiete – allerdings Namen, allerdings zum Teil von mir sogar gebildet, aber wenn sie sich nahen, werden sie mehr. Astarte, Geta, Heraklit – allerdings Notizen aus meinen Büchern, aber wenn ihre Stunde naht, ist sie die Stunde der Auleten durch die Wälder, ihre Flügel, ihre Boote, ihre Kronen, die sie tragen, legen sie nieder als Anathemen und als Elemente des Gedichts. Worte, Worte – Substantive! Sie brauchen nur die Schwingen zu öffnen und Jahrtausende entfallen ihrem Flug. Nehmen Sie Anemonenwald, also zwischen Stämmen feines, kleines Kraut, ja über sie hinaus Narzissenwiesen, aller Kelche Rauch und Qualm, im Ölbaum blüht der Wind und über Marmorstufen steigt, verschlungen in eine Weite die Erfüllung – oder nehmen Sie Olive oder Theogonien: Jahrtausende entfallen ihrem Flug. Botanisches und Geographisches, Völker und Länder, alle die historisch und systematisch so verlorenen Welten hier ihre Blüte, hier ihr Traum – aller Leichtsinn, alle Wehmut, alle Hoffnungslosigkeit des Geistes werden fühlbar aus den Schichten eines Querschnitts von Begriff.

Ach, nie genug dieses einen Erlebnisses: das Leben währet vierundzwanzig Stunden und, wenn es hoch kommt, war es eine Kongestion! Ach immer wieder in diese Glut, in die Grade der plazentaren Räume, in die Vorstufe der Meere des Urgesichts: Regressionstendenzen, Zerlösung des Ich! Regressionstendenzen mit Hilfe des

Worts, heuristische Schwächezustände durch Substantive – das ist der Grundvorgang, der alles interpretiert: Jedes ES das ist der Untergang, die Verwehbarkeit des ICH; jedes DU ist der Untergang, die Vermischlichkeit der Formen. »Komm, alle Skalen tosen Spuk, Entformungsgefühl« – das ist der Blick in die Stunde und die Glücke, wo die »Götter fallen wie Rosen« – Götter und Götterspiel.

Schwer erklärbare Macht des Wortes, das löst und fügt. Fremdartige Macht der Stunde, aus der Gebilde drängen unter der formfordernden Gewalt des Nichts. Transzendente Realität der Strophe voll von Untergang und voll von Wiederkehr: die Hinfälligkeit des Individuellen und das kosmologische Sein, in ihr verklärt sich ihre Antithese, sie trägt die Meere und die Höhe der Nacht und macht die Schöpfung zum stygischen Traum: »Niemals und immer«.

(GW IV, 11 ff)

Benn. Lebenslauf[3] Berlin, 19. August 1921

»Ich bin demnach jetzt 35 Jahre und total erledigt. Ich schreibe nichts mehr, man müßte mit Spulwürmern schreiben und Koprolalien; ich lese nichts mehr, wen denn – die alten ehrlichen Titaniden mit dem Ikaridenflügel im Stullenpapier? Ich denke keinen Gedanken mehr zu Ende, rührend das Bild des Abendländers, der immer noch und immer wieder und bis der Okzident in Schatten sinkt, dem Chaos gegenübertritt mit seiner einzigen Waffe, dem Begriff, der Schleuder, davidisch, mit der er um sein Leben kämpft – aber Dämmerung über die formalen Methoden, ich streife manchmal die Vorstellung einer Funktion außerhalb der Psychologie ewig latenter Antithesen syndikalistisch-metaphys. (DT 34)

Benn an Gertrud Zenzes [Berlin] 29. Dezember 1921

Oder eine Arbeit anfangen, ein Stück, eine Novelle, aber wozu, für wen, worüber, alles so erledigt, ausgepowert, abgeknabbert u. schließlich kotzt man vor sich selber, vor der Methode seiner eige-

3 Vorletzter Absatz aus einem Manuskript im Besitz des Schiller-Nationalmuseums, Marbach, dessen Text nicht ganz identisch ist mit dem Text in den »Gesammelten Schriften«, vgl. Anm. 1.

nen Gedanken, seiner produktiven Technik, kurz: der Mechanik des Genialen. Wobei ich nicht sage, was ich betonen möchte, daß *ich* etwas Geniales schriebe. Ich meine: auch das Spontane ist methodisch u. Prometheus pedantisch mit seinen Geiern u. sonstigen Ungeziefer u. eine unerträgliche Figur. Und Arbeiten an seinen eigenen Sachen macht in einer Weise müde des Morgens, verdirbt den Appetit, belegt die Zunge, ruiniert den Magen, macht mürrisch u. depressiv, wie es sich einer nicht leisten kann, der von morgens 8 Uhr an höflich u. nichtssagend seine Schmutzfinken von Patienten empfangen muß. (BR 15 f)

Benn an Gertrud Zenzes [Berlin, wahrscheinlich Anfang 1922]
[. . .] ich habe nur oft, ja meistens so viel Mauern um mich rum, daß ich dem andern kein Verstehen zeigen mag, ich bin so hart geworden, um nicht selber zu zerschmelzen u. schließlich auch sehr fremd u. sehr allein. Es mag auch sein, daß ich menschliches Leid nicht mag, da es nicht Leid der Kunst ist, sondern nur Leid des Herzens. Sehe ich menschlichen Gram, denke ich: nebbich; sehe ich Kunst, Erstarrtes aus Distanz u. Melancholie, aus Trauer u. Verworfenheit [nicht ganz sicher zu entziffern], denke ich: wunderschön. Vielleicht ist das Artistentum, vielleicht eine angeborene u. primäre Einstellung, die hinter allem Vergänglichen das Gleichnis u. hinter dem Chaotischen die Form sucht, vielleicht auch schreibe ich hier sehr oberflächlich u. meine ganz etwas anderes, was zu formulieren mir im Augenblick nicht möglich ist. (BR 16 f)

Benn an Gertrud Zenzes [Berlin], 15. März 1922
[. . .] mir geht jedes geschriebene oder gedruckte Wort direkt mit einem Stich ins Gehirn, ich hab einen besondren Sinn für das Wort [. . .] in der Schilderung ist Gefühl nichts u. Name alles, u. es ist erstaunlich, welche Stilwirkungen man erzielt durch Fortlassen.
(BR 18 f)

Benn an Gertrud Zenzes [Berlin], 4. September [1926]
Ich hausiere jetzt mit Gedichten, Neue Rundschau, Querschnitt etc. haben das Stück 75 M gegen Kasse angenommen. Ich wollte, ich wäre so fingerfertig wie Klabund, der ja heute abend schon wieder

einen »Cromwell« im Lessingtheater hervorkarnickelt. Aber ich bin im Gegenteil körperlich u. seelisch äußerst apathisch u. abgekämpft, von geradezu krankhafter Menschen-, Unterhaltungs- u. Eindrucksflucht; Ibsens Spruch paßt mit allen beiden Ideen: weder will ich, noch kann ich, mir wird nicht vergeben werden. (BR 23)

Benn an Gertrud Zenzes [Berlin], 23. November 1926
Lasen Sie im Oktober-Querschnitt meine 2 miesen Poeme[4] u. den *interessanten Artikel* von R. *Kurtz*[5] *über mich?* (BR 25)

Benn an Carl Werckshagen [Berlin], 10. Dezember [1926]
Vor allem alle Verben fort. Alles um ein Substantiv werfen, Türme errichten aus Hauptworten, an denen die Reihen herunterrieseln. Keine Einführung! ... Gleich los mit affektivem Ruf. (LPBD 74)

Benn an Carl Werckshagen [Berlin], 28. Januar 1928
Aber häufen Sie nicht die Adjektiva[6], die mit un- beginnen, so sehr. Besonders »unerhört« ist so abgegriffen. Vertiefen Sie sich in das Wesen des Hauptworts, von dem Sie sprechen wollen, erleben Sie es u. finden Sie dann den affektenstandenen adjektivistischen Zusatz dafür. Auch »naturhafte Notwendigkeit« ist übernommen u. sagt garnichts. Ein Einzelfall ist sowohl naturhaft wie notwendig, Sie meinen ganz etwas anderes. (BW 6 f)

Benn an Gertrud Hindemith Berlin, 22. Mai 1930
ich werde am Sonntag nicht mit Ihnen fahren können, ich werde

4 »Jena« und »Annonce«, im »Querschnitt« VI, 10 zum erstenmal veröffentlicht, später aufgenommen in »Frühe Lyrik und Dramen«.
5 »Reise um Benn« war der Titel dieses Artikels.
6 Bezieht sich auf Werckshagens Aufsatz über G. Hauptmann »Dorothee Angermann« in »Dramatische Blätter des Oldenburger Landestheaters«, H. 9, 1927/28. Die Stelle lautet: »Das Leben in seiner wahren, unerschöpflichen Wesenheit wird überhaupt erst erkennbar und erlebbar, der *Mensch* erst daseinsfähig, wenn der Bürger seine sämtlichen ökonomischen und kulturellen Vorbehalte preisgegeben und sich der unerhörten Gewalt der Welt, den nackten Elementen der Wirklichkeit, dem unermeßlichen Chaos, der unwiderstehlichen Vernichtung ... überantwortet hat.«

mir das große Vergnügen versagen müssen, ich werde darauf Verzicht leisten müssen, einen Tag mit Ihnen beiden im Freien verbringen zu dürfen, da ich am Sonntag arbeiten muß. Nicht nur, weil der Sonntag ja an sich mein einziger voller Arbeitstag ist, sondern weil Sie mich heute noch dazu so betroffen gemacht, so getroffen haben, weil ich so lange nichts Neues geschrieben habe, so lange keinen neuen Band herausgebracht habe, so unfruchtbar war, das wollten doch Ihre andeutenden Worte sagen. Oh – nur allzu wahr! Dem einen ist es gegeben, in flotter Weise, in ununterbrochenem Zug seine Einfälle zu meistern, seine Gesichte zu bannen; dem andern, mit einem Füllfederhalter, der immerzu aussetzt, in stokkender Form an Sonntagen seine armselige Existenz schriftstellerisch zu versuchen. (BR 35)

Benn an Gertrud Hindemith Berlin, 6. Juni 1930
sehn Sie, ich kann doch meine innere Existenz nicht darauf aufbauen, ob u. daß ich für geeignet gehalten werde, monatlich ohne Beanstandungen einmal im Radio sprechen zu dürfen, ich kann doch nur danach gehn, was ich denke u. was ich denken *muß*, sonst käme ich doch zu dem Mischmasch des gewöhnlichen Feuilletonisten oder gar Ministerialrats im Kultusministerium. (BR 36)

Benn zu Nico Rost 1930
Ich schreibe nicht mehr, gar nichts. Seit Monaten nichts. Wozu auch? Es liest mich nur ein sehr kleiner Kreis. Ich habe unlängst ausgerechnet, daß ich, seit ich schreibe – das ist seit fünfzehn Jahren – aus literarischen Einkünften, lachen Sie nicht – vier Mark fünfzig monatlich erhalten habe. Man soll mich in Ruhe lassen!
(DT 46)

Benn zu Nico Rost 1930
Was ist das für eine Auffassung, mit Hilfe der Literatur die Wohnungsnot und die Lebensmittelversorgung verändern zu wollen? Ihrem tiefsten Wesen gemäß kann die Literatur *nichts ändern*. Die Menschheit wird immer ein tragisches Wesen bleiben, tragisch gespalten. Glauben Sie mir, ihre Abgründe lassen sich nicht auffüllen durch Streuselkuchen und Wollwesten, ihre Dissonanzen sich nicht

auflösen im Rhythmus einer Internationalen. Und sogar wenn man diese ganze Epoche des Individualismus auslöschen könnte, die ganze Geschichte der Seele von der Antike bis zum Expressionismus, auch dann bekäme Ihr Tretjakow niemals recht. *Nie. Nie. Nein,* mit Kunst, lieber Freund, haben diese Herren Tretjakow und Konsorten *nichts* zu tun ...
Nach einigen Augenblicken sehr nachdrücklich und streng: Wer das Leben organisieren will, wird nie Kunst machen, der darf sich auch nicht zu ihr rechnen. Kunst machen, ob es die Falken aus Ägypten sind oder die Romane von Hamsun, heißt vom Standpunkt der Künstler aus, *das Leben ausschließen, es verengen, ja es bekämpfen, um es zu stilisieren.* [...]
Man wird fragen nach dem Gehirn, das die Zeit durch seine Existenz zeugend legitimierte, das nicht überall mitlief, den Rummel mitmachte, dabei war, sondern die Trächtigkeit zu der Erkenntnis hatte: wer mit der Zeit mitläuft, wird von ihr überrannt, aber wer stillsteht, *auf den kommen die Dinge zu.*
[...] Es geht um die Kunst, um Kunstwerke. Nach diesen wird man später, in kommenden Jahrhunderten, fragen und nicht nach gutmütigen, sozialen Theorien. Glauben Sie mir ... (DT 56 ff)

Aus »Zur Problematik des Dichterischen« 1930

Das archaisch erweiterte, hyperämisch sich entladende Ich, dem scheint das Dichterische ganz verbunden. Was aber bedeutet das, was spricht sich darin aus, was schließt es aus, wo drängt es her? Ein Schritt ins Dunkle, eine Theorie von reinem Nihilismus für alle, denen Positivismus Glück, Opportunität und Fortschritt bedeutet, ein Schritt jenseits jeder Ideologie als lyrischer Hormonisierung historischer Systeme, jenseits jeder Realität als der Anfurt vom Geschrei der Quantenquerulanten, ein Schritt aus Flüchtlingselend zu einem Stundengott. Was bleibt als Transzendenz nichtmetaphorischen Geschlechts, als Realität mit Wahnsymbolen, Kanon des Natürlichen und Hieroglyphe aus Phantasmen, die Materie ohne Idee und doch das Medium, aus ihm das Magische zu trinken –: der *Körper* ist es mit seinem der Willkür entzogenen Terrain, auf dem wir doppelzüngig wohnen, seinem nur zu zwei Dritteln geborenen, zu einem Drittel ungeborenen Sein, seinen in Traum wie

Wachen gleich unerforschlichen Regionen, Schattenreich, von dem es keine Rückkehr gibt, stygisches Land, bei dem die Götter schwuren.
Von weither liegt in ihm ein Traum, ein Tier, von weither ist er mit Mysterien beladen, von jenen frühen Völkern her, die noch die Urzeit, den Ursprung in sich trugen, mit ihrem uns so völlig fremden Weltgefühl, ihren rätselhaften Erfahrungen aus vorbewußten Sphären, in deren Körpern das Innenbewußtsein noch labil, die Konstruktionskräfte des Organismus noch frei, das heißt dem Bewußtsein als dem Zentrum der Organisation zugängig waren, noch beweglich war, was heute längst der Willkür entzogen ist, biologisch von uns differenter Typ, archaische Masse, Frühschicht, die im Totem noch das Tier begriff mit warmer Wunde.
Der Körper ist der letzte Zwang und die Tiefe der Notwendigkeit, er trägt die Ahnung, er träumt den Traum. Der Schwellungscharakter der Schöpfung ganz evident: in ihm erschuf sie ihre Korrelate und fordert in den Räuschen nach Gestalt. Alles gestaltet sich aus seiner Hieroglyphe: Stil und Erkenntnis, alles gibt er: Tod und Lust. Er konzentriert das Individuum und weist es auf die Stellen seiner Lockerungen, die Germination und die Ekstase, für jedes der beiden Reiche einen Rausch und eine Flucht. Es gibt – und damit endet diese hyperämische Theorie des Dichterischen – nur eine Ananke: den Körper, nur einen Durchbruchsversuch, die Schwellungen, die phallischen und die zentralen, nur eine Transzendenz: die Transzendenz der sphingoiden Lust.
Es gibt nur den Einsamen und seine Bilder, seit kein Manitu mehr zum Clan erlöst. Vorbei die mystische Partizipation, durch die saughaft und getränkeartig die Wirklichkeit genommen und in Träumen und Ekstasen abgegeben wurde, aber ewig die Erinnerung an ihre Totalisation. Es gibt nur ihn: in Wiederholungszwängen unter dem individuell verhängten Gesetz des Werdens im Spiele der Notwendigkeit dient er diesem immanenten Traum. Seine sozialen Voraussetzungen kümmern ihn nicht: unter Menschen ist er als Mensch unmöglich, das sagt Nietzsche von Heraklit, also Gelächter über sein Leben. Mögen andere, zwischen den Zeilen und ohne Kluft, von Dingen reden, die erst später wurden, Beziehungen schildern, die vorübergehen, von Fragen leben, die sich schnell zer-

lösen, immer und zu allen Zeiten wird er wiederkommen, für den alles Leben nur ein Rufen aus der Tiefe ist, einer alten und frühen Tiefe, und alles Vergängliche nur ein Gleichnis eines unbekannten Urerlebnisses, das sich in ihm Erinnerungen sucht.
Eine dunkle, eine unverbrüchliche Gestalt. Sein großes Tier die Krähen: »sie schrein und ziehen schwirren Flugs zur Stadt, bald wird es schnein, weh' dem, der keine Heimat hat«. Und wenn es schneit, er sinkt, gibt alles ihn zurück, die Mitternacht, die Mutternacht: »Daß du nicht enden kannst, das macht dich groß, und daß du nie beginnst, das ist dein Los; dein Lied ist drehend wie das Sterngewölbe, Anfang und Ende immerfort dasselbe.«

(GW I, 81 ff)

Aus »Reiseeindrücke« 1930

Aber es gibt noch andere Reiseeindrücke[7], Eindrücke allgemeinerer und dunklerer Art: Schauer der Fremde, landschaftliche oder ozeanische Berauschungen, Einbrüche aus Stätten, die waren und vorüberziehen, wiederholt habe ich aus solchen Zuständen Material für meine Verse oder Sätze gewonnen. (GW IV, 230)

Aus »Können Dichter die Welt ändern?«[8] 1930

A.: Merkwürdige Substanz! Aber ich möchte Sie zunächst noch an einen ganz bedeutenden Zeitgenossen verweisen. Lasen Sie kürzlich die Rede, die Döblin bei der Totenfeier für Holz in der Akademie der Künste gehalten hat? Senkung des Gesamtniveaus der deutschen Literatur verlangt er, damit das Volk sie verstehe. Hin zu einem neuen Naturalismus, sagt er, der das Allgemeinste des Durchschnitts erfaßt. Lektüre, sagt er, nicht Kunst. Verstandenwerden, sagt er, nicht um die eigenen Gesichte ringen. Wirkung in

7 Benns Antwort auf eine Umfrage der »Literarischen Welt«: »Haben Sie von Ihren Reisen produktive Eindrücke empfangen?« Im Original hat der Text Benns keine Überschrift.
8 Das folgende ist ein Dialog, den die Erstveröffentlichung »Können Dichter die Welt ändern?« in »Die literarische Welt«, VI, 23 (1930) noch enthält, der aber im »Fazit der Perspektiven« (1930) durch einen anderen ersetzt wurde. Vgl. »Fazit der Perspektiven«, Berlin, Stuttgart 1930, S. 99 ff.

das Leben der Nation, sagt er, Sinn für die Not der aufsteigenden Schichten, auf in den Kampf: Veränderung der Welt.
B.: Zweifellos sehr erstaunlich, daß ein so erhabener, ein so metaphysischer Epiker wie Döblin so handgreifliche Dinge sagt. Aber fast ein Schulbeispiel für meine Theorie, daß der Dichter, sowie er das dichterische Milieu verläßt, Gefahr läuft, in den unteren Schichten sein Gesicht und seine Mittel zu verlieren, die er unbedingt und auf jeden Fall bewahren muß, nicht aus Eitelkeit oder um seiner Person willen, sondern gerade der Gebrechlichkeit der Welt halber, die auf allen Wegen seiner bedarf und nach ihm sucht, nach seinem Rang, nach seiner Ordnung, nach seiner Deutung, nach dem Verlöschen in seiner Kunst.
A.: Etwas mystisch. (GW IV, 453 f)

Benn zu Nico Rost 1931

Jeder kann nur mit den Kräften arbeiten, mit denen die Natur ihn bemittelt hat. Der eine arbeitet tatkräftig am Versicherungswesen, und der andere wird es sich nicht nehmen lassen, bei der nächsten Festrede wieder davon auszugehen, daß alles zu Versichernde nur ein Gleichnis ist, und daß in einem Zeitalter, in dem die Religionen der Götter zunichte gehen, während der Sozialismus längst nicht alle Tränen trocknet, die Kunst die besondere Aufgabe des Lebens ist, die Transzendenz, die metaphysische Tätigkeit, zu der es uns verpflichtet. (DT 60)

Aus »Nach dem Nihilismus« 1932

Wir haben inzwischen die *bionegativen* Werte studiert, Werte, die die Rasse eher schädigen und sie gefährden, die aber zur Differenzierung des Geistes gehören, die Kunst, das Geniale, die Auflösungsmotive des Religiösen, das Degenerative, kurz alles, was die Attribute des Produktiven sind. Wir setzen also heute den Geist nicht in die Gesundheit des Biologischen ein, nicht in die Aufstiegslinie des Positivismus, sehen ihn allerdings auch nicht in einer ewig schmachtenden Tragödie mit dem Leben, sondern *setzen ihn als dem Leben übergeordnet ein,* ihm konstruktiv überlegen, als formendes und formales Prinzip: Steigerung und Verdichtung – das scheint sein Gesetz zu sein. Aus dieser gänzlich transzendenten Einstellung ergibt sich dann vielleicht eine Überwindung, nämlich eine artistische Ausnutzung des Nihilismus, sie könnte lehren, ihn dialektisch, das heißt provokant zu sehen. Alle die verlorenen Werte verloren sein zu lassen, alle die ausgesungenen Motive der theistischen Epoche ausgesungen sein zu lassen, und alle Wucht des nihilistischen Gefühls, alle Tragik des nihilistischen Erlebnisses in die formalen und konstruktiven Kräfte des Geistes zu legen, bildend zu züchten eine für Deutschland ganz neue Moral und Metaphysik der Form. Manches deutet ja darauf hin, daß wir vor einer ganz allgemeinen entscheidenden anthropologischen Wendung stehn, banal gesagt: Verlagerung von Innen nach Außen, Verströmen der letzten arthaften Substanz in die Gestaltung, Überführung von Kräften in Struktur. Die moderne Technik und die moderne Architektur deuten ja in dieser Richtung: der Raum nicht mehr philosophisch-begrifflich wie in der Kantischen Epoche, sondern dynamisch-expressiv; das Raumgefühl nicht mehr lyrisch-vereinsamt angesammelt, sondern projiziert, ausgestülpt, metallisch realisiert. Manches, wie der Expressionismus, der Surrealismus, die Psychoanalyse, deutet ja in der Richtung, daß wir *biologisch* einer Wiedererweckung der Mythe entgegengehn und *kortikal* einem Aufbau durch Entladungsmechanismen und reine Expression. Unsere Widerstände gegen rein Episches, externen Stoffzustrom, Begründungen, psychologische Verkleisterungen, Kausalität, Milieuentwicklung, dagegen unser Drang zu direkter Beziehung, zum Schnitt, zum Gliedern, zum reinen Verhalten sagt es ja auch. Die letzte arthafte Substanz will *Ausdruck,* überspringt alle ideologischen Zwischenschaltungen und bemächtigt sich nackt und unmittelbar der Technik, während sich die Zivilisation inhaltlich zurück zur Mythe wendet – das scheint das Endstadium zu sein. Der uralte, der ewige Mensch, der primäre Monist, entflammt vor seinem Endbild, einem Bild unter dem Goldhelm: wieviel Strahlen noch durch die Runen, wieviel Glanz noch am Rande der Schatten, wie vielfältig: mit Bindungen an Räusche und an Züchtung, mit Spannungen vom Aufgang zum Finale, er, die elementare Synthese der Schöpfung im Erinnern und die progredient zerebralisierte Analyse seiner historischen Sendung im Gehirn, verschleudernd Europas genormte Massen, streifend Yukatans weißen zerfallenen Stein, der Osterinsel transzendente Kolosse, sinnt der Ahnen, der Urmenschen, der Proselenen, sinnt seines unerrechenbar alten, aber immer gleichgerichtet mörderischen anti-dualistischen, anti-analytischen Kampfes und erhebt sich noch einmal zu einer letzten Formel: der konstruktive Geist.

»Eine antimetaphysische Weltanschauung, gut – aber dann eine artistische«, dies Wort aus dem »Willen zur Macht« bekäme dann einen wahrhaft finalen Sinn. Es bekäme dann für den Deutschen den Charakter eines ganz ungeheuren Ernstes, als Hinweis auf einen letzten Ausweg aus seinen Wertverlusten, seinen Süchten, Räuschen, wüsten Rätseln: das Ziel, der Glaube, die Überwindung hieße dann: das Gesetz der Form. Es bekäme dann für ihn den Charakter einer volkhaften Verpflichtung, kämpfend, den Kampf seines Lebens kämpfend, sich an die eigentlich unerkämpfbaren Dinge heranzuarbeiten, deren Besitz älteren und glücklicheren Völkern schon in ihrer Jugend aus ihren Anlagen, ihren Grenzen, ihren Himmeln und Meeren unerkämpft erwuchs: Raumgefühl, Proportion, Realisierungszauber, Bindung an einen Stil. Also ästhetische Werte in Deutschland, Artistik in einem Land, wo man von Haus aus so viel träumt und trübt? Ja, die gezüchtete Absolutheit der Form, deren Grade an linearer Reinheit und stilistischer Makellosigkeit allerdings nicht geringer sein dürften als die inhaltlichen früherer Kulturepochen, selbst bis zu den Graden vor dem Schierlingsbecher und vor dem Kreuz-, ja nur aus den letzten Spannungen des Formalen, nur aus der äußersten, bis an die Grenze der Immaterialität vordringenden Steigerung des Konstruktiven könnte sich eine neue *ethische* Realität bilden – *nach* dem Nihilismus!

(GW I, 159 ff)

Aus »Akademie-Rede« 1932

Und da die Zeit für den einzelnen Redner sehr knapp bemessen ist, will ich mit einem Satz aus einem meiner Bücher beginnen, der zwar äußerst gewagt ist und die Herkunft aus der expressionistischen Sphäre meiner literarischen Generation nicht verleugnet, der aber ganz unmittelbar in die spezielle Problematik einführt, die ich im Auge habe. Daß *Produktivität* von vornherein, *kein reines Zivilisations- und Bildungsphänomen* ist, *sondern eine radikal*

extravagante Nuance enthält und eine unrepräsentative, dessen werden Sie sich beim folgenden gewiß erinnern. Mein Satz beschwört Kanaan, das Land, in dem Milch und Honig fleußt, beschwört das Zeitalter der ungetrennten Existenz, in der Anschauung und Begriff, Farbe und Zahl, Instinkt und Rinde in einer Art Unschuld aneinanderlagen, das Zeitalter, das etwa bis Leibniz reichte, der noch einmal von der besten aller möglichen Welten sprach, bis Goethe, in dessen Seele sich das ungeheure Reich noch einmal simplifizierte; das Zeitalter, an das dann Kleist grenzte: Küsse, Bisse mit Blitzen in die Nacht geschrieben; an das immer gefährlicher eine Spannung schlug, immer zerstörerischer ein Funken: die progressive Zerebration, mit welchem Begriff die Anthropologie die unaufhaltsam fortschreitende Verhirnung der menschlichen Rasse bezeichnet; meine These beschwört das Wort des Psalmisten, das Wort eines alten Glücks, daß das Leben siebzig Jahre währe, und wenn es hoch kommt, ist es Mühe und Arbeit gewesen –: und lautet in ihrer ganzen nackten Entblößtheit, in ihrer durch nichts mehr zu beeinflussenden Ablehnung aller ideologischen Weiterungen: *»Das Leben währet vierundzwanzig Stunden, und wenn es hoch kommt, war es eine Kongestion.«*
Dieser Satz enthält zunächst eine scharf antiindividualistische Tendenz. Die psychologische Kontinuität des Einzel-Ich ist unterbrochen. Sturm und Drang, Vatermord, Schreie gegen den Tyrannen, alle diese voluminösen Unfälle von der Wiege bis zur Bahre sind als zu typisch in ihrer rein generellen Evolution mit den Mitteln einer extremen, ewig zu Exzessen geneigten Synthese nicht mehr zu erfassen. Das psychologische Interieur eines zum Erlebnis strebenden und dann dies Erlebnis im Entwicklungssinne verarbeitenden Ich tritt in den Schatten, und hervor tritt ein Erkenntnis forderndes, Begriffe bildendes, Worte schaffendes Ich, das den biographischen Ablauf nur noch auf seine Virulenz hin sondiert, unter deren Reiz begrifflich oder perspektivistisch zu summieren.

(GW I, 431 f)

Benn an Friedrich Wilhelm Oelze [Berlin], 27. Januar 1933

An Stelle des Begriffs der *Wahrheit* und der Realität, einst theologisches, dann wissenschaftliches Requisit, tritt ja jetzt der Begriff der *Perspektive.* »Perspektivismus« von Nietzsche stammend, von Ortega in letzter Zeit populär gemacht. Der Formtrieb, der Gestaltungs- und Abgrenzungstrieb braucht ja Material, Stoff. Aber man verwendet ihn nicht im Wahrheitssinn, sondern perspektivistisch. Man entwickelt eine *Perspektive.* Ist diese existentiell glaubhaft, überzeugend als Ausdruck eines Sehens, einer Vision, ist ihr Zweck erfüllt. Natürlich wird ihr Realitätsgehalt, ihr exakter Befund eventuell bald überholt und verdrängt von neuen Befunden, Ergebnissen, sogenanntem Beweismaterial. Aber es bleibt ihre visionäre Realität, ihr Bildhaftgewordenes, ihre im Hinblick auf den Autor existentielle Intensität. Sie bleibt als *Ausdruck,* als *Kunst.* Sie ist Erkenntnis, während Wissenschaft ja nur Sammelsurium, charakterloses Weitermachen, entscheidungs- und verantwortungsloses Entpersönlichen der Welt ist. Die Kunst und die perspektivistische Erkenntnis übernimmt die persönliche, ach so schmerzliche und ewig angegriffene Verantwortung der Abgrenzung des Stoffes, der Gliederung und Verwerfung unter dem Gesichtspunkt von Idee und Blick und existentiellem Recht. Die Wissenschaft läuft, sabbert staatsgeschützt, pensionsberechtigt, mit Witwen- und Waisenversorgung ausflußartig dahin, wagt gar keine Entscheidung, keine Wertung, ist zu begnügsam, methodisch verweichlicht, empirisch angezäunt, fürchtet das Allgemeine, flieht die Gefahr. Das wahre Denken aber ist immer gefährdet und gefährlich. Der Gedanke und das Wort kam ja nicht in die Welt, um die Wissenschaft und den Sozialismus und die Krankenkassen zu rechtfertigen, sondern als die furchtbarste Waffe, die grausamste Schneide, der blutigste Morgenstern dem waffenlosen Menschen in der grausamsten aller Welten zu helfen. Davon ein Rest blieb dem Gedanken, der wirklich denkt, der nicht wissenschaftlich denkt, sondern visionär, zwanghaft unter eingeborenen Ideen. Davon ein Rest blieb in der Kunst, im halluzinatorischen Denken, im Ausdrucksdenken. Das ist tiefes, von weither zwangsmäßiges Denken. Daher der Satz, der oft in den Kritiken über meine Bücher citiert wird: »Überall der tiefe Nihilismus der Werte, doch darüber die Transcendenz der schöpferischen Lust.« Also: Nihilismus gegenüber den *Ergebnissen* der Wissenschaft, aber zwanghaft das Gesetz der Form, der Gestalt, der Perspektive.

(VBO 442 f)

Benn an Käthe von Porada [Berlin], 4. Juli 1933

[...] damit Sie nicht mit zu schlechten Eindrücken von mir abreisen, sende ich Ihnen hier noch etwas Mildgewordenes und Kosmisches, aber wollen Sie sicher sein, auch das Böse u. Grausame gehört zu »des Mannes dunklem Weg«. Vergessen Sie überhaupt nicht, wie einsam alle diese Dinge sind, wie schwer erkauft, was für eine Atmosphäre von Fragwürdigkeit auch um die vollendetsten liegt, wie sie einander aufheben schon im Zug eines einzelnen Lebens, Kunst ist doch nie vorbildlich, sondern immer extraordinär.

(DT 119)

Benn an Käthe von Porada [Berlin], 20. Juli 1933

Ich bin weder grausam noch romantisch, nur ohne Illusionen, vor allem über mich selbst. Abschätzen von Entfernungen, Auskalkulieren jedes Millimeters, Exaktheit selbst in Wünschen u. Träumen, gerade in ihnen: dies Prinzip des Artistischen im hohen Sinn, gilt für mich seit Jahren auch im Leben. Nur damit kann man sich halten, wenn man arbeiten muß, Geld verdienen u. dazu noch von Visionen lebt. Ökonomisches Prinzip. (DT 125 f)

Benn an Käthe von Porada [Berlin], 21. Juli 1933

Mit meiner ganzen brutalen Energie, die ich im Geistigen zur Verfügung habe, versuche ich durchzustoßen zu einem neuen Gedicht, einer neuen lyrischen Strophe, aber vorläufig vergeblich. So viel »inneres Raffinement«, innere Methode, inneres Grundgefühl ist zugrunde gegangen durch die Zeitlage, das Leben, das Alter, die Reife oder was immer es ist. (DT 127)

Benn an Käthe von Porada [Berlin], 26. Juli 1933

Z. B. arbeitet er[9] viel mit Adjectiva, was ich horrend finde in der Lyrik. Lyrik ist ejakulativ, fast nur Hauptworte, kaum selbst Verben! (DT 129)

Benn an Käthe von Porada [Berlin], 24. August 1933

Hier geht's so so la la. Habe ein paar Aufsätze verfertigt für Zeitschriften, die gut zahlen, läppisches Zeug. Was man so jetzt will.

(DT 136)

9 Paul Valéry.

Benn an Käthe von Porada [Berlin], 14. September 1933

Dann ein neuer schwerer, man kann schon sagen übler Angriff in einem neuen Emigrantenblatt gegen mich: ich bin u. habe: Tücke, Niedertracht, Mangel an Scham, Mangel an Geist, letzter Tiefstand, halb pathologisch halb gemein, ekelerregend, hysterisch, Raserei der Brutalität usw. Darüber ein andermal mehr. (DT 139)

Benn an Käthe von Porada [Berlin], 19. September 1933

Heute nachmittag im Radio. [...]

... Eben kommt der telefonische Anruf vom Rundfunk, daß die Lesung meiner Gedichte unterbleiben muß – Ursache: peinliches Schweigen. Wahre Ursache, von mir erwartet: wegen Defaitismus! Ich bin sehr froh darüber, es gehört wirklich nicht ins Aufbauprogramm. – (DT 140)

Benn an Käthe von Porada [Berlin], 21. Oktober 1933

[...] ich saß nicht nur in Arbeit, ich hatte Krach, mußte mich meiner Haut wehren nach den verschiedensten Seiten. Briefe diktieren, eine Rundfunksache arbeiten [10]. Proben dazu mitmachen (mit Musik).

[...] innerlich zum Bersten mit Trümmer u. Modder angefüllt. Muß arbeiten. (DT 142)

Benn an Käthe von Porada [Berlin], 3. November 1933

[...] ich bin *mehr als je* ganz auf die innere Wirklichkeit zurückgezogen, nur für sie führe ich diese äußerlich so schwierige Existenz. (DT 143)

Aus »Totenrede auf Max von Schillings« 1933

Es war eine andere Stimme, die sprach, die ewig ringende und ruhelose Stimme des schöpferischen Menschen, des gezeichneten Menschen, für den es kein Halten gibt am Rand der sichtbaren Welt, der in sie einbrechen muß, ihren Kern enthüllen, ihre letzte Bitterkeit und ihr letztes Labsal trinken, bis er mit ihr zu Ende ist und sie weitergibt als Form, geistgewordenes weiterwirkendes Ge-

10 »Zucht und Zukunft«. Vortrag, gehalten in der Berliner Funkstunde, im Oktober 1933.

setz, sie zurückgibt dem mütterlichen Stamm, dem Volk, der großen menschlichen Gemeinschaft. (GW I, 451)

Aus »Lebensweg eines Intellektualisten« 1934

Manchmal die beiden Fluten schlagen hoch zu einem Traum, ist der Traum vollkommen und spricht er sich aus, panisch sowohl wie abgemessen, entsteht das Gedicht. In ihm sammelt sich die Rasse, in ihm ruht und atmet für Augenblicke die gestillte menschliche Natur. Nicht in jedem Jahrzehnt und erst, wenn ein Volk reif ist, entsteht dies Gedicht. Im Jahrhundert sind das nicht viele, betrachtet man sie, sind sie olympisch oder lethisch, alles Mittelmaß ist hier gemein. Viele sind bruchstückartig, manche Generation liefert nur eine Strophe, fast alles scheint von Gefesselten zu stammen, von Angeschmiedeten, nur von Felsen die Schreie klingen, tief, durchdringend, und ihr Echo hallt. [...]

Wahrscheinlich wird das lyrische Ich immer in zwei Formen erlebt, einer zersprengenden und einer sammelnden, einer brutalen und einer stillen, die Rauschmethode kennen beide, man sinkt ins Bodenlose, ins Blutlose, und dann kommen die Andränge mit der Erprobung der Vision. Vorstudien liegen vielfach vor, aber die hätten auch anders verwertet werden können, nun aber kommt die Stunde und belädt sich mit den Bildern. [...]

Der *Kunstträger* ist statistisch asozial, weiß kaum etwas von vor ihm und nach ihm, lebt nur seinem inneren Material, für das sammelt er Eindrücke in sich hinein, das heißt zieht sie nach innen, so tief nach innen, bis es sein Material berührt, unruhig macht, zu Entladungen treibt. Er ist ganz uninteressiert an Verbreiterung, Flächenwirkung, Aufnahmesteigerung, an Kultur. Er ist kalt, das Material muß kaltgehalten werden, er muß ja die Idee, die Räusche, denen die anderen sich menschlich überlassen dürfen, formen, das heißt härten, kalt machen, dem Weichen Stabilität verleihen. Er ist zynisch und behauptet auch gar nichts anderes zu sein, während die Idealisten unter den Kulturträgern und Erwerbsständen sitzen. Nahe stehen sich von den Kunstträgern die Romanschriftsteller mit den Kulturträgern, beiden eignet das Pflegliche und das In-die-Breite-Gehen, auch das Einträgliche, während der Lyriker ein ausgesprochener Kunstträger ist. (GW IV, 44 f, 51)

Antwort Benns auf die Umfrage einer Zeitschrift 1934 [11]

Language is passing through a crisis, because the white man is passing through a crisis. There is nothing mysterious or dark in this. It is the obvious scheme of creation occasionally to make an offensive as far as the species are concerned and to produce smaller or larger mutations. The human spirit is going through a metamorphosis, and when its emotions, its equations, its vision, its records change, it is obvious that a change must also occur in its metaphysics and language, which is its function in the spatial sphere. I do not see any crisis of language that goes beyond this particular change.

Language is changing today the way it has always changed: on the periphery, outside of bourgeois society and its securities; very often among representatives of the race who plunge too far ahead, or else orientate themselves too far behind. Language grows again from the germ, experiences a fragmentary reconstruction, is filled with single spots of inflammation, which regenerate it internally – all this belongs to the organic, formal metamorphosis of words and language. A basic change of language or even an artificial one will never happen: this belief stems from a mechanistic view of the world.

Everything is monistic, everything is transcendent. Man is a being whose creation was only a half success. He is a mere outline of something. An eagle was envisaged: the feathers and wings were already sketched out, but the whole form was not completed. Language changes according to these phases. It expresses them. If it

11 Der folgende englische Text ist eine Antwort auf zwei von der Zeitschrift »Transition« (hg. v. E. Jolas und E. Paul) gestellte Fragen unter dem Titel »Inquiry on the malady of language«: 1. Do you believe that, in the present world-crisis, the Revolution of Language is necessary in order to hasten the re-integration of the human personality? 2. Do you envisage this possibility through a re-adaption of existing words, or do you favour a revolutionary creation of new words? – Die Antwort Gottfried Benns, veröffentlicht in »Transition« 23 (1934–1935), S. 145–146, hat keine Überschrift. Der deutsche Originaltext ist nicht mehr auffindbar. Der in GW, IV, 262–263, von Wellershoff abgedruckte Text ist eine Rückübersetzung nach der englischen Übersetzung.

expresses an anthropological situation completely, excitedly as well as measuredly, a poem is born. In the poem language is at rest, and the human being, grown calm, breathes for a moment in silence. Immense damage to the consideration of all these things was done, when novelists were allowed to take part in discussions about art. Their hour is at last over. Their twaddle only projected things into shadows. Only *the lyric poet, the major lyric poet, knows what the word really is.* Lyric poetry is either olympian or else it comes from Lethe. The language of the novelist is always reactionary, that is, it suggests a situation that existed thirty years ago, a generation ago. Let us eliminate from all discussions about poetry, the word, syntax, and their background, the corrupting twaddle of those capitalistic magnates of culture! Then the problem of language will appear to us as the great tragic question of man in general, of his inner structure, his creative force, his brief happiness which even on the heights is so doubtful – as doubtful as the tragic question of his unknowable cosmic destiny.

(GW IV, 458 f)

Benn an Frank Maraun [Berlin], 30. März 1935

[...] hiermit nehme ich Abschied von Ihnen. In Berlin ist meine Lage unhaltbar geworden, wirtschaftlich, beruflich und vollends, Sie wissen, literarisch. (BR 64)

Benn an Friedrich Wilhelm Oelze [Hannover], 16. September 1935

Genug! ich kann nicht besser schreiben, ich bin zerrissen von Spannungen, Fragen, geradezu neuen *Kinder*blicken, – die Hände fliegen mir. (VOB 447)

Benn an Friedrich Wilhelm Oelze [Hannover], 23. Oktober 1935

Ja, sonderbar, daß triviale Musik so anregt u. die große nur Druck- u. Fluchtgedanken erzeugt, wenigstens bei mir. Überhaupt: die Künste gehen doch wohl nicht so ineinander über, wie die Romantiker es dachten u. darstellten. Oder wo ist das Gemeinsame, der Grundnenner? Entstehen zu Welten, irreale Wirklichkeit; Fortlassen, Herausheben, Richten auf einer vertretbar vorhandenen konstitutiven Grundlage des Arbeitens ... Exact ist ein Wort, das ich unendlich liebe! Großes Lob! Goethe: »Ich will lieber 100 Ungerechtigkeiten begehen, als *eine* Unordnung hinnehmen.« (UBO)

[Hannover], 22. Februar 1936

Benn an Ellinor Büller-Klinkowström

Bin mir selber mehr als zweifelhaft, wenn ich so die kläglichen Resultate der 25jährigen Dichterei betrachte. Muß ja jetzt wegen des Gedichtbands alles mögliche alte Zeug wieder ansehn, finde zu so vielem gar keinen Weg mehr. Stehe vor Rätseln? Das war drin in mir? Mußte raus, Wort werden, galt als Schöpfung. Was für ein Inferno! Dies ist immer wieder mein Hauptempfinden dabei. Was für ein Gemisch von Heidentum, christlicher Innerlichkeit, Glauben u. Haß, Zersprengen u. Sammeln, eben: *Inferno*.
Aber es hat ja nur, nur Sinn, wenn es rücksichtslos echt u. vorhanden war oder ist. Es gilt *nur* das *Absolute*. Nur das zählt.
Die Stimmen der Oper, von denen Du schreibst, wollen deshalb nur gefallen. Dabei kann was herauskommen, kommt ja auch heraus.
Aber vor den Maßstäben, nach denen ich zu leben trachtete, genügt es nicht. Tödlich muß es sein. Vernichtung, weil man selbst vernichtet würde. Was für ewige Gereiztheiten in meinem Kopf, Spüren nach Kunst, Ausdruck, Spannung, Überspannung bis zum Lächerlichen. Lieber lächerlich, als bürgerlich. Wenn ich an die Jahre 1918–1923 denke, die letzten »Expressionistischen Jahre«, – mein Gott, was habe ich mich gepreßt u. massakriert u. erniedrigt u. gepeitscht, um Kunst zu machen, um zum letzten erfühlbaren Ausdruck zu kommen. Die Sonntage mit Hunger u. Kaffeetrinken bis zum Taumeln, die Nächte vielfach verbummelt, um noch müder, depressiver, mürber zu sein. (DT 180)

Benn an Frank Maraun H[annover], 12. April 1936

[...] haben Sie vielen Dank für Ihre Karte und die Zusendung des Aufsatzes aus dem 8-Uhr-Abendblatt[12]. Ein sehr schöner Aufsatz, für den ich so besonders danke, da es sehr selten wird, daß man über sich etwas hört und liest. (Ist auch nicht nötig; man hat sich selber gefunden und kennt sich in sich aus). (BR 67 f)

12 Die Ausgabe vom 1. April 1936 enthielt einen Artikel Frank Marauns »Traum und Schicksal«.

Benn an Erich Pfeiffer-Belli Hannover, 30. April 1936
[...] seit einem Jahr habe ich kein Wort außerdienstlich gesprochen. Komplette Doppelexistenz. Ich sitze heute abend im Café Kröpcke, am Nebentisch liest ein Herr das B. T., ich sehe: »Der Fünfzigjährige« [13], greife nach der Zeitung u. lese was Sie schreiben. Eine Erschütterung ohnegleichen. Das andere, das abgedeckte Leben bricht plötzlich wieder herein, alle seine Dämonen, Kämpfe, Qualen, Widernatürlichkeiten, seine Neurosen, Beengungen, sein tierisches Müssen in die einzigen Ausgänge: die Worte. (BR 69)

Benn an Friedrich Wilhelm Oelze Hannover, 29. Mai 1936
Schreiben kann und darf ich nichts mehr, wenigstens nichts mehr veröffentlichen, solange ich Soldat bin. (LPBD 137)

Benn an Friedrich Wilhelm Oelze [Hannover], 15. Oktober [1936]
[...] um ein großer Schriftsteller zu werden, muß man vor Allem seine eigene Handschrift lesen können. Daran hat es bei mir von je gemangelt. Alle Notizen, Zettel, Diarien [?] nützen zu nichts, wenn man nach 2 Tagen schon garnicht mehr weiß, was sie bedeuten sollen. Kommt nun noch hinzu, wie es bei mir der Fall ist, daß man auch nicht mehr gerne schreibt, die Zusammenbringung von Tinte und weißem Papier nicht mehr mag, kommen weder Bücher noch Briefe zu Stande. [...] (UBO)

Benn an Egon Vietta Hannover, 8. November 1936
Darf ich, sehr verehrter Herr Vietta, Ihnen bei dieser Gelegenheit meine Meinung in dem Sinne sagen, daß ich es bei der Lage, in der wir uns alle befinden, für das einzig Aristokratische und männlich Vertretbare halte, alles Geistige, das wir auf uns nehmen, der bürgerlichen Existenz, den wirtschaftlichen Lasten, den sozialen Schwierigkeiten abzuringen, es dagegen nicht aus den Händen irgendeiner Stiftung, einer öffentlichen Aufmerksamkeit entgegenzunehmen. Schweigend die einem mögliche Arbeit verrichten und lieber sie fallenlassen, als auf eine öffentliche Hilfe rechnen. Nur dann wird es groß. [...] (BR 76)

13 Titel eines Aufsatzes von Erich Pfeiffer-Belli zum 50. Geburtstag Benns im Berliner Tageblatt vom 30. April 1936.

Benn in einem Notizbuch 1936

Rückblickend – warum habe ich eigentlich so viel gedacht?
Zusammenhänge, Epochen, Gedankensysteme, Zonen, Zeiten (immer durchdacht,
wozu viel abgestaubt, zinnobert, beputzt –).
Wenn es aber Zwang ist, muß es auch Sinn haben, kann nicht durch Spiel, Geschwätz, Politik ersetzt werden –. (DT 159)

H[annover], 10. Januar 1937

Benn an Ellinor Büller-Klinkowström

[...] das wochenlange Schweigen in mich selbst hinein hat seine Aufgabe gehabt, hat ja auch den einen oder den andern Vers hervorgebracht, aber, wie ich schon schrieb, es fängt an, unproduktiv zu werden. Der Geist ist isoliert u. tragisch. Gut, aber das wissen wir nun! Ich wende mich fort von diesen Gedankengängen, ich ertrage sie nicht mehr, sie sind leer, sie sind dumm, es sind Gedankengänge, die bereits Herr ... in sich aufgenommen hat u. herumträgt, wenn er in ... in großer Einsamkeit im Schlitten durch die verschneiten Harzwälder unter türkisblauem Himmel spazierenfährt. Raus aus dem Möff, wenn es noch geht! In irgendeine neue geistige Arbeit hinein, in eine neue innere Lage, in neue Krisen, zu neuen Dämonen, wenn es sein muß, zu neuen schrecklichen Zusammenstößen, Trennungen, usw. nur fort aus der sumpfigen aasigen Destillation, die ich mir innerlich eingerichtet hatte.

(DT 182)

Benn an Friedrich Wilhelm Oelze [Hannover], 10. Januar 1937

Ich glaube [...] Sie schildern nicht die Zeit u. nicht die Gegenwart u. überhaupt nicht die Dinge, Sie schildern das *Wesen des Geistes,* der ruhelos u. reizbar ist, resultatlos u. unvollendbar in einer Welt u. gegenüber einer Welt, in der alle niederen Elemente nach Resultaten und Ergebnissen schrein. Die Erkenntnis, das hier Unvollendbare zu tragen, zeichnet uns aus. An der Kreuzungsfläche, Kreuzigungsfläche zweier unvereinbarer Welten u. Mächte zu stehn, ist unser Schicksal, und zwar zweier großer gesendeten schöpferisch zerklüfteter Welten u. Mächte, wie ich immer wieder zu sagen mich bemühe, auch die »Wirklichkeit« ist großes Schöpfungsreich. An diesem Tatbestand vorbeizusehen, würde die Leistung, die Sie vollbringen, verringern. Ein großes Schöpfungsreich – und doch noch ein anderes da, das sein unvorstellbar großes Wesen, seine Problematik u. seine Abgründe einschneidender in uns erstreckt u. *neue Forderungen* in uns zur Geltung bringt. Der Stoff u. die Form! Bedenken Sie, was der Stoff bedeutet, welche *geistige* Realität er in ein Kunstwerk trägt (Marmor, Reime, eine Stradivari)! Zufällig ist er nicht, er ist auch schon erfüllt von Möglichkeiten. Etwas anderes ist »das Leben«. Leben – das ist schon der Mensch. Das Leben darf er nicht anbeten, das ist die Niedrigkeit der Zeit. Aber das Leben *vor* dem Menschen, vor dem Geist, vor den Werten, vor dem »anthropologischen Prinzip« ist oder war Schöpfung erster Klasse u. von großer Hand. (UBO)

[Hannover], 24. Februar 1937

Benn an Ellinor Büller-Klinkowström

Natürlich frage ich mich auch oft, ob der *Durchbruch* noch einmal kommt u. wann, u. was ich dazu tun könnte. Vor allem müßte ich wohl hier fort. Aber dann frage ich mich, ob nicht die Vorstellung des Sich-Vollendens u. des sich Ganz-Aussprechen-Wollens oder -Könnens falsche Vorstellungen sind. Das Vollendete gibt es nicht. Selbst Größere, selbst die wirklich Großen sind doch so sehr problematisch, ja sie sind nur groß, wo u. solange sie problematisch sind, aber nie vollkommen. Für *Vollkommenheit* bilden wir die Vorstellung der Götter; für Künstler immer nur das Titanische und Tragische u. Unvollendete. Und je öfter man in sich durchbricht, um so mehr. Wenn man ein zerbrechender Geist ist, muß man wohl unvollendet bleiben. (DT 194)

Benn an Friedrich Wilhelm Oelze [Hannover], 21. März 1937

Mir ungemein interessant, was Sie über Hindemith schreiben. Sie mochten ihn zwar nie sehr, aber Sie werden Recht haben. Mir ist ja Musik etwas gänzlich Behelfsmäßiges, nicht um seiner selbstwillen Verständliches, etwas Fremdes. C-Dur –: das ist wohl ganz verächtlich? Etwa Rosen – Kosen, Blühn – Glühn? . . .

Furchtbare Welt um uns herum! Oft vergessen, zu Zeiten, in Momenten ganz grausig deutlich: der Dreck schlechthin, das Inferiore

an sich, der Unterste ⟨?⟩ als solche, in Zeitungen, Büchern, Theatern, allen öffentlichen Reden, allen Deutschen überhaupt. Rettungslos? Uferlos? In aeternam? Ich glaube: ja.
Schweigen –, und mühsam Reihe an Reihe, Vers an Vers, Gedanken an Gedanken setzen, hoffnungslos, aussichtslos, schmerzlich und die Abgründe nie vergessend, bis irgendein Leichenbeschauer das trocken gewordene Auge einem mit bezahltem Geschäftsfinger zudrückt, – der Letzten Los. Ecce homo germanicus. (UBO)

H[annover], 4. April 1937

Benn an Ellinor Büller-Klinkowström

Wenn Du schreibst, es sei wichtig, daß von mir etwas erscheint, so kann ich dem ganz u. gar nicht zustimmen. Mir scheint, daß wir *grundsätzlich* über die Zeit u. Lage doch nicht die gleiche Meinung haben, Du u. ich. Ich betrachte ausnahmslos u. alles, was ich irgendwo aus deutschem Gehirn gedruckt sehe von vornherein für allerletzten Dreck. Was heute die Lizenz der Schriftleiter u. Lektoren passiert, muß Dreck sein. Anderes wird nicht durchgelassen. Ich sehe mit aufrichtiger – kleistnaher Heiterkeit das Getümmel an u. bin froh darüber, daß meine Zeit u. meine Epoche vorbei ist u. gerade noch vor dem Abgrund zu Ende kam. Schließe Dich dem an, Mor, ob Frau Krause oder Frau Niedergesäß einen Namen kennen und lesen, die Frau Krauses der Gegenwart wie der Zukunft ist nicht mehr von Erheblichkeit. Auch der Nachruhm hat Komik u. weiter nichts mehr in dieser ausgefransten Menschheit. Es hat sich in mir eine geradezu teuflische Freude entwickelt, wenn ich fortgesetzt den geistigen Abstieg der Öffentlichkeit, ihre Entwertung, ihre Lumpengesinnung in mich aufnehme. Nein, es braucht von mir nichts mehr irgendwo zu stehn u. wird auch nicht. (DT 198)

[Hannover], 19. Mai 1937

Benn an Ellinor Büller-Klinkowström

»Erstarrung« ist ein zu wichtiges Thema im Moment. Wichtiger ist für mich Deine Bemerkung über: »berechtigten Widerspruch«. Was soll das heißen? Mor, seit Du nicht mehr unter meinen ständigen Influenzstößen stehst, wirst Du nachgiebig! Das war schon neulich ersichtlich, als Du schriebst, ich soll *Faulkner* fortlassen. Er sei nicht angesehn. Mor, wenn alles von mir keinen Widerspruch u. Widerstand mehr hervorruft, will ich abschrammen. Widerspruch *aller,* auch meiner Kreise u. Leute, soweit es noch welche gibt. Entweder man ist der Zeit voraus, oder einfach: *außerhalb* der Zeit, oder man ist in ihr. Das letztere bin ich nicht u. war ich nie.

Du machst es mir schwer, Mor!

Es gehört viel dazu, morgens damit aufzuwachen u. abends damit schlafenzugehn bezw. nicht einschlafen zu können, weil man nur u. in allem außerhalb der Zeit steht u. nur aus Widerspruch zu ihr besteht. Es ist keine Laune, keine Koketterie, keine Literatur, es ist körperlicher, konstitutioneller Zwang. Natürlich entsteht *daraus* die geistige Welt. Die schwebt nicht extra draußen herum. Ihre Wucht u. ihre Wahrheit erhält sie aus dem *körperlichen Zwang,* der hinter ihr steht. Darum kehrt man natürlich auch immer in seine Höhlen u. Finsternisse zurück, seine konstitutionellen Verliese, seine angeborenen Gebrechen [. . .]

Täglich 8 Stunden im Dienst sein, da müde werden u. dann noch seine inneren Dinge bewältigen müssen, die unerbittlich auf Erledigung warten, ist schwer, glaube es mir. – (DT 199 f)

Benn an Friedrich Wilhelm Oelze [Hannover], 30. Mai 1937

Draußen schöner Sommer. Die Wohnung kühl; die Gedanken abgründig zersetzend u. der Café stark. Ein Schlagerlied aus einem amerikanischen Revuefilm sagt mir mehr, erregt mich mehr als die tiefen Gedanken der Geschichte u. der deutschen Zeit.

»Du stehst für Reiche, nicht zu deuten, und in denen es keine Siege giebt.« (UBO)

Benn an Friedrich Wilhelm Oelze [Berlin], 28. Februar 1938

[. . .] Er [der *höhere* Mensch] sieht ferner eine eigentümliche Laune dieser Lage, dieser Kreislage, ein tückisches Ding: an einer einzigen Stelle ist tatsächlich der spätere Kreis, der Geist, in den Lebenskreis eingebrochen, im Menschen, in einzelnen Menschen, meistens lebensentarteten Menschen: die *Gestaltungssphäre,* die Kunst. In ihr werden eigentlich erst überhaupt gelegentlich die Gründe u. Hintergründe seiner, des Menschen, Erschaffung klar, aus ihr seine Tierreihenstellung deutlich. Fläche in Tiefe überführen, Worte durch Beziehung und anordnendes Verwenden zu einer von innen belebten besonderen Welt zu binden, Laute aneinander zu ketten, bis sie sich halten und Unzerstörbares besingen, das ist ihre Tat. Die vom »Leben« aus gesehen, gänzlich unbegreifliche und auch gänzlich unerkennbare Tat! In dieser Gestaltungssphäre äußert sich ein Zug dieser uns übrigen völlig verdeckten, höchst gefährlichen, lebenszerstörenden, selbst Ahnungen kaum zugänglichen, zweifellos der Umbildung der Materie u. Vernichtung des Lebens zustrebenden, gänzlich realen, äußerst potenten geistigen (reine Zahl, reiner Ausdruck, reine Staffelwelt) Macht. Verstehen Sie nun von hier aus den starken, instinktiv zuverlässigen, unbewußt sehr zielstrebig dirigierten Haß des *Lebens* u. seiner Anhangsgebilde (Staat, Familie, Machtideologien, Naturwissenschaften, Religionen, Pädagogen) gegen die Kunst, die etwas anderes wagt als die »Wirklichkeit« zu schildern? Die Wirklichkeit als Maßstab, das Leben als Ziel, die Natur als Vorbild – das ist der deutsch-europäische Dreck [...] (UBO)

Benn an Friedrich Wilhelm Oelze [Berlin], 24. April 1938

Von mir ist nicht viel Neues zu berichten. Alles in Allem deprimiert mich die Lage doch sehr stark. Unabhängig davon, was das Militär sagen oder tun wird u. ob wirklich der Generalfeldmarschall mir ein Kannä bereiten wird oder ob es nur ein Bluff für Johst war u. eine Methode, um ihn unter Druck zu setzen, alles zusammen ist sehr schwer zu tragen. Wenn ich eine einigermaßen auskömmliche Pension bekäme, wäre es das Schönste, wenn ich pensioniert würde. Aber erstens wäre sie nicht ⟨auskömmlich⟩ u. zweitens bliebe doch noch die innere Last, so verächtlich angesehen und behandelt zu werden u. nichts mehr veröffentlichen zu dürfen ...

Und damit sind wir schon wieder bei unserem neulichen Nietzschebriefwechsel, beim Lebensproblem, bei der so verwandelten Stellungnahme zu ihm.

Lassen Sie bitte dies in den folgenden Zeiten nicht mehr aus dem Auge. Fragen Sie sich bei allem, was Sie lesen, ist das Ziel das Lebensproblem oder das Gestaltungsproblem? Hier nämlich spalten sich die Wege. Seien Sie versichert, ich prüfe und frage mich täglich, ob ich aus Ressentiment, Schwäche, Aesthetizismus dem Le-

bensproblem nicht genügend Aufmerksamkeit zuwende. Aber ich finde das nicht. Es muß etwas konstitutionell Echtes, sehr sicher Angelegtes in meiner Denkart sein, das die heutige Problematik, ihr Kernstück, so beurteilt u. belichtet. Erinnern Sie sich immer des Satzes von der Rechtfertigung der Welt *nur* als äesthetisches Phänomen. D. h. als ordnendes, als Gestaltung, als antinaturalistisches Phänomen. Denken Sie an den schon bei Schiller vertretenen Standpunkt vom Übergang des moralischen ins ästhetische Zeitalter.
Ach, manchmal einen Augenschlag lang überblickt man die Erde, die viertausendjährige vom Zwischenstromland bis heute, von Ur bis Champs Elysées, vom Leuchtturm von Pharos bis zum Blinklicht der Flack ⟨?⟩ (1 1/2 Milliarden Kerzenstärke) u. man sieht überall nur Beile und Lanzen, Knechtung, Verrat, Schande und Mord, Horden u. Viecher ⟨?⟩, eine Gondel auf dem Nil, eine Gondel auf dem Canale Grande, die meisten Lümmel, selten ein Herr, immer Bestechung, alles Zufall. Alexander der Große lag in Honig einbalsamiert während der ganzen hellenistischen Epoche im Mausoleum zu Alexandrien, jetzt seit 100 Jahren Napoleon im Invalidendom, – wie ähnlich ist das alles. Was für eine unerschöpfliche dumme tierische Menschheit das, die das alles hinnimmt u. dabei gröhlt! Ist sie ein Holzweg oder wir [...]? (UBO)

Benn an Friedrich Wilhelm Oelze [Berlin], 31. März 1940

Neue Gedanken, neue Pläne, neue Überblicke, – aber Mangel an Zeit! Ein einziger Satz erfordert so viel Ungestörtheit u. Abgeschlossenheit, geschweige ein Absatz oder ein Kapitel! Unerträglich das alles. (UBO)

Benn an Friedrich Wilhelm Oelze [Berlin], 25. März 1941

[...] Diese Welt weiß nicht, daß sich etwas Außerordentliches vorbereitet, nämlich der neue Schritt der Schöpfung zu einer anderen Art, die die Physiologie weiter einschränkt u. dem Unbewußten eingliedert, um den Weg weiter zu gehen zur transzendentalen, halluzinatorischen Rasse, für die Wort, Farbe, Ton stärkere Seinswerte darstellen u. die unter anderen Ausdrucksbedingungen leben wird als die heutige. (UBO)

Benn an Friedrich Wilhelm Oelze [Berlin], 19. Juni 1941

Ihr Besuch und einiges andere hat mich zum Entschluß gebracht. Ich habe mich krank gemeldet und bin willens, OKH und Ministerialzulage aufzugeben, um wieder meine Bewegungsfreiheit zu bekommen, soweit es die heute giebt. Gehirne mit der Neigung, die Erscheinungen der Erde maßstablich abzuwägen und für sie einen gedanklichen Ausdruck zu bestimmen, können nicht jahrelang zu Arbeiten in vorbegrifflichen Welten angehalten werden, ohne schwere Lädierungen zu erleiden. Es gibt eine Unterbelastung im Geistigen, die – wie ihr Gegenteil – zu Zerstörungen führt. An diesem Punkt stand ich. Ich muß nun abwarten, was mit mir wird.

(UBO)

Benn an Friedrich Wilhelm Oelze B[erlin], 14. Oktober 1942

Aber – hélas – Berlin ist meine Stadt – seit 1904 – und wird es bleiben. Von ihr aus versuchte ich mit Hilfe von Bildern u. Steinen in den Museen und den Büchern aus den Leih- u. Staatsbibliotheken hinüber zu äugen in die beschenkteren Reiche mit Marmor, Öl u. Orangen u. jene Eroberungen zu betreiben, die dem lädierten Gehirne allein gegeben sind. Ein Gehirn, dem es genügen muß, daß es in der *Bozenerstr.* endet u. für das es typisch ist, daß es täglich über den *Wittenbergplatz* muß, um in der Kurfürsten- u. Nettelbeckstr. zu landen; auch die Kleiststr., die es passiert, heißt nicht nach Heinrich, sondern nach einem General Kleist zu Nollendorf. – Genug der Geographie! (UBO)

[Berlin], 2. Januar 1943 [zum Geburtstag]

Benn an Friedrich Wilhelm Oelze

Nehmen Sie also Gruß u. Glückwunsch u. Dank von meinem Schreibtisch, an dem ich immer noch sitze; aus meinem Laboratorium, dem Laboratorium für Worte, in dem ich in Anbetracht einiger dienstfreier Tage tätig bin, bestrebt, sie so zu laden und zu füllen, daß ihre Sprengwirkung durch einige Jahreswechsel geht. In der Kraft des von Ihnen gespendeten dunklen Getränks u. einiger bescheidener Zusatzgaben von meiner Tochter –: es ist erstaunlich, wie sehr normale Nahrungszufuhr geistiges Schwergewicht verleiht; die Leistungen bei Heuschrecken u. Honig, die man von den Asketen u. Propheten der Wüste hört u. liest, sind offenbar nicht die, die zu verrichten mir gegeben wären. (UBO)

Benn an Friedrich Wilhelm Oelze B[erlin], 17. Mai 1943

Zur Zeit habe ich Urlaub, kann mich aber nicht entschließen, den Koffer eigenhändig auf einen Bahnhof zu schleppen u. den Kampf um den Sitzplatz auf mich zu nehmen, dann in einem sogenannten Kur- u. Badeort zu hungern, also bleibe ich in Berlin. Hier habe ich China geheim ⟨?⟩ u. die roten Seidenreiher von den Inseln am Delta des Amazonas – am Schreibtisch. Die Natur, in der es ja doch immer irgendwo zieht, ist auf diese Weise vereinfacht u. der innere Mensch bestimmt sich die Eindrücke, die er wünscht. Ein Schatten, der über mein Schreibblatt fällt, vermag mehr anzurichten als die ganze Natur u. ihre realen Landschaften. Kunst ist die Achse des Geistes, – sie verkürzt sich den Weg. – (UBO)

Benn an Friedrich Wilhelm Oelze [Berlin], 30. Juli 1943

Darf ich Sie trotz der Krise auf etwas Stilistisches aufmerksam machen: Sätze u. Gedanken, die mit »wir« beginnen oder auf »wir« beruhen, sind weniger wirkungsvoll u. vehement, als wenn man das »wir« umgeht. Dieser Plural schwächt im Denkerischen ab, Stil ergiebt sich aus der Ichform. (UBO)

L[andsberg] a W., 5. Februar 1944

Benn an Friedrich Wilhelm Oelze

[...] ich gehe beinahe davon aus, daß die Musik, die mich tief erregt – u. das geschieht sehr oft – keine erstrangige Musik im Sinne der Produktion ist. Aber mir genügt diese Musik, sie bewegt mich, bewegt Dinge in mir, trägt mich. (UBO)

Benn an Friedrich Wilhelm Oelze [Landsberg], 5. März 1944

In mir sind wieder alle möglichen Gedankengänge aufgestiegen, aber je mehr man denkt u. aufschreibt, umso blödsinniger erscheint einem alles, um so zerrinnender, umso sinnloser -- angesehn auf Inhalte u. Ergebnis –, schließlich ist tatsächlich nur noch alles Welle u. Spiel u. Schilfgeflüster u. Libellen –, von diesen letzteren fängt man gelegentlich eine u. was man hört, ist nur hohe Töne u. Schwirren, nichts Zoologisches u. Kompaktes mehr. (UBO)

Benn an Paul Fechter Landsberg/Warthe, 23. März 1944

Ihre freundliche Frage nach einer Veröffentlichung muß ich zu meinem Bedauern verneinend beantworten. Eine ganz kleine Auslese[14] rein zu persönlichen Zwecken herausgebracht, kaum ein Dutzend sind im engsten Kreis verschenkt –, ich kann mich nicht entschließen – aus Gründen, die Sie verstehen werden –, den Kreis zu erweitern, ich halte es nicht für opportun in meiner besonderen Lage. Dafür versichere ich Ihnen, daß für den Fall, daß wir beide dies Jahr überstehn, ich, gereift und gefestigt, aber im übrigen ungebrochen expressionistisch, mit neuen Versuchen vor Ihnen erscheinen werde. Ich hoffe dann, Ihre Zustimmung zu finden.

(LPBD 163)

Benn an Friedrich Wilhelm Oelze L[andsberg], 3. April 1944

Und nun noch Dank für die Studie über unsern Igelhoff[15]! In welchem Zusammenhang ich allerdings den Hinweis nicht unterlassen möchte, daß mir persönlich ein guter Schlager interessanter u. mehrsagender ist als z. B. die Lyrik in der D[eutschen] A[llgemeinen] Z[eitung] oder sonstigen Zeitungen für Anspruchsvolle.
Daneben stelze ich weiter durch meine eigenen Gedanken. Eigentlich ist es die Tätigkeit eines Maulwurfs: man bohrt sich ein, wirft Erde heraus, weiß gar nicht, wohin sie fliegt, weiß in keiner Weise, wohin der Gang führt – man buddelt und verschwindet – nur hat man nicht so ein schönes glänzendes Fell, sondern wird trocken u. schäbig, niemand wird sich einen Schulterumhang aus einem machen. (UBO)

Landsberg/Warthe, 3. Mai 1944

Benn an Friedrich Wilhelm Oelze

[...] so für mich die Zeit einteilen, mich abschließen und so wenig vom Dienst in Anspruch genommen zu sein wie hier, war mir noch fast noch nie beschieden. Ich merke, daß es doch für die eigenen Gedanken ganz wesentlich fördernder ist, nicht 8–10 Stunden am Tag erst abarbeiten zu müssen, bevor man zu seinen Reflexionen kommt. Hier kann ich fast ununterbrochen bereit sein, zu denken

14 »22 Gedichte«.
15 Peter Igelhoff, Klavierspieler und Schlagerkomponist.

und zu kritzeln; habe ganz streng eingehaltene kurze Zeitpunkte, an denen man mich stören darf (ich arbeite in meinen Wohnzimmern, die zugleich mein Büro sind) u. bin außerhalb dieser nicht zu sehen u. nicht zu sprechen. (UBO)

[Landsberg/Warthe], 18. Januar 1945

Benn an Friedrich Wilhelm Oelze

Eines darf ich vielleicht noch erwähnen: Mein Bestreben, meine innere Wahrhaftigkeit verlangt u. arbeitet solange an einem solchen Ding, bis folgendes Grundgesetz klar wird: Wir beziehen uns als Wesen u. Existenz doch ehrlicherweise gesagt auf *gar nichts mehr,* auf nichts Vergangenes u. auf nichts Zukünftiges, wir stehen allein, schweigend, aber auch zitternd in uns selbst. Das muß auf jeden Vers, auf jede Reihe, jeden Satz übertragen werden, auch er muß für sich allein stehn u. *alles* tragen, nichts stützt ihn mehr, keine Beziehung, kein Glaube, keine Hoffnung, keine Täuschung. (UBO)

[Berlin], 18. November 1945

Benn an Else C. Kraus und Alice Schuster

Von Oelze habe ich Nachricht. Er war gefangen, ist nun in Bremen, die Manuskripte hat er gerettet. Aber wozu? Ich habe noch keinen Schritt unternommen um festzustellen, ob ich überhaupt publizieren darf. Es interessiert mich nicht sehr, aber ich höre, daß ich auch bei den Jetzigen »unerwünscht« bin u. auf schwarzen oder grauen Listen stehe. Ich unternehme nichts, um das aufzuklären. Alle möglichen Bünde, Kammern, Verbände gibt es, die ausmerzen, säubern, klären und nachweisen, ich kenne keinen von ihnen u. habe nicht die Absicht, ihnen näherzutreten. Ich lebe völlig allein. Damals unerwünscht, heute von neuem unerwünscht – also wirklich absolut u. weitreichend unerwünscht, ich finde das richtig u. eine Bestätigung meines Grundgefühls, das ich oft aussprach, daß Kunst außerhalb der Zusammenhänge von Staat u. Geschichte steht u. daß ihre Ablehnung durch die Welt zu ihr gehört. Es ist, wie fast alles, was ich erlebte, schwer zu tragen, aber ich kann nicht zum Schluß noch meine Position verlassen, sondern muß sie weiter innehalten, auch wenn sie mich von neuem die bürgerliche Existenz kostet.

[. . .]

(Die rein regionale Begrenzung aller Kunstdiktaturen ergibt sich aus der Tatsache, daß z. B. eine Hamburger Zeitung Aufsatz u. Bild von mir brachte u. mein Wiedererscheinen erhoffte u. begrüßte – wie man mir schrieb –, aber hier bin ich ausgemerzt u. unerwünscht.) (BR 96 f)

[Berlin-Schöneberg], 2. Dezember 1945

Benn an Friedrich Wilhelm Oelze

Die geistige Intensität, die von mir immer in meine Prosa ging, ist mir heute u. im Augenblick unsympathisch und verdächtig, Schweigen erscheint mir großartiger, leidend schweigen tiefer. Das Ungestüme, Sichhineinwerfende, das *Tätliche* der Essayistik scheint mir mehr für Arsenale u. Waffenfabrikanten zu taugen als für die Reiche der Aussage u. des Gefühls. Nur daß Gedicht u. Lyrik allein in einem Oeuvre romantisch wirkt u. nicht identisch mit der Zeit für unser heutiges Gefühl –, darin liegt eine Schwierigkeit. (UBO)

Benn an Tilly Wedekind Berlin-Schöneberg, 13. Februar 1946

Beziehungen zur Literatur habe ich noch keine aufgenommen, aber ich höre, daß ich bei den jetzigen Kreisen ebenso unerwünscht bin wie bei den früheren. Es berührt mich alles nicht mehr. Ich habe 3 neue Bücher in den letzten Jahren fertig gemacht, ob ich sie drukken lassen kann, weiß ich nicht, es erscheint mir fraglich.

(DT 106)

Benn an Pamela Regnier-Wedekind [Berlin], 7. März 1946

Daß mein Name auf den schwarzen u. grauen Listen steht, überrascht mich gewissermaßen, da ich ja doch nie PG. war u. seit 1934 jede Beziehung zu der Literatur abgebrochen hatte u. im Schwarzen Korps u. sw. fortgesetzt angepöbelt u. aus der Reichsschrifttumskammer hinausgeworfen war. Offenbar zählt das aber alles nicht. Ich rühre auch keinen Finger, um wieder mit den neuen Machthabern in der Kunst in Berührung zu kommen. Es ist mir alles sehr fern gerückt, ich lebe wie ein Trappist, schweigend u. wüstenumdröhnt. Die neuen Bücher, die ich in Landsberg schrieb, werden nicht zu übersehen sein, wenn sie einmal erscheinen können, sie führen meine Gedanken, meinen Stil, meine Haltung unbeirrt bis ans Ende. (DT 107)

Benn an Johannes Weyl Berlin, 28. März 1946

Ich unternehme allerdings auch keinen Schritt, um mich zu verteidigen oder zu rechtfertigen. Ich bedaure überhaupt nichts, was ich je geschrieben habe. Wenn man nämlich immer das schriebe, was man 10 oder 20 Jahre später für *opportun* hielte, geschrieben zu haben, würde man überhaupt nichts produzieren. Bedenkt man die jetzige Lage, so wäre es *opportun,* wenn Nietzsche u. Darwin überhaupt nicht geschrieben hätten; Minna von Barnhelm, Prinz von Homburg nie erschienen wären; Wallensteins Lager wäre sehr bedenklich; die Eroica untragbar, das »Brandenburgische Konzert« besser unterblieben, die »Alexanderschlacht« bedenklich. Kurz: wenn man sich einmal auf gewisse Maßstäbe festgelegt hat (wie ich), muß man ihnen treubleiben – usque ad finem d. h. schweigend dahingehn. (BR 99)

Benn an Tilly Wedekind Berlin, 30. April 1946

Übermorgen werde ich nun 60 Jahre, – die Zeit ist rum, aber ich bin einverstanden damit. Ich kann auch nichts bedauern oder gar bereuen, was ich je literarisch publizierte, es war immer echt u. kam aus meinem Wesen. Wenn man immer nur das publizierte und ausspräche, was 15 Jahre später *opportun* erscheint, würde man überhaupt nichts publizieren. In Zeiten wie den unseren gibt es *allgemeine* Lösungen geistiger Fragen nicht. Man kann nur für sich selbst sich entscheiden u. dann die Folgen auf sich nehmen. Das tue ich gern. Ich bin völlig mit mir einig u. brauche von keiner Seite mehr eine Bestätigung. Übrigens erscheinen – nicht in Berlin, aber andernorts – meine neuen Bücher wahrscheinlich doch noch im Laufe dieses Jahres. Ich habe einen gewissen Kreis, der mich hält und sehr schätzt. (DT 108 f)

Benn an Johannes Weyl [Berlin], 10. Juni 1946

[. . .] haben Sie vielen Dank für Ihre vielfachen Briefe, Sendungen u. vor allem das mich sehr erfreuende Telegramm in Sachen der »Zeit«. Ihre Teilnahme an meiner bescheidenen Produktion empfinde ich als persönlich ungewöhnlich freundschaftlich u. als sachlich besonders ehrend. – Der Aufsatz in der »Wandlung« [16] hat

16 A. v. Frankenberg hatte im Märzheft Jg. 1/1946 einen Aufsatz mit dem Titel »Umsonst?« veröffentlicht.

mich nicht sehr beschäftigt. Ich finde ihn etwas ziellos. Meine darin erwähnten Zitate[17] bringen mich keineswegs zum Erröten; hält man sich vor Augen – wozu allerdings die wenigsten geistig in der Lage sind –, in welcher unbeschreiblichen inneren Verkommenheit wir – alle weißen Völker – seit Jahrzehnten leben, wie sie sich alle nur noch mit Hilfe von Lügen, ideologischen Konstruktionen, faulem Zauber, Suspensorien, Urinarien, Pessaren, Yohimbinräuschen, kurz: armseligsten begrifflichen Schattenbildern und hygienischen Kunstprodukten am Leben erhalten, am produktiven Leben, so wird das alles, was wir in gutem Glauben 1933 etwa hofften, hinnahmen, hineinsahen, wirklich belanglos. (BR 100 f)

Benn an Frank Maraun [Berlin], 30. Juli 1946

Ich habe ihm[17a] geschrieben, daß ich Sie als dritten Partner für das sogenannte – reichlich problematische – »Archiv« gebeten habe, sich zu interessieren. Vielleicht schreiben Sie ihm einen Brief, wenn Sie Zeit und Lust haben. Wenn ich das Zeitliche segne, was wohl bald der Fall ist bei meiner exzessiven Art zu leben (mit Drogen, Zigaretten, Koffein, Pyramidon à la carte u. in Mengen), weniger romantisch ausgedrückt: »die Kartoffeln von unten besehe« – wäre es mir ein angenehmer Gedanke, Sie unter den Erinnerern und Betreuern meiner literarischen Dinge zu wissen. Ich wäre Ihnen aufrichtig dankbar, wenn Sie das im Auge behielten. (BR 102)

Benn an Nele P. Soerensen Berlin, 11. September 1946

Der *innere* Mensch – das ist die Voraussetzung für alles; aber der *Ausdruck* ist das Entscheidende. Dies ist auch meine Antwort auf Deine Frage, ob innerlich u. »Insichhineinsehen«; in der Kunst gilt das Äußere! »Olymp des Scheins« (Nietzsche)! Artistik! Stil! Meine neue Formulierung: »Kunst ist der gelungene Ausgleich zwischen Zentrum und Peripherie.« Die Peripherie ist das objektiv Gewordene, das einzige, das geschichtlich wird u. bleibt. Das Innere, die Substanz ist selbstverständlich u. immer da u. immer das gleiche. *Form!* d. h. geistige Arbeit, sichtbar gewordenes Bemühn um Ausdruck. »Stil ist der Wahrheit überlegen; er trägt in sich den Beweis

17 Aus »Der neue Staat und die Intellektuellen«. 17a Oelze.

seiner Existenz« (G. B.). – [. . .]
Meine Bücher werden ziemlich sicher erscheinen. Ich will das jetzt etwas intensiver betreiben, u. mehrere Verlage machen mir große Offerten. (BR 104)

Benn an Johannes Weyl Berlin, 5. Oktober 1946
Und in diesem Zusammenhang auch gleich ein Wort über meinen angeblichen Antisemitismus: Ich habe in den 35 Jahren meiner literarischen Tätigkeit 5 mal Personen ein Gedicht, ein Buch oder dergl. gewidmet. Von diesen 5 waren 4 jüdische Freunde, nämlich Carl Sternheim, Carl Einstein, Else Lasker-Schüler, Alfred Flechtheim. Ich nenne in meinem berühmtgewordenen Aufsatz »Goethe und die Naturwissenschaften« das 20. Jahrhundert das Jahrhundert Einsteins und erkläre für das beste Goethe-Buch das von Georg Brandes. Ich weise darauf hin, daß dieser Aufsatz in dem Buch »Der neue Staat und die Intellektuellen« steht, das mir jetzt so besonders zum Vorwurf gemacht wird (erschienen 1934). [. . .]
Die schwarze Liste. Daß ich auf ihr stehe, war mir bisher nicht bekannt, ich hatte gehört, ich stünde auf einer Liste »Völkische Aktivisten«, worüber ich genauso erstaunt war. Was die schwarze Liste angeht, so habe ich hier nicht feststellen können, wer sie aufgestellt hat. [. . .]
Man hat mir weiter erzählt, daß ich auf dem russischen Index nur mit 2 Büchern vertreten bin, nämlich »Der neue Staat und die Intellektuellen« und »Kunst und Macht«, als Gesamtpersönlichkeit wäre ich also frei und zur Herausgabe neuer Bücher befähigt. Aber alle diese Listen fluktuieren wohl und ändern sich auch vielfach. Ich habe keine Schritte unternommen, um in dieser Richtung etwas aufzuklären oder richtigzustellen. Mich beschäftigt die Öffentlichkeit nicht mehr sehr. [. . .]
Ich habe 1934 jede Verbindung zu den Literaten der Nazizeit von mir aus aus Überzeugung und unter Hintenansetzung meiner wirtschaftlichen und publizistischen Existenz gelöst. Ich habe eine makellos weiße Weste bis heute immer getragen ohne jede Konzession gegen alles, was nicht aus meiner inneren Produktivität kam. Es muß mir auch für den Rest meines Lebens völlig gleichgültig sein, wie andere hierüber denken. [. . .]

Ich bitte Sie, mir die Ihnen übersandten beiden Manuskripte zurückzusenden, ohne davon Abschriften zu machen und sie auch niemanden weiter zugängig zu machen. Ich bitte auch, Ihre liebenswürdige Absicht, in der Schweiz jemanden für mich zu interessieren, nicht auszuführen, ich erwarte keine Resonanz in der Schweiz.

(LPBD 172 ff)

Benn an Gertrud Zenzes Berlin, 26. November 1946

Ich schrieb mehrere neue Bücher, kann sie aber nicht drucken lassen, da ich auf einer der vielen schwarzen Listen stehe. Warum ist mir unerfindlich. Seit 1936 war ich aus der Nazi-Schrifttumskammer ausgestoßen u. von der Gestapo verfolgt, da ich weiter meine radikalen u. unabhängigen Ansichten aussprach u. mich dem Nazischrifttum nicht fügte. Nun geht es also von der anderen Seite aus weiter. Nun, ich mache mir nicht mehr viel aus alledem u. tue nichts, um mich beliebt zu machen. Es sind gute Bücher, die ich schrieb u. eines Tages werden sie bekannt sein, – wenn ich tot bin.

(BR 108)

Benn an Erich Reiss Berlin, 23. April 1947

Das Leben zwischen den Trümmern ist natürlich grausig, aber es ist nicht zu ändern. Um Literatur kümmere ich mich garnicht mehr, schreibe aber allerlei u. wahrscheinlich Interessanteres wie die meisten andern, aber nur für einen ganz kleinen Kreis, der an mir hängt.

(BR 113)

Benn an Fritz Werner [Berlin], 23. April 1947

[. . .] vielen Dank für Ihren Brief vom 14. IV. und Ihre freundlichen Worte über mein literarisches Ergehn. Ich rechne garnicht mehr mit Veröffentlichungen zu meinen Lebzeiten und ich sehe, daß man bei dieser inneren Voraussetzung noch viel freier und weitsichtiger schreiben kann, als wenn man sich die doch nur gröhlenden Zeitgenossen dabei vorstellt. Meine Lage ist ja nicht dadurch schwierig, daß ich auf einer schwarzen Liste stehe, sondern dadurch, daß das, was ich jetzt publizieren würde, von neuem die größten Kontroversen und womöglich Schlimmeres mir einbringen würde, während ich jetzt in Ruhe meine Ideen erleben und weiterentwickeln kann. Also die Ambivalenz der Dinge zeigt sich auch hier.

Um Ihnen meine dankbare Gesinnung zu bezeigen, erkläre ich mich gerne damit einverstanden, daß »Astern« in jener Anthologie[18] steht. Lieber wäre mir z. B. das anliegende: »Einsamer nie als im August –« (das als Ersatz 1936 in die »Ausgewählten Gedichte« kam, als ich 6 Gedichte der 1. Auflage daraus entfernen mußte und durch 6 neue ersetzte, darunter dies). Oder das anliegende »September« aus neueren Sphären. Ich überlasse Ihnen das Weitere, bitte lesen Sie mir gegebenenfalls die Korrektur! Gruß und Dank an Sie und Ihre Gattin.

[...]

Behalten Sie die beiden Gedichte
für sich zur Erinnerung. (BR 113 f)

Benn an Tilly Wedekind [Berlin], 26. Mai 1947

In der Zürcher »Weltwoche« vom 9. V. war ein langer, recht guter Aufsatz über mich: »Hinweis auf G. B.« von einem mir unbekannten Autor.[19] Auch hier lichtet sich manches, aber ich bin gleichgültig u. will für mich leben, – der Mönch unter Trümmern. (DT 111)

Benn an Alfred Vagts Berlin, 18. Juni 1947

Wichtiger, allein wichtig sind die inneren Dinge. Wie kritisch es hier damit steht, werden Sie wissen. Die Literatur ist völlig in die Hände der zurückgekehrten Emigranten übergegangen u. die betrachten jeden Hiergebliebenen als Saboteur. Es tut nichts. Ich habe mich völlig emanzipiert, arbeite für mich allein. Seit 1936 war ich bei den Nazis verboten u. aus der Reichsschrifttumskammer ausgestoßen, jetzt stehe ich auf der Liste der »Unerwünschten«, es ist also das gleiche. Ich tue nichts dagegen. Nach meiner Meinung treibt die Frage: Politik bezw. Geschichte – und Kunst bezw. Formwelt einer allgemeinen Klärung zu und ich bin sicher, wie sie ausfällt. Ich »pflege das Abwartende u. das Auswirkenlassen des Seins«, wie Laotse sagt, und schreibe und schrieb neue Bücher, die

18 Eine Anthologie von Herbstgedichten die Hermann Faulen, ein Bekannter Werners, vorbereitete. Der Band ist nicht erschienen.

19 In der »Züricher Weltwoche« vom 9. Mai 1947 erschien ein Artikel von Peter Schmid, in dem Benn als der größte Lyriker deutscher Sprache bezeichnet wird.

meine Freunde nicht enttäuschen werden. Übrigens sind jetzt gerade im Ausland 2 sehr bemerkenswerte Aufsätze über mich erschienen, in der Züricher »Weltwoche« am 9. V. und in der »Neuen Rundschau« (Bermann-Fischer) in Stockholm, davon der letztere Aufsatz sehr bemerkenswert u. auch meine politischen Gedankengänge bezw. Gedankensprünge in sehr bedeutende Zusammenhänge bringend.[20] [. . .]
Genug von mir. Ich bin völlig ruhig u. innerlich zu so entscheidenden Resultaten gekommen, daß ich ohne Blinzeln in jede Sonne u. ohne Tränen in jeden Schatten sehn kann. Mehr gibt es wohl nicht für uns. »Du stehst für Reiche nicht zu deuten u. in denen es keine Siege gibt« –, ein Satz aus einer meiner letzten Arbeiten[21].

(BR 115)

Benn an Gertrud Zenzes Berlin, 20. Juni 1947

– Dann vor allem Dank für den Aufsatz aus der »Neuen Rundschau«, den ich nie bekommen hätte, über den ich aber schon orientiert war aus einem *Schweizer* Artikel, der auf ihn Bezug nahm. Beide Aufsätze, namentlich der aus der N. R, sind äußerst interessant u. beinahe tief. So ausführlich u. so intensiv beschäftigt man sich heute – nachdem ich seit 1936 nichts mehr publizieren durfte – doch nur mit jemandem, der doch innerhalb des europäischen Kunstlebens eine Rolle spielt u. einen gewissen Rang innehat. Interessant auch, daß der Aufsatz in der N. R aus Emigrantenkreisen stammt, die mir ja sonst nicht gut gesonnen sind u. die gerade heute mein Wiedererscheinen verhindern. Also: tausend Dank. Im übrigen: die Eitelkeiten der Welt liegen hinter mir, ich treibe meine Gedanken nur noch für mich selber vor u. einen sehr kleinen Kreis von Getreuen. (BR 116)

Benn an Frank Maraun Berlin, 2. Oktober 1947

[. . .] haben Sie vielen Dank für Ihren Brief vom 25. IX., der heute

20 Eugen Gürster-Steinhausen schrieb im Frühjahrsheft eine längere Studie: »Gottfried Benn, ein Abenteuer der geistigen Verzweiflung«.
21 »Weinhaus Wolf«.

eintraf. Es ist sehr freundlich von Ihnen, bei der D. V. A. vorgesprochen zu haben, um meine Angelegenheiten zu vertreten. Ich bitte, mich auf jeden Fall den Herren sehr empfehlen zu wollen und auch ihnen meinen Dank zu sagen.
Was das Rechtliche angeht, so hat die DVA mir im Herbst 44[23] den Vertrag zurückgeschickt mit Anschreiben, Unterschrift von Herrn Kilpper junior, daß sie jede verlegerische Verbindung mit mir lösten und ich über meine Rechte verfügen könnte. Bestätigen kann das Herr Kilpper *senior,* mit dem ich gerade damals aus Anlaß der ihm von mir übersandten »22 Gedichte« – vielleicht erinnern Sie sich dieser kleinen Privatpublikation von mir – [korrespondierte] und der mir schrieb, wie sehr ihn die Sendung berührt habe gerade in dem Moment, wo die DVA mir den Vertrag zurücksenden müßte, veranlaßt auf besondere Anordnung des P.[ropaganda-] Min.[isteriums]. Also an der Rechtslage ist wohl kein Zweifel.
Was nun eine neue Bindung dahin angeht, so kann ich nicht gut nach den nunmehr 2-jährigen Verhandlungen mit Dr. Claassen[24] (Govertsverlag) und in Anbetracht seiner wirklichen Bemühungen und vielen Auseinandersetzungen mit Dr. Oelze mich von ihm lösen. Besonders nicht, nachdem Dr. Cl. im letzten Heft des »Ulenspiegel« auf eine Rundfrage, welche »unerlaubte Autoren« er gerne bringen möchte, mich öffentlich genannt hat, mich als einzigen. (Suhrkamp: Jünger; ein anderer Verlag: Hamsun –! – während Herr Rowohlt erwiderte: »einen unerlaubten Autor? aber um Gottes Willen – keinen! ...) Also ich kann mit der DVA keine Verbindung eingehen, solange ich nicht von Dr. Claassen höre, daß er seine Bemühungen aufgibt. Außerdem fürchte ich, daß die D. V. A. nur die gleichen Schwierigkeiten mit mir haben würde und dann wäre es das gleiche, und ich habe keine Lust, nochmals diese ganze Misere (wenn es eine ist) von neuem über mich ergehen zu lassen. Ich lasse mich nicht entnazifizieren. Nicht aus Opposition allein, sondern auch, weil meine neuen Sachen sofort wieder den

23 Benn irrt. Der Vertrag war ihm schon im Herbst 1943 zurückgeschickt worden.
24 Sein Plan, Benns neue Werke herauszugeben, scheiterte an der britischen Lizenzierungsbehörde.

Sturm erregen würden, der heute gefährlich ist und in den Kasematten enden könnte. Bitte stellen Sie das den Herren dort vor.
(BR 118 f)

Benn an Erna Pinner Berlin, 9. November 1947
Literarisch arbeite ich mancherlei. Es sind im Ausland (Schweiz, Stockholm) mehrere hervorragend interessante Aufsätze über mich erschienen, ins Italienische werden jetzt Essays von mir übersetzt, aber hier in Deutschland herrschen die Emigranten u. die sind mir sehr feind. Nun, ich ertrage es mit Ruhe –, on verra. (BR 120)

Benn an Nele P. Soerensen Berlin, 19. November 1947
Mich besuchen alle möglichen großen Verleger und versichern mich ihrer Verehrung und ihres größten Interesses, aber drucken kann mich oder will mich keiner. Es rührt mich nicht mehr, ich verstehe durchaus, daß die deutsche Öffentlichkeit andere Sorgen und Gedanken hat, als literarische, und es war ja immer so, daß die jüngere Generation die ältere zu verdrängen suchte und bekämpfte. Also abwarten. (BR 122)

Benn an Nele P. Soerensen [Berlin], 4. Dezember 1947
Es war reizend von Dir, zu Kl[aus] M[ann] zu gehn, aber ganz in meinem Sinne war es nicht. Du verkennst eines, wie mir scheint: mir kann und braucht weder André G[ide] noch Kl. M. zu helfen, ich bin völlig mit meiner Lage einverstanden und unternehme selber keinen Schritt, um die Situation zu ändern. Ich koste meine inneren und äußeren Positionen bis zur Neige aus und sehe, das bringt mich in produktiver Richtung weiter als es je ein äußerer Erfolg könnte. Ich weiß genau, was ich tue und was ich will. Auch, was ich nicht will. Und was ich nicht will, ist z. B. das allgemeine öffentliche Geschwätz zu vermehren über die politische Lage oder die geistige Krise oder den Existentialismus oder alle diese beliebten bürgerlichen Unterhaltungsstoffe – nur für sich selbst in eigenen Werken, im eigenen Werk kann eine weiterführende Klärung oder vielleicht eine Entscheidung zum Ausdruck gebracht werden – und daran arbeite ich ununterbrochen und mehr denn je. Laß sie alle denken und reden und verbieten und verzeihen oder nicht verzeihen, das

berührt mich alles gar nicht mehr. Alles das ist ja doch nur Ressentiment und Rache und Unvermögen, selber in großem Stil produktiv zu sein, natürlich versteckt hinter ideologischen Theorien und angeblich humanitären Idolen und aufgezäumt mit Schlagworten, die die Allgemeinheit blenden. Dahinter aber leben die wirklichen Wahrheiten und der wirkliche objektive Gang der Ideen. Niemand kann Kunst umbringen, wo sie wirklich Gestalt annimmt, lebt sie weiter und überlebt die Politik und die geschichtliche Situation.
Dies muß ausgekämpft werden und ich sehe aus überraschenden Nachrichten mir unbekannter Leute, daß ihnen diese meine Lage bekannt ist und daß sie sie mit Erregung und größter Teilnahme verfolgen. Immer wieder erlaube ich mir auf zwei Sentenzen von mir zu verweisen, die lang zurückliegen, ein Vers: »schweigend strömt die Äone –«, und ein Prosasatz: – »du stehst für Reiche, nicht zu deuten u. in denen es keine Siege gibt«. Ich könnte einen dritten hinzufügen: »es gibt Dinge, die verdienen, daß man niemanden von ihnen überzeugt.« So, nun hast du den schillernden G. B. . . .
Wie kannst du denken, daß ich über deine Unterhaltung mit Kl. M. zu jemandem rede! So wichtig ist mir die *Meinung* des M. nicht, kann sie mir nicht sein, natürlich interessiert sie mich in gewisser Weise, aber ich erwarte gar kein Verständnis von dort.

(MVB 70 ff)

Gespräch mit Frank Maraun [25] 1947

Er [Benn] führte fort, es komme heute gerade darauf an, die eigene Position zu verhüllen, unerkennbar zu machen. Am besten beziehe man überhaupt keinen Standpunkt, denn damit begebe man sich gleich wieder in die Flachheiten der üblichen Diskussion, tue den Dingen, die heute geschehen, die ihnen nicht gebührende Ehre an, sie ernst und wichtig zu nehmen. Es gebe für ihn nur Perspektiven,

25 Dies und die folgenden Bemerkungen sind einem unveröffentlichten Manuskript Frank Marauns (Erwin Goelz, Stuttgart) entnommen, das die Überschrift trägt: »Tagebuch-Notizen über Gottfried Benn 1946–1950«. Die Bemerkungen gehen auf Gespräche zurück, die F. Maraun in Berlin geführt hat. Die erste Tagebucheintragung stammt vom 22. Juli 1946, die letzte vom 31. Juli 1950.

die aufleuchten und am Schluß wieder verlöschen, gesehen von einer Position, die nur für diesen momentanen Umblick, d. h. ausschließlich im Rahmen dieser fünfzehn oder zwanzig Seiten gültig sei. (UTM)

Benn an Friedrich Wilhelm Oelze B[erlin], 27. Dezember 1947
Ich empfinde ja dieses Steinerne des äußeren Milieus nicht zu sehr, was nicht hindert, daß mich Ihre vorgezauberte Vision Ihrer Landschaft geradezu erregt. Ich bin ja *kein Städter,* ich hänge an Dörfern u. am Land; Lyrik kann u. konnte ich immer nur machen mit Landschaft um mich oder wenigstens in unmittelbarer Nähe, aber ich bekämpfe diese Neigung, sowie es sich um Gedankliches u. Prosa handelt, für diese verdichtet u. erhärtet die »Metropole« die Sätze mehr. Soweit ich [. . .] Ich rette meine brüchige u. anfällige Person vor allem solchen inneren Unheil in meine »Laboratoriumsarbeiten«, – es giebt wirklich keine treffendere Formel für meine Existenz als die aus der letzten Seite des Ptolemäers: »– das Geschäft u. die Halluzinationen«, das sind die beiden Pole, zwischen denen ich meine Müdigkeit u. meinen Lebensüberdruß immer noch hin u. her jongliere, – ich wünschte, nicht mehr allzulange! – (UBO)

undatiert [1948 ?][26]
So entstehen Gedichte, deren einzelne Teile man unmittelbar aus dem Auge oder dem Gehirn herausschneidet. Es (ist) Visions ⟨?⟩ Lyrik, Transplantation von Eindrücken in Worte, Exudate von Gehirnkeilen in Satzzeichen – die Haut ist beteiligt, Kältereize, Jucken überträgt sich – ein Ich ist nicht mehr da, alles ⟨?⟩ Symptome. Über neuartige Lyrik wird immer gedacht ⟨?⟩, sie übt einen besonderen Reiz aus auf das Rationale und Philologische ⟨?⟩, bisher hat es ihr nichts geschadet, es blieb immer etwas von ihr übrig. (N)

Benn an Frank Maraun B[erlin], 20. Januar 1948
Denken Sie auch nicht, ich erwarte von Ihnen große Zustimmung oder Neigung für meine neuere und fragwürdige Prosa, über deren

26 Der nachfolgende Text ist undatierbar, doch, da mit Kugelschreiber geschrieben, nach 1947 entstanden.

Problematik ich mir völlig klar bin. Sie brauchen in gar keiner Weise zuzustimmen, wo Sie wohl nur Versuch und Problematik sehen können – : ich selber übrigens auch – : eigentlich sind alle diese Versuche nur annehmbar, wenn der Autor schon tot ist, und sie als Fundgrube für Zeit- und Stilstimmungen betrachtbar sind, als *Material* für die schwierige Lage, in der wir uns innerlich befinden, eine Lage, die heute eine konforme Identität in der Kunst kaum finden kann. (BR 123)

Benn an Ina Seidel Berlin, 4. Mai 1948

In Verbindung stehe ich mit keinem der alten Genossen mehr, und ich werde nie wieder persönlich hervortreten –, jenseits von Ruhm und Niederlage, außerhalb von Bejahung oder Verneinung habe ich in einigen neuen Büchern während der vergangenen Jahre mein inneres Bild abgerundet u. beschlossen. »Schweigend strömt die Äone« –[26a] (BR 123 f)

Benn an Egmont Seyerlen [Berlin], 18. Mai 1948

Ich träufele ihnen[27] aus meiner Altersweisheit manchen Brocken zu: »Streichen Sie alle Adjektiva« –, »keine Farbenbezeichnungen (opalen, purpurich) in Versen, zu banal! – Vermeiden Sie Wort u. Gedanken. Apokalyptisch. Die Zeit ist nicht apokalyptischer als jede andere.« »Schreiben Sie auf meinen Grabstein: Der Freund der Substantive« – etc. (BS)

Berlin-Schöneberg, 22. August 1948

Benn an Friedrich Wilhelm Oelze

es liegt etwas so Tragisches um alle diese geistigen Dinge[28], die so mühsam erkauft und erlitten werden, dann so schnell verstaubt und leer wirken und nur einen üblen Nachgeschmack hinterlassen. Vier Jahrzehnte durchhalten zu sich selbst, ohne viel an sich zu glauben, ohne an die Wirkungsfähigkeit des Geistes zu glauben,

26a Vgl. das Gedicht »Sieh die Sterne, die Fänge« GW III, 129.
27 »einige junge Ausländer«, wie es im Brief heißt, »aus der amerikanischen und französischen Literatur«. A. Bosquet war einer dieser Dichter.
28 Seine eigenen Produktionen.

aus irgendeinem Zwang dem »Gegenglück« zu leben und zu glauben, wie es in dem Gedicht »Einsamer nie –« heißt – das ist kein Spiel. (UBO)

Benn an Max Niedermayer Berlin, 18. September 1948
Auf der anderen Seite bin ich insofern ein angenehmer Autor, als ich mir meiner Abwegigkeiten und Extravaganzen so sehr bewußt bin, daß ich nicht damit rechne, daß jemand mit mir geht. Für meine Person bin ich meiner Sache sicher, für andere nicht, ich würde mich an Ihren beiden freundlichen Briefen auch weiter freuen, wenn wir nicht zusammenkämen. Eines noch: es ist mir nicht entgangen, daß in beiden Büchern einige Stellen, ganze Sätze bei mehreren Gelegenheiten vorkommen. Es sind meine Grundthemen, die ich variiere. Und zum Schluß eine Bitte: ich höre von postalischer Seite, daß gerade Manuskripte[28a], eingeschrieben, sehr oft durchsucht werden und einzelner Teile beraubt, ich wäre Ihnen dankbar, wenn Sie mir die Ankunft der beiden Sendungen kurz mitteilen würden. Ich habe keine zusammenhängenden Abschriften mehr. (BR 127)

Benn an Heinz Friedrich Berlin, 12. Dezember 1948
Das Bedeutungsvolle an Ihrem Brief ist, daß Sie als erster u. einziger nicht rehabilitieren wollen u. ausgleichen, sondern das Unausgleichbare der geistig-produktiven Lage fühlen u. aussprechen. Alles, was ich inzwischen geschrieben habe u. was Herr Niedermayer im Limes Verlag jetzt herausbringt, versucht diese Situation darzustellen. Es *gibt keine allgemeinen Lösungen,* keine Antworten, keine »Synthesen«, es gibt nur das in sich selbst sich verschließende Sichabfinden, schweigendes Gebeugtsein über sich selbst u. seine ausdrucksuchende Substanz. Jeder Bezug auf die Allgemeinheit wäre Schwäche u. Untreue – soll die Allgemeinheit sehn, wohin sie kommt, wenn sie fordert u. diktiert. Die *geschichtliche* Welt, – das ist der Untergang. (BR 130 f)

Gespräch mit Frank Maraun 1948
Er [Benn] sagte über seine derzeitige Produktionsweise, daß er es

28a »Der Ptolemäer« und die Essays der »Ausdruckswelt«.

degoutant finde, wenn man immer zu einem Resultat kommen wolle. Er arbeite jetzt immer ganz absichtslos, weitab von jeder Finalität, schreibe auf, was ihm auffalle, ganz ziellos, lasse es liegen, sehe es sich nach einiger Zeit wieder an und füge dann die Stücke, die der Erhaltung wert erscheinen, so zusammen, wie es sich gerade ergebe. (UTM)

Gespräch mit Frank Maraun 1948

Zur Zeit strebe er [Benn] eine völlige Zusammenhanglosigkeit an, wenn auch in der Prosa schwer zu erreichen. Keine Folge, keine Kausalverknüpfung, kein logischer Konnex. Ausdruck immer rein momentan. Wir leben ohne Vergangenheit und ohne Zukunft heute. Alles, was man sagt, hat nur Bezug auf den gegenwärtigen Moment und nur Sinn innerhalb dessen. Alles muß im Augenblick liegen. Nichts darf sich auf Vorheriges beziehen oder auf Künftiges hinweisen. (UTM)

Aus »Drei alte Männer« 1948

Nach außen starr sein und schweigen, jeden Zug des Gehabens, der mimischen Besonderung dämpfen und innen mit Kompressor arbeiten, schichten, schneiden, schälen, bis der Ausdruck dasteht, wie die verborgene, im Hintergrund wirkende, nie hervortretende, ewig unbekannt bleibende Gestalt es wollte, die Gestalt im Schatten, die von Schleiern umwogte anfängliche Figur, das gesichtslose, aber Züge entwickelnde Sein, das Urwort, das alte Wesen, die Hieroglyphe. Material heranbringen im Fluß, nicht mehr in systematischen, psychologischen, taktischen Zusammenhängen, reines Magma, das heiße Gestein der Seele, dies beugen, dies zu Farbe machen, dies melodisch machen, in Sätze fassen, kurz dies in jene formale Sphäre sich bewegen lassen, die nichts Menschliches hat, für die das Menschliche zu früh oder zu spät ist, zu vorläufig oder zu final, zu der wir aber – es bleibt keine andere Möglichkeit der Deutung – zu der wir offenbar unterworfen gehören. Wieviel menschliche Zerrüttung, wieviel Opferung von Geliebten, wieviel Wüste und wie wenig Wasserstellen, wie wenig Stimmung und wieviel Nötigung lebt in dieser Sphäre, in der es keine Entwicklung gibt, die kein Zyklus ist und keine Linse, die etwas bricht, sondern bei der es sich um reine Zustände handelt, Passagen, Klärungsanlagen, wobei es undurchsichtig bleibt, was es zu klären gibt und eigentlich für wen. (GW II, 397)

Benn an Gustav Kilpper Berlin, 22. Januar 1949

Politisch habe ich keine Schwierigkeiten gehabt (vielleicht bringen die neuen Bücher allerdings solche, aber ich nehme das in Kauf). (BR 133)

Benn an Karl Schwedhelm Berlin, 20 Februar 1949

Haben Sie vielen Dank für Ihr Verstehen und Ihre Anteilnahme an meinen Arbeiten, die so wenig auf Verständnis rechnen können. (BR 135)

Benn an Fritz Werner [Berlin], 4. März 1949

Aber Belletristik gibt es ja genug u. Keuschheitslegenden auch, meine Idealität ist nicht die einer Mimose. Dichten, ob lyrisch oder prosaistisch, heißt mit Worten umgehen wie mit Steinen, mit unbewachsenen Steinen, – ein erbarmungsloses Geschäft! Kunst ist nicht zu »verstehen«, Kunst hinterläßt Eindrücke u. streut Keime aus, das ist ihr Gesetz. Aber ich sage ja immer wieder und überall: dies gilt nur regional, situationär u. phänotypisch; nur für den Satz, den man gerade schreibt. Keine Antwort mehr, keine allgemeinen Lehren. Der Existentielle entäußert sich der Antwortssubstanz, er betreibt Selbstbesäumung. (BR 135 f)

Benn an Frank Maraun Berlin, 7. März 1949

Inzwischen werden Sie vielleicht den »Merkur«[29] zu lesen bekommen haben. Ich sah noch das Heft nicht, aber Herr Niedermayer erzählte mir telefonisch, es sei ein direktes G.B.-Heft. Den Aufsatz von Bense bekam ich als Korrekturbogen, ich fand es ausgezeichnet. Der »Kurier« hier hat eine Stelle aus dem »Weinhaus Wolf« gebracht, keine sehr glückliche, eine etwas schnoddrige, unter Fortlassung von Stellen, dafür mit einer ganz netten Vorbemerkung. Das ist also mein Come-back in Berlin nach 15 Jahren. Nun geht

29 Heft 12, Januar 1949 enthielt Benns »Berliner Brief« (später in »Ausdruckswelt« aufgenommen), einen Aufsatz Max Benses über Benns Prosastil und einen Abdruck aus »Roman des Phänotyp«.

also das Gefrage hier los: »Haben Sie was damit zu tun?« »Ist das ein Verwandter von Ihnen?« – »Das hängt wohl garnicht mit Ihnen zusammen?« Ich antwortete immer, das ist mein Urgroßvater, den sie wieder ausgebuddelt haben.
Aber lesen müssen Sie bitte, was in der »Gegenwart« Nr. 4 vom 15. 2 der große Sieburg über meine Gedichte geschrieben hat. Danach müßte man eigentlich tot umfallen und sich in das Schattenheer des Empedokles begeben, weiterleben ist unfair. Das geht noch über Maraun hinaus und das war doch auch schon schlimm. – Die kommunistischen Zeitungen fangen auch an, natürlich zu pöbeln: G. B. ist wieder da und nihilistelt seinen unerträglichen Pessimismus u.s.w. Ich hatte ja eigentlich gehofft, daß der Eiserne Vorhang hier meine persönliche ärztliche Position schützen würde, aber die Rasanz von Herrn Niedermayer schleudert die Exemplare offenbar auch in alle Berliner Redaktionen. Nun Sie wissen ja, daß mich nichts mehr aus der Ruhe bringt. (BR 142 f)

Benn an Hans Paeschke Berlin, 19. März 1949
ich habe Ihnen für zwei Briefe zu danken und für die Zusendung von 3 Heften des Merkur Nr. 12 und das Heft Nr. 10 und 11. Ich bedanke mich hiermit angelegentlichst dafür. Dafür, daß Sie im Heft 12 mich und meine Person so eindrucksvoll zur Geltung gebracht haben, ist Dank zu wenig, ich muß meine Ergebenheit Ihnen gegenüber und Herrn Moras versuchen, anderweit zum Ausdruck zu bringen. Auch Herrn Bense bin ich sehr verpflichtet, seine Studie ist äußerst fesselnd, weil sie keineswegs superlativistisch ist, ja in einzelnen Wendungen sogar etwas animos gegen das Phänomen G. B., aber als Analyse äußerst interessant. Es ist die Analyse eines Mathematikers, eine formale Auflösung des Problems. Ich habe also nun erfahren, welche Art Sprache ich rede, welche Mittel ich anwende, welche Methode mir zur Verfügung steht. Ich habe viel daraus gelernt, denn man selber weiß ja nicht, wie man spricht, da man keine andere Sprache sprechen kann als die eingeborene. Sehr gerne hätte ich von ihm Eingehenderes gehört über den von ihm aufgestellten Begriff der expressionistischen im Gegensatz zur existentiellen Sprache. Diese beiden würde ich für nahezu identisch halten. Aber ich werde weiter darüber nachdenken. (BR 143 f)

Berlin-Schöneberg, 23. März 1949

Benn an Friedrich Wilhelm Oelze

»Wie rechtfertigen Sie die Dichtung?« »Welches ist nach Ihrer Meinung die Aufgabe der Kunst« – schreibt ein junger Mann an mich. Gerade diese Fragestellung ist es, die ich ablehne. Das Wesen des Produktiven ist ein anderes als das der Soziologie, der Politik, der Geschichte. Das ist geradezu der Kernpunkt meiner Lehre. Diese soziologischen Farcen, alles Abkömmlinge des Marxismus, sind der Inhalt der Deutschen geworden, etwas anderes ist für sie real nicht mehr vorhanden. Meine Isolierung ist mir immer klarer. Aber ich bleibe dabei. (UBO)

Benn an Frank Maraun [Berlin], Ostern 1949

In der »Hamburger Allgemeinen Zeitung« schrieb Herr Frisé einen glänzenden Abschnitt über das Come-back von G. B. Natürlich sind auch meine alten Gegner wieder groß am Werk, um meine anrüchige Person allen etwaigen Interessenten zu vermiesen, an der Spitze der hiesige . . . , der mich für alle Gasöfen und Toten des Weltkriegs verantwortlich machen möchte. Allerdings kann er nicht verschweigen, daß ich der einzige von internationaler Klasse war, der hierblieb und angeblich Hitler besang. Nun, Sie wissen, es regt mich nicht mehr auf. Schon vor 1933 war gerade diese Gruppe mir immer sehr unfreundlich gesonnen und sie mag es ruhig bleiben.

Das Merkurheft hat einigermaßen eingeschlagen. Natürlich ist der »Berliner Brief« für alle politischen Journalisten ein rotes Tuch, aber ich bin ja nun mal im wesentlichen ein rotes Tuch von Natur aus und werde es bleiben [. . .]

Ich höre weiter, daß die Wirkung meiner Bücher im einzelnen stark ist, aber im ganzen alle Welt schockiert und geradezu bösartig macht. Nun, das ist nicht gegen meine Wünsche. Mit offenen Armen aufgenommen zu werden, würde mich sehr bedenklich machen.

(BR 147 ff)

Benn an Max Niedermayer [Berlin], 20. April 1949

vielen Dank für Ihren Brief vom II. IV. mit Beilagen. Ihr Brief hat mich etwas traurig gemacht, es klingt aus ihm eine gewisse Enttäuschung über mich, jedenfalls über den nicht durchschlagenden

Erfolg meiner Bücher. Aber denken Sie zurück, seien Sie gerecht: Ich habe Sie wirklich sehr vor mir gewarnt, Sie gewarnt, sich mit mir einzulassen. Mich überrascht die Tatsache nicht, ich rühre ja mit jedem meiner Sätze doch etwas laut an den Schlaf der Welt und es schlief sich doch trotz zweier Weltkriege noch ganz gemütlich, erst neuerdings kommen die Störungen der Öffentlichkeit zum Bewußtsein und trotz aller Dosen von Jaspers und Sartre, mit denen die Presse die Öffentlichkeit einzuschläfern sucht, will sich der ungeschmälerte achtstündige Bürgerschlaf pro Nacht nicht ohne weiteres wieder einstellen. Insofern bekenne ich mich mitschuldig. Aber die Kunst oder der Geist von heute kann wohl gar nichts anderes, als Eindrücke zu hinterlassen und Keime auszustreun, das ist seine einzige Berufung heute; Schönheit, Beruhigung, Harmonie kann er ehrlicherweise nicht zaubern, das tun die Kammfirmen, aber nach allem, was ich höre, gelingt es auch ihnen nicht mehr in lukrativem Umfang.
Nun zu unseren Themen: 1) Thema Geschichte bleibt also fort. Kern eines neuen Buches wird es auch nicht werden, – keine Besorgnisse für neue Buchofferten! 2) Die Kammfirma habe ich entpersönlicht und wäre dafür, sie als Schluß zu bringen, – ich glaube hinter: Rilke. Ich hätte ganz gerne diesen Totalitäts- und Harmonielehren noch eins ausgeteilt. Aber wenn Sie nicht wollen, ich bestehe nicht darauf. 3) Thomas Mann. Ich denke innerlich an seine Radioreden im Rundfunk, die in ihrem alttestamentlichen Geifer und Haß, damals mir sehr gefielen und das ausdrückten, was mir selber auf der Seele brannte. Ich finde, es schadet auch nichts, wenn in dem momentan anschwellenden Chor seiner Gegner und Kritiker eine andere Stimme erklingt.
[. . .]
Bei mir melden sich Pressevertreter und Fotografen von den merkwürdigsten Richtungen, ich weiß nie, gilt es einem neuen Angriff und einer neuen Anpöbelung oder literarischem Interesse. Um auf den Anfang meines Briefes zurückzukommen: verlieren Sie nicht die gute Laune. Denken Sie, eine Kritik wie die von Sieburg in der Gegenwart kann überhaupt kein lebender Autor in Deutschland mehr bekommen, die ist doch schon überirdisch und Ihre Gedichtausgabe findet überall größte Anerkennung. (LPBD 265 f)

Benn an Nele P. Soerensen [Berlin], 27. April 1949

In einer der letzten »Zürcher Weltwochen«, die du wahrscheinlich auch liest, die vom 14. 4. war ich ja wieder vorgenommen. Immer diese Artikel aus Haß-Liebe! Ich bin ihnen aufs äußerste unsympathisch, schon über mich zu schreiben, bedarf der Rechtfertigung durch Anpöbeleien, aber dann können sie eben doch alle nichts dagegen machen, daß das, was ich schreibe, ihre Zustimmung ja sogar ihre Bewunderung erregt. So was Blödes, wie die Zeitung die dir ausgerechnet Herr K. zuschickte, rechne ich gar nicht, das macht mir nur Spaß. Ich bin ja nicht für offene Arme von Seiten der kleinbürgerlichen Presse, sondern durchaus für Ablehnung. Es ist ja meine Tendenz, immer wieder zu zeigen wie weit auseinander die politischen und die geistigen Dinge sind. Der Brief im »Merkur« hat natürlich auch wieder schwer eingeschlagen und die Zahl meiner Gegner vermehrt. Aber je m'en fiche. Du, Nele, brauchst Dich durchaus nicht für das, was ich schreibe zu interessieren oder gar es schön finden. Du kannst diese unsere deutsche Welt nicht so beurteilen, und neigst vielleicht der Auffassung weiter Auslandskreise zu, daß uns künstlerische oder allgemeine Fragen gar nicht zu interessieren haben, daß wir nur von Schuld und Sühne schreiben sollen. Einerseits mag das wohl so sein, aber andererseits sind wir doch seit 500 Jahren ein altes europäisches Kulturvolk und können uns gewisse Fragen und Probleme nicht mehr aus den Gehirnen reißen, ästhetische, metaphysische, philosophische Fragen, die wir miterschaffen haben. Und trotz Schuld läuft auch das in uns weiter und darf erörtert werden. Sonst wäre es ja auch zu langweilig.

(MVB 77)

Benn an Fritz Werner [Berlin], 9. Mai 1949

vielen Dank für Ihren freundlichen Gruß zum Geburtstag und die Seite aus der Züricher Weltwoche. Mein Verleger hatte mir schon einen Auszug daraus gesandt, aber ich bin sehr froh, das Original zu sehn, – ich finde die Bemerkungen als Ganzes interessant und auch nicht illoyal. Daneben steht ein Gedicht, wie froh bin [ich], daß es nicht von mir stammt, ich will mich lieber anpöbeln lassen als Süßigkeiten produzieren –.

Die Bemerkung von Herrn Vietta ist ebenfalls sehr interessant.

Wenn man mir gegenüber reserviert ist, – ich bin es jedenfalls noch mehr, nichts wäre mir fataler als offene Arme und Feuilletonlakritze. (BR 155)

Benn an Max Niedermayer [Berlin], 12. Mai 1949

Es ist hinreißend für einen Autor zu erleben, daß sein Verleger, der drei im Erfolg fragwürdige Bücher verlegt hat, noch immer in alten Arbeiten etwas ihn Interessierendes findet und dem Ausdruck gibt. Ich ersehe aus Ihren Ausführungen, daß Sie den Band *Fazit der Perspektiven* in die Hand genommen haben. Nun, auch in anderen Bänden z. B. »Nach dem Nihilismus« und der »*Gesammelten Prosa*« (Kiepenheuer) steht einiges, das vermutlich noch nicht völlig verschimmelt ist und das manche Frage, die heute wieder als aktuell und original zur Erörterung steht, vorwegnehmend beantwortet, z. B *die Rede auf Heinrich Mann,* die ich im Namen der deutschen Schriftsteller an seinem 60. Geburtstag hielt, die »*Akademierede*« gehalten bei der Aufnahme in die Dichterakademie u. a. Also ziehen wir das alles in Betracht, wenn Sie gelegentlich einen neuen, alten Prosaband herausbringen wollen. Aber warten wir ab. Überlassen wir der zweiten Hälfte des Jahrhunderts, sich an G. B. zu erinnern oder ihn zu vergessen – in der Bozenerstr. herrscht Frieden und Abgeklärtheit und die Öffentlichkeit dringt kaum hinein. Gestern bekam ich von Herrn Heinz Friedrich das Manuskript für die Rundfunksendung, die in Frankf. demnächst vor sich gehen soll. Ich bin verblüfft! 26 Seiten Schreibmaschine, also eine Stunde Dauer, das scheint mir zuviel. So lange wird sich keiner diese vielen Zitate und schwierigen Gedankengänge anhören können und wollen. Als Ganzes ein erstaunliches Eindringen in meine Versuche, namentlich in der Richtung des Gedanklichen und Philosophischen; verblüffend für mich auch insofern, als ich mit tiefem Erstaunen eine ganz durchgehende einheitliche Linie des Werkes von 1920 an bis heute feststellen muß und weiter deswegen, weil ich darin Sätze und Formulierungen finde, hinsichtlich derer ich jeden Eid vor jedem Gericht geleistet haben würde, daß ich sie nie geschrieben oder auch nur gelesen hätte. Ich entledige mich ja allerdings sehr schnell alles dessen, was ich schrieb, vergesse sofort, halte mich für neue Impressionen bereit und war mir offenbar nie darüber klar, welche Dauer und welchen Nachdruck das geschriebene Wort besitzt.

(LPBD 266 f)

Benn an Max Niedermayer [Berlin], 28. Mai 1949

Nicht enthalten [in »Trunkene Flut«] sind die Verse, die meinen eigentlichen Namen (den berüchtigten) begründeten, aus den Jahren 1912–1922, aber die wollen wir lieber unterschlagen, darin wimmelt es nur so von Leichen und Huren und Syphilisquadrillen, daß es mir jetzt unfaßbar ist, daß so was jemals gedruckt und nicht konfisziert worden ist. Überhaupt, sehr verehrter Herr Niedermayer, bei genauem Studium Ihres Autors könnten Sie auf Sachen stoßen, die Sie entsetzen würden und die wahrhaft zerstörend und wüst sind, richtiger zerebraler Unflat, aber ich persönlich bekenne mich unverändert dazu. [. . .]

Aber keine Besorgnis, – der in Vorbereitung befindliche Gedichtband [»Trunkene Flut«] ist sittlich einwandsfrei. (LPBD 268)

Aus »Zukunft und Gegenwart« 1949

Ein Werk entsteht nur in geschlossenem Raum. Was die Leute dynamisch nennen, worunter sie sich etwas Revolutionäres, Fortstürmendes, Grenzeneinreißendes vorstellen, das gehört in andere Seinsbereiche, das sind Voraussetzungen – Kunst ist statisch. Ihr Inhalt ist ein Ausgleichen zwischen Tradition und Originalität, ihr Verfahren die Balance zwischen Masse und Stützpunkt.

(GW IV, 156)

Aus »Soziologisch« 1949

Ich schreite meinen Kreis ab, Moira, ich schreite nicht die Geschichte ab, ich prüfe meine Aufgaben, meine Bindungen, zerre auch vielleicht an ihnen, aber der Kreis ist in mir beschlossen, ich blicke nicht über mich hinaus, ich versage mir diese Erleichterung, ich arbeite, ich suche Worte, ich zeichne meine Morphologie, ich drücke mich aus. Vierzig Jahre, vierzig Jahre unter Zwang, einem Zwang, nach dessen Wesen ich allerdings vergeblich fragte.

(GW IV, 166)

Benn an Nele P. Soerensen [Berlin], 14. Juni 1949

[. . .] Anfang Juli bringt Radio Frankfurt eine Stunde einen Dialog:

»G. B. und die Überwindung des europäischen Nihilismus«, – ich las das Manuskript und war verblüfft, es standen so viele Sätze aus alten Büchern von mir drin, die ich nicht kannte, von denen ich vor jedem Gericht geschworen hätte, daß sie nicht von mir stammen, ja daß ich sie nie gelesen hätte. Ich vergesse sehr schnell, was ich schrieb, – das ist eine innere Technik von mir, um immer neuen Impressionen bereit zu sein [. . .]
Viele Ausländer schreiben an mich und versuchen mich hier zu besuchen. Aber ich will nicht mehr und bleibe für mich [. . .] Ich will noch die paar Sachen schreiben und veröffentlichen, die mir am Herzen liegen, aber Zustimmung und Ruhm sagen mir nichts mehr [. . .] Ich rechne auch damit, daß auch noch wieder schwere Angriffe gegen mich kommen werden [. . .] aber ich lache über alles.

(MVB 78)

Benn an Erich Pfeiffer-Belli Berlin, 3. Juli 1949

Ihr Brief vom 14. VI. 49 war mir eine große Freude. Ich gedenke Ihrer durch all die Jahre mit unveränderter Dankbarkeit, weil Sie mir zu meinem 50. Geburtstag im Berliner Tageblatt die schönsten Zeilen widmeten, die mir je gesagt wurden, – und dies in einer Zeit, als es um mich schon sehr kritisch stand und gewisse Leute, mit denen ich verbunden gewesen war, schon schrieben, ich möchte doch von unserer Verbindung nichts in die Öffentlichkeit dringen lassen. Wenige Tage später erschien dann im »Schwarzen Korps« jener Angriff, der mich um ein Haar die Existenz gekostet hätte. Also dies ist unvergessen und ich freue mich, Ihnen jetzt so verspätet noch einmal gegenübertreten zu können.
Ihr Angebot, mich mit dem Tagesspiegel in Verbindung zu bringen, ist äußerst liebenswürdig, aber da seine Hauptredaktion hier in Berlin ist, wäre der direkte Weg hier ja einfacher. Ich habe in diesen Jahren sowohl Herrn Reger kennengelernt, wie auch Herrn Karsch, der mich besuchte, auch Herr Kluger hat mich kürzlich aufgefordert, für ihn Buchbesprechungen zu machen. Aber ich schreibe für Zeitungen bis auf weiteres nicht. Meine Stellung ist zu exponiert, meine Ansichten in meinen neuen vier-fünf Büchern zu gewagt und zu persönlich, als daß ich mich auf kurze Äußerungen in der Presse einlassen könnte. Meine alten Gegner sind sehr wach und meine

neuen Formulierungen sind nicht geeignet, sie zu besänftigen. Mit Absicht: nur die schrankenlose und schleierlose Formulierung der tatsächlichen inneren Lage, in der wir uns ja alle befinden, ist der Veröffentlichung wert, ohne Rücksicht auf Erfolg oder Ablehnung. Die wenigen Jahre, die ich vielleicht noch lebe, werde ich zu keiner Konzession meiner mein Leben lang verfolgten extremen Richtung bereit sein. *Man kann es ja auch garnicht:* kein Satz, kein wirklicher Satz, kommt zustande, wenn nicht hinter ihm das ganze Pathos und das ganze innere Leiden der Persönlichkeit steht. Meine ärztliche Praxis, die mir bisher keine Instanz nehmen konnte, gibt mir die äußere Möglichkeit, dem inneren Gesetz zu leben.

Wenn Sie von Ihrem freundlichen Interesse für meine Arbeiten noch etwas verspüren, lassen Sie sich bitte vom Limes Verlag in Wiesbaden meine neuen Bücher schicken u. berufen Sie sich dabei auf mich. (BR 160 ff)

Benn an Erna Pinner Berlin, 16. Juli 1949

[...] einen Essayband schicke ich Dir vielleicht doch: »Ausdruckswelt«, der jetzt erschienen ist. Im ganzen sind vier neue Bücher[30] von mir erschienen, ein 5.[31] folgt in den nächsten Wochen, und sie haben einen geradezu überraschenden Erfolg nach der geistigen Seite hin. Du hast ja an den 3 Alten Männern gesehen, daß ich meiner radikalen Sprach- und Gedankenrichtung treugeblieben bin und ich bin wohl der einzige in Deutschland, der den Mut (und infolge seiner Praxis, der ärztlichen) die Möglichkeit hat, den Dingen so ins Auge zu sehen, wie sie sind, so erbarmungslos, so nihilistisch und doch nicht ganz hoffnunglos. Auffallend ist, daß ich in der Schweiz, die doch sehr kühl und kritisch und von der ganzen deutschen Welt literarisch umworben ist, eine ganz erstaunliche Presse habe. Am 2. VII. erschien die ganze Seite Literatur und Kunst der Züricher »Tat« mit und über G. B., und am gleichen Tag brachte die »Neue Zürcher Zeitung« einen langen, ungemein großartigen Aufsatz über die neuen Bücher. Auch in West- und Süddeutschland, Presse und

30 »Statische Gedichte«, »Drei Alte Männer«. »Der Ptolemäer«, »Ausdruckswelt«.
31 »Trunkene Flut«.

Radio, sind sehr aktiv in dem Eintreten für mich (Berlin ist nicht mein Freund, da ich weder Kommunist, noch reiner Sozialist bin und die geschichtlich-politische Welt aufs erbittertste angreife in den neuen Büchern, lies in dem Essayband den »Berliner Brief«, – dann wirst Du verstehn). (BR 163 f)

Benn an Margret Boveri [Berlin], 23. Juli 1949
Dank für die »Tat« [32]. Am gleichen Tag erschien in der »Neuen Zürcher Zeitung« ein langer großartiger Aufsatz [33] über mich, u im Heft der »Neuen Schweizer Rundschau« schrieb Herr Rychner 32 Seiten über meine mir selbst reichlich unklare Persönlichkeit [34]. Erstaunlich, daß man am Ende seiner Karriere selber überhaupt nicht weiß, wer man war und ist. (BR 165)

Benn an Leonharda Gescher [Berlin], 28. Juli 1949
Aufsätze über Aufsätze erscheinen über meine neuen Bücher, sie haben eine frappierende Resonanz. Am überraschendsten die Kritiken aus der Schweiz, großartige, z. B. im letzten Heft der »Neuen Schweizer Rundschau« eine 32 Seiten lange Studie über mich von Max Rychner.
Offenbar weiß man über sich selber am allerwenigsten; ich kann mir gar nicht denken, daß ich das sein soll, der da analysiert und dargestellt ist – so fremd klingt mir das alles. Wenn mir jemand sagte, daß ich mein Leben lang eine Tabakfiliale geleitet hätte und Zigaretten hinter dem Ladentisch verkauft, würde ich es auch glauben. (DT 212 f)

Benn an Nele P. Soerensen [Berlin], 30. Juli 1949
Meine vier Bücher [35] sind ein ganz sensationeller Erfolg. Täglich kriege ich Aufsätze und Kritiken, – den meisten bin ich widerlich,

32 In der Nummer vom 2. Juli 1949 hatte Max Rychner einen Aufsatz »Ausdruckswelt« veröffentlicht.
33 Leon Lions Aufsatz »Gottfried Benn: – Der Ptolemäer« in der Nummer vom 2. Juli 1949.
34 Der Aufsatz in Heft 3, Jg. 17, trägt den Titel »Gottfried Benn – Züge seiner dichterischen Welt«.
35 Siehe Anmerkung 30.

aber sie müssen anerkennen, daß ich ein großer Magier bin (ein Charlatan, wie Ilse immer sagt). Nun ich bin lieber ein Charlatan, der anregt, als ein Kleinbürger, der Stimmungen von sich gibt. Im Juliheft der »Neuen Schweizer Rundschau«, ist ein 32 Seiten langer Aufsatz über mich von dem berühmtesten Kritiker der Schweiz, Max Rychner [36]. Das erstaunt mich selber am meisten, – wenn mir jemand sagte, daß ich mein Leben lang Zigaretten hinter dem Ladentisch verkauft hätte, würde ich es auch glauben, – so wenig weiß man, wer und was man eigentlich ist [...] (MVB 79)

Benn an Thea Sternheim Berlin, 12. August 1949

1936 begannen dann die Angriffe gegen mich, im berüchtigten »Schwarzen Korps« (S.S.), 1937 wurde ich aus der Reichsschrifttumskammer rausgeworfen mit Schreibverbot, sehr peinlich für einen Mann bei der Wehrmacht, dann wurde der Kunsttempel weiter gesäubert und ich damit diffamiert, daß ich mit der Lasker-Schüler befreundet gewesen wäre und mit Erich Reiss, meinem ehemaligen Verleger, weiter verkehrte [...]
[...] wir wohnten in einer herrlichen Kaserne hoch über der Stadt, bekamen Essen, – wie ich das im letzten Abschnitt des »Phänotyp« geschildert habe, zu tun war nichts mehr, ich hatte so viel Zeit wie nie in meinem Leben, las, schrieb, – eigentlich waren diese anderthalb Jahre die ruhigste und glücklichste Zeit meines Lebens [...]
Literarisch stand ich auf allen schwarzen Listen, die möglich waren; [...] Dann über die Schweiz, wo der Archeverlag sich für mich zu interessieren begann, »eroberte« ich auch die hiesigen Verlage ohne Ehrgeiz, ohne Interesse könnte ich fast sagen, mich kann nichts mehr tief treffen, auch kein Ruhm u. dergl. mich mehr erfreuen, die wenigen Jahre, die ich vielleicht noch lebe, wird mich niemand mehr sehr gesprächig machen, was das Private und Öffentliche betrifft. [...]
Zum Schluß noch einmal die Literatur. Ich stehe mit keinem der früheren Kollegen mehr in Verbindung, sie haben sich alle so hundsföttisch gegen mich benommen, als es mir politisch schlecht ging, sie sind ja auch alle produktiv am Ende, keiner schreibt mehr

36 Siehe Anmerkung 32.

etwas, das mich interessieren könnte. Als Fazit meiner Existenz sage ich, daß es nichts Besseres für einen potenten Kopf gibt, als immer wieder und das ganze Leben lang für anrüchig zu gelten und unterdrückt zu werden, wer sich diesem Gesetz beugt, kommt durch, und ich denke oft an das Wort von Monet: »il faut décourager les arts.« Meine Götter geblieben sind immer noch Heinrich Mann, Nietzsche und Taine, an denen habe ich mich gebildet. Dann gefällt mir Gide als Haltung sehr, nämlich daß er nie sozialistisch und magistral denkt, immer artistisch. Ich bin nicht fromm geworden wie Döblin, der nur noch in Religion macht und Ora et labora zelebriert und nicht wie Eliot, der mir überhaupt etwas konventionell vorkommt. Sofern mich mal ein französischer oder amerikanischer Schriftsteller besucht, jüngere Leute, die hier in Kulturpropaganda und Umerziehung machen, gebe ich die Sternheimsche Maxime weiter: *streichen Sie die Adjektiva!* Ein großes Wort von ihm! Mehr wert als der ganze Rummel mit dem Existentialismus. Ein Wort, das die wirkliche ästhetische Lage von heute blendend erhellt. (BR 167 ff)

Benn an Nele P. Soerensen [Berlin], 24. August 1949

man muß das Leben und seine Erscheinungen zerspalten, zersplittern, aufleuchten lassen, ein *Prismatiker* sein, wie ich es in meinen letzten Büchern sage, nicht es kausalanalytisch auffassen und darstellen, sondern ziellos, sinnlos, bruchstückartig, vorübergehend empfinden und ausdrücken, dann wird die Darstellung tief und spielerisch, erregend und zukunftsfähig. Nur der Augenblick gilt, nur die Stimmung zählt, nur die Impression hat recht, nur das Tragische hat Dauer [...]

Eine Zeitung schrieb neulich über mich, nachdem sie mich ungeheuer gerühmt und bewundert hatte zum Schluß: Dieser Mann ist als Ganzes völlig abzulehnen, da er Gott lächerlich findet und alle Religionen verachtet. Das ist natürlich ganz verkehrt. Ich verachte die Menschen, die mit ihren eigenen Dingen nicht fertig werden und nun in Gebeten den lieben Gott anflehen, ihnen behilflich zu sein und sie zu erretten. Das verachte ich allerdings sehr. [...]

Ferner schrieb ich einmal: *»Gott ist ein schlechtes Stilprinzip«* und *»Götter im ersten Vers sind etwas anderes als Götter im letzten*

Vers.« – – das ist eine meiner frivolen artistischen Bemerkungen, die aber echt sind und des Nachdenkens wert! (MVB 80 f)

Benn an Frank Benseler Berlin, 22. Oktober 1949
[...] besten Dank für Ihren Brief vom 13. X. Er interessiert mich sehr. Ich kann nur kurz heute darauf eingehn, um einiges richtigzustellen. Ich sagte *nicht:* [37] von Homer bis Kant, sondern von Homer bis *Goethe*. Ich meinte mit Königsberg u. Schwarzwald *nicht* Kant u. Heidegger, sondern etwas ganz anderes. Allgemeineres: Heimatsorte, Familie, Entwicklung, Privates das hat jeder, ist ganz nebensächlich – Schluß mit den Entwicklungsromanen, dem individuellen Getue u. Wichtignehmen familiärer u. psychologischer Dinge, erlebnismäßiger Details. In einem meiner Bücher führe ich das weiter aus (»Der Ptolemäer«).
Wenn es Ihnen möglich ist, werfen Sie einen Blick in das nächste Heft vom »Merkur«, wo ich das Thema der Phase II, also das Rundfunkthema, erörtere. (BR 178)

Benn an Frank Maraun [Berlin], 20. November 1949
Damit Du siehst, daß die von Dir bereicherte »Tat« [38] auch meiner öfters gedenkt, lege ich Dir einen Prospekt bei, den mein tüchtiger Verlag kürzlich hervorgebracht hat, – Max Rychner hat sogar einen 32 Seiten langen Aufsatz über mich in der »Neuen Schweizer Rundschau« veröffentlicht, der großes Erstaunen überall hervorgerufen hat, da ich ja doch immer noch als Outsider u. »Umstrittener« gelte – was mir sehr lieb ist, ich stehe lieber auf schwarzen als blütenweißen oder rosaroten Listen. (BR 179)

Benn an Frank Maraun [Berlin], 20. November 1949
Betrachten Sie bitte das Dezemberheft des »Merkur«, wo ich meinem Affen wieder Zucker gebe [39]. Schreibe auch sonst wieder Neues *ohne* Konformismus und Klassizität. (BR 181)

37 in einer Rundfunksendung.
38 Erna Pinner hatte in drei Nummern der »Tat« Artikel über Benn veröffentlicht: 8. 11. 1948 »Der Tarsier«, 8. 1. 1949 »Protopterus annectus«, 10. 3. 1949 »Besuch beim Taxidermisten«.
39 Gemeint ist der Vorabdruck des Abschnitts Phase II aus »Doppelleben«, der jedoch erst in Heft 23, Januar 1950 erschien.

[Berlin-Schöneberg], 21. November 1949

Benn an Friedrich Wilhelm Oelze

Lokalnotiz: alles aus den letzten Jahren ist entstanden in meinem Sprechzimmer, in jenem Stuhl am Fenster, das auf die Straße sieht. Im Hinterzimmer wird nur probiert u. korrigiert, die Eingebungen stammen alle aus diesem kleinen einfenstrigen Raum, vormittags. Wenn ich doch ein Stehpult hätte, oben grünbezogen, wie es mein Vater hatte, und von 9–12 ungestört gewesen wäre, wäre ich ein mittelgroßer Mann geworden, so ist alles Fragment – allerdings liebe ich Fragmente. (UBO)

[Berlin-Schöneberg], 28. November 1949

Benn an Friedrich Wilhelm Oelze

Mir wird überhaupt alles immer schwieriger und dunkler, jeder Satz, den ich schreibe oder denke, trägt schon sein Gegenargument und seine Aufhebung in sich, kommt mir müßig vor, trostlos, unerheblich. »Du hättest singen sollen, meine Seele« – eigentlich hat *Jener* [Nietzsche] tatsächlich schon alles, aber auch restlos alles vorweggenommen und ausgesprochen, woran wir herumstochern, diese 50 Jahre sind ein reines Nachplappern und Auswalzen seiner gigantischen Gedanken und Leiden. So auch dies mit dem Singensollen, ach wie Recht hatte er mit dieser finalen Erkenntnis.

(UBO)

[Berlin-Schöneberg], 4. Dezember 1949

Benn an Friedrich Wilhelm Oelze

Herr Maraun schreibt mir [. . .], Sie hätten gewisse Bedenken gegen gewisse »konformistische« Formulierungen in der Vorrede zu »Ausdruckswelt«. Welche Formulierungen sind das, das würde mich ernstlich interessieren? [. . .] Es ist seltsam, die Einen finden mich konformistisch, die anderen artistisch, die dritten romantisch (»Flucht in die Südsee« und in die Vorzivilisationsstufen), andere kritisieren die »endogenen Bilder« (»Haltung eines Selbstmörders«) usw. [. . .] Was soll man machen, wie soll man dichten, wie soll einer, der Gedichte macht und außerdem Theorien entwickelt, verfahren? [. . .] (UBO)

Benn an Nele P. Soerensen Berlin, 21. Dezember 1949

[...] dieses fürstliche Briefpapier hat mir heute mein Verleger geschenkt, da er meine bisherigen Fetzen offenbar meines Ruhmes nicht für würdig hielt.

[...] dann manche Anfeindung und Neid – mir ist zwar das alles schrecklich gleichgültig, aber meine Gedanken gehn natürlich weiter und suchen sich immer neue Einfälle und Extravagancen – je älter man wird, um so unklarer u. verworrener wird das Leben, um so mehr auch eilt man, noch seine letzten Erkenntnisse zum Ausdruck zu bringen. (MVB 83)

Aus »Marginalien« 1949

Lyrik. Es gibt Stimmungen und Erkenntnisse, die kann man in Worten ausdrücken, die es schon gibt. Es gibt Stimmungen und Erkenntnisse, die kann man nur in Worten ausdrücken, die es noch nicht gibt. Tut man das letztere, gerät man in Konflikte. Studienräte, Irrenärzte, Sprachreiniger, Politiker treten an. Es soll daher nur der es unternehmen, dem es gegeben ist. Mehr wollen als man kann, ist immer ein Zeichen von Regulationsdefekten. Kunst hat zur Voraussetzung, daß der Hersteller weiß, was er kann und was er nicht kann. Glückliche Zufallswürfe gibt es, aber sie sprechen nicht gegen das Vorstehende als Maxime. Genialität, die von etwas anderem ausgeht als den Mitteln, die ihr sich auszudrücken zur Verfügung stehen, ist Dilettantismus. Am Mittelmeer ist dies bekannt, dem Teutonen wird es nie geläufig sein, der verlangt immer »zutiefst« das »heiße Herz«, und wenn er gar nichts Eigenes besitzt und wenn ihm gar nichts Interessantes einfällt, dann dichtet oder komponiert er von »deutscher Seele«. (GW I, 389)

Es ist ein Laboratorium, ein Laboratorium für Worte, in dem der Lyriker sich bewegt. Hier modelliert, fabriziert er Worte, öffnet sie, sprengt, zertrümmert sie, um sie mit Spannungen zu laden, deren Wesen dann durch einige Jahrzehnte geht. Der Troubadour kehrt zurück: trobaire oder trobador = Finden, das heißt Erfinden von Worten (elftes Jahrhundert, zwischen Loire und Pyrenäen), also: Artist. Wer den Reigen kennt, geht ins Labor. Gauguin schreibt an einer Stelle über van Gogh: »In Arles wurde alles – Quais, Brücken

und Schiffe, der ganze Süden – Holland für ihn.« In diesem Sinne wird für den Lyriker alles, was geschieht, Holland, nämlich: Wort; Wortwurzel, Wortfolge, Verbindung von Worten; Silben werden psychoanalysiert, Diphthonge umgeschult, Konsonanten transplantiert. Für ihn ist das Wort real und magisch, ein moderner Totem.
(GW I, 389 f)

Das Wort des Lyrikers vertritt keine Idee, vertritt keinen Gedanken und kein Ideal, es ist Existenz an sich, Ausdruck, Miene, Hauch. Es ist eine Art Realisierung aus animalischer Natur; auf ihrer Schattenseite steht ihre Seltenheit und ein selbst bei hohen Leistungen vielfach zu beobachtender Mangel an Umfassung. (GW I, 390)

In der Kunst, zum Beispiel, muß man immer dasein, sofort, ohne Einleitung, ohne Erklärungen, ohne Vorworte: ansetzen und dasein – reine Existenz. In der Dichtung, zum Beispiel, muß man allein sein, in die Weite sehen, womöglich über Wasser, und Worte heranziehen, Worte, dicht von Sachverhalten, geschichtlich beschwerte, tragische Worte, real wie Lebewesen. (GW I, 392)

Oberstes Gesetz wird die Anordnung, das Inhaltliche der Fakten bleibt am Rande. Aus einem Bild: ein Kind steht abseits, zwar nicht im warmen Rock, doch nicht raumvergessen; ein Gesicht wird gerötet und verzogen, ein Mund hängt über einem Teller für ein Bohnenfest. »Götter im letzten Vers sind etwas anderes als Götter im ersten Vers.« Das Verfahren: Teilzentren bilden, gruppieren und wiederauflösen, wenn das Innere sich erweitern will, vorübergehende Anlagen machen als Umweg zur Gestalt. Drauflosarbeiten, stürmen – dieser germanische Wesenszug äußert sich hier nicht; zurücktreten und überlegen, fortnehmen und neuansetzen, dort beschleunigen und dort abwarten: regional denken – also ein mittelmeerisches Prinzip –, das heißt formensichernd denken, führt hier die Hand. Hineinnehmen einer Reihe, die zwanzig Jahre ruhte und bisher nie ihre Umgebung fand, endlich in einen ganzen Vers, also den Keimling Eins einsetzen in den Keimling Zwei und sie sich zu einem neuen Gemeinsamen zusammenschließen lassen, ist die dem körperlichen wie dem Ausdrucks-Wachstum gemeinsame Methode.
(GW I, 394)

Aber zur Frage nach der Stimmung oder der Affektlage des schreibenden, fassen wir es etwas weiter: des schöpferischen Menschen. Da scheint es mir auf der Hand zu liegen, daß ein solcher, selbst wenn er persönlich und privat von einem geradezu lethargischen Pessimismus befallen sein sollte, durch die Tatsache, daß er arbeitet, aus dem Abgrund steigt. Das angefertigte Werk ist eine Absage gegen Zerfall und Untergang. Selbst wenn dieser schöpferische Mensch sich sagt, selbst wenn er weiß, auch die Kulturkreise enden, auch der, zu dem er gehört – der eine endet und der andere tritt in den Zenit, und darüber steht das Unaufhörliche reglos und wahrscheinlich im Wesen nicht menschlich –, der schöpferische Mensch sieht dem ins Auge und sagt sich, in dieser Stunde liegt auf mir das unbekannte und tödliche Gesetz, dem muß ich folgen, in dieser Lage muß ich mich behaupten, ihr mit meiner Arbeit entgegentreten und ihr Ausdruck verleihen.

Ich meine, hier spielt sich etwas ab, das außerhalb des Persönlichen liegt, und man muß, um der Transzendenz dieses Vorgangs gerecht zu werden, das wunderbare Wort von Malraux aus seiner »Psychologie der Kunst« zitieren, daß nämlich am Tage des Gerichts nicht die einstigen Formen des Lebens, sondern die Statuen die Menschheit vor den Göttern vertreten. (GW I, 400)

Für den, der sich bemüht, seinem Inneren Ausdruck zu verschaffen, ist Kunst nicht etwas Geisteswissenschaftliches, sondern etwas Körperliches wie der Fingerabdruck. Ich bewege mich, wenn ich ein Dichter sein will, mit meinen Worten; wenn ich ein Maler bin, mit Gelb und Rot; ich schwelge mich, wenn ich ein Musiker bin, in meinen Akkorden. Man läßt sich eher fallen, als daß man sich aufrichtet und um sich blickt. (GW I, 401)

Benn an Max Rychner Berlin, 10. April 1950

diese Zeilen sind nichts weiter als der Ausdruck davon, daß ich mich immer wieder mit Ihnen beschäftige, seit ich Ihren großen Aufsatz über mich las. Es war mir unmöglich, mich zu äußern, so betroffen hatte er mich gemacht durch seine Ausführlichkeit und seine Analyse von Bezirken in mir, die mir selber unbekannt waren. Ich fragte mich mit Ihrem Vers: »weiß er schon mehr als Du von Dir« und das beunruhigte mich. Der Aufsatz rief eine Krise in mir

hervor, die heute noch nachwirkt u. zu welchen Ergebnissen sie führt, weiß ich heute noch nicht.
Ich würde nach so langer Zeit nicht wagen, an Sie zu schreiben, wenn ich nicht das Gefühl hätte, daß heutzutage zwischen »den wenigen, die was davon erkannt« (was eigentlich? Den Satzbau, nehme ich an) ein engeres Verhältnis besteht als zu anderen Zeitepochen, daß diese einander öfter anblicken, sich mit Fragen, wenn auch stummen, an einander wenden, sich an einander überprüfen, und auch wenn sie schweigen, verbundener sind als es früher war. Dies gibt mir den Mut, Ihnen heute meine Grüße und die Versicherung meines verehrenden Dankes auszusprechen. (BR 189)

Benn an Hans Paeschke 18. April 1950
Aber Sie hatten vor einiger Zeit einmal an mich geschrieben wegen Gedichten. Hier wären einige[40]. Mit Gedichten ist es ja eine heikle Sache: ich finde eigentlich alle, die ich irgendwo lese, furchtbar und ebenso werden die anderen das von meinen finden. Auch sind es keine Phase-II-Gedichte, wie einige meiner Kritiker sie nun verlangen, sondern G.B.-Gedichte im Rahmen dessen, der mir heute lyrisch möglich und gegeben erscheint. Es wäre gut, daß, wenn überhaupt, alle 5, dann schillert es besser. Wenn Sie aber eines nicht haben wollen, teilen Sie es mir bitte mit. Meine Bitte wäre ferner: 1) Korrektur und 2) nicht zu lange liegen lassen. Produkte erfreuen einen nur, solange sie frisch sind. (BR 190)

[Berlin-Schöneberg], 25. April 1950
Benn an Friedrich Wilhelm Oelze
Ich will nichts Essayistisches und Gedankliches mehr schreiben, nur noch Lyrik, bis der Verfall evident wird und die Lethargie beginnt. (UBO)

40 »Heure bleu« (später »Blaue Stunde« betitelt) und »Satzbau« (nicht im »Merkur« erschienen).

Benn an Armin Mohler [Berlin], 5. Juni 1950

tut mir leid, daß sich die »Nation«[41] in Bern so über mich ärgern mußte. Dank für die Zusendung! Aber es ärgern sich ja viele – man kann's nicht ändern. (BR 192)

[Berlin-Schöneberg], 12. Juni 1950

Benn an Friedrich Wilhelm Oelze

Was die mitgegebenen Gedichte angeht, so muß man auch gelegentlich Mittelmäßiges machen, es wirkt innerlich in einem als Sprungbrett für Besseres. Man steckt die Krallen in den Sand, wo man gerade liegt, u. es ist nicht immer Rubin drin, nicht mal Bernstein. (UBO)

[Berlin-Schöneberg], 23. Juli 1950

Benn an Friedrich Wilhelm Oelze

Ich lasse mich augenblicklich treiben und bändige mich nicht. Will abwarten, wohin es führt. Sitze abends in meiner Bierkneipe – horribile dictu – u. notiere meine Einfälle [...] (UBO)

Benn an Ernst Jünger Berlin, 11. August 1950

Ich bin verblüfft zu sehn, wie sehr Ihre Gedanken und meine in der Richtung sich gemeinsam bewegen, jedenfalls thematisch, existentiell, obschon Sie meine Thesen ebensowenig ganz anerkennen werden, wie ich an allen Ihren Folgerungen teilnehmen kann. (BR 196)

Benn an Ernst Robert Curtius Berlin, 6. November 1950

[...] und vor Eliot werde ich nicht aufhören mich zu fragen, ob nicht seine Dunkelheit und Mystik ein Mangel an Clarté ist, an Formverpflichtung, an Herausarbeiten der inneren Dinge zu der gläsernen durchsichtigen Welt, die nun einmal die Kunst ist. Wenn ein Ausgleich zwischen Tradition und Originaltät ist, scheint mir ein Beharren in einer so abstrusen Originalität der Form bei Kon-

41 Antifaschistisches Wochenblatt. Nummer 17, Jg. XVII enthielt unter dem Titel »Zum Thema Gottfried Benn« einen Angriff auf Benn.

formismus des Inhalts eher ein Manko zu sein, und eine Verdekkung von Mängeln. Auch bin ich nicht der Meinung, daß Relativismus und Skepsis Selbstmord des Geistes ist, ich halte sie für die Conditio sine qua non für die Bildung von Stil. (BR 200)

[Berlin-Schöneberg], 15. November 1950

Benn an Friedrich Wilhelm Oelze

[...] ich habe abends meistens Durst u. Unruhe u. gehe in eine Kneipe, da distanziert sich das Leben von mir u. wirft sich als Figuren an die Wände! (UBO)

Benn an Dieter Wellershoff [Berlin], 22. November 1950

Ihrer kritischen und historischen Methode gegenüber liegt mir daran hervorzuheben, wie naiv sich diese absonderliche Sprache in mir entwickelte. Natürlich hatte man Vorbilder, die einem vorschwebten, natürlich bewegten einen innere Strebungen, natürlich hatte man Notizen von Dingen und Sätzen, die einen aus irgendeinem Anlaß einmal erregten, aber der Ablauf beim Schreiben dann war völlig unter Zwang. Man fühlte, das nächste Wort *muß* so viel Silben haben, es muß beladen sein mit Glanz oder Abstieg oder Trauer. Vergessen wir auch nicht den Reiz und die Rettung, die aus gebrochenen Worten, angedeuteten Silbenwurzeln kommt, aus Anklängen, gemischt aus Inhaltlichem und Diphthongen. Kurz, primär ist ein inneres Bild des zu formenden Satzes, an dem modelliert man instinktiv herum bis er so klingt, wie man ihn wollen mußte, damit in einem gelöst wird, was als Last und Zwang, als Fremdkörper einen bedrängte. Es ist ein Vorgang von ausgesprochen katarrhtischem Charakter, es ist ein Eliminationsprozeß, ein Durchgang von panischen Insulten und Bedrängungen, ein phallischer Prozeß mit dem Ziel, Spannungen zu beseitigen und produktive Füllungen zu applanieren [...]

Sie nennen an Stilen: den eindringlichen Stil, den knappen Stil, den musikalischen Stil, den innerlichen Stil – alles ausgezeichnete Gesichtspunkte, aber vergessen sie nicht: den expressiven Stil, den Stil, bei dem es nur noch auf Faszination und Ausdrucksprägung ankommt, bei dem die Inhalte nur noch Euphorisationen für Kunstausübung sind (vgl. hierzu meinen Nietzscheaufsatz).

[...] Wir zehren von Selbstbegegnungen in kurzen Stunden – aber wer begegnet sich selbst? Nur wenige und dann allein, – Rönne begegnete sich selbst – (BR 202 ff)

Gespräch mit Frank Maraun 1950
Er [Benn] bezeichnete den Reim als eine infantile Spielerei. (UTM)

Benn im Gespräch mit Nele P. Soerensen 1950
Er verliebte sich in das kleine Fischerdorf und besonders in ein Häuschen, *Pyrola* genannt: – Falls ich den Nobelpreis bekäme, sagte er scherzend, würde ich Pyrola kaufen. Und in seinen Briefen kam er in den folgenden Jahren oft wieder auf Pyrola zurück. »Pyrola – mein Traum!« schreibt er. Man fand nach seinem Tode sogar ein Fragment mit der Überschrift: Pyrola. (MVB 88 f)

Aus Benns Arbeitsheft[42] 1950/51 [?]
Soll die Kunst der Zeit und dem Verständnis entgegenkommen?
»Die Kunst, soweit sie lebendig und gegenwartsbewußt ist, sieht ihre Aufgabe darin, das neue Weltbild dem Auge sichtbar darzustellen, sinnfällig konkrete Lösungen aller der Rätsel zu geben, denen unser Bewußtsein noch fassungslos gegenübersteht. Für uns sind es zunächst nur Zeichen, Symbole, keine konkreten Abbilder der neuen Wirklichkeit, die wir noch gar nicht ermessen können. Die veränderten Perspektiven verlangen eine veränderte Kunst.
Stören wir eine Entwicklung in ihrem kritischen Stadium nicht! Aus der Analyse wird einst wieder eine Synthese werden. Die neue Wirklichkeitskunst aber, der künftige Realismus wird sicherlich anders aussehen als der des 19. Jahrhunderts!«[43]
nicht immer Alles, das sie gerade erfüllt, ihre ganze Substanz, in 12 Reihen bringen wollen, sondern 12 Reihen so hinzustellen, aus-

42 Dieser Text, einem der Arbeitshefte Benns (Heft 16) entnommen, entstand vermutlich 1950/51.
43 Dieses Zitat, als Zeitungsausschnitt der Seite des Arbeitsheftes aufgeklebt, stammt aus der Feder eines Eberhard Ruhmer, dessen Identität ebensowenig zu ermitteln war wie Titel, Erscheinungsort und Datum seines Artikels.

zubauen, zu füllen u. zu firnissen, daß diese 12 Reihen ein Alles sind. Genau wie die Natur nicht ihre ganze Substanz in jeder Art verwirklicht: nicht im Tiger die Taube, nicht im Hasen ⟨?⟩ den Strauß – sie wandelt sich ab, sie verfügt über Räume, in denen sie auftauchen läßt u. über Zeiten, wenn sie Zeiten verwenden will u. braucht. (N)

[Berlin-Schöneberg], 3. Februar 1951

Benn an Friedrich Wilhelm Oelze

Wo, wann, was die Produktion in Bewegung bringt, ist doch wohl schleierhaft. Dies ganze Gebiet wird mir überhaupt immer rätselhafter, ich könnte auch sagen fragwürdiger [...] (UBO)

[Berlin-Schöneberg], 11. März 1951

Benn an Friedrich Wilhelm Oelze

Ich bin zur Zeit sehr erschütterungsfähig und mein Sitzen abends in einer Kneipe ist ein Versuch, mich von mir abzulenken für Stunden, für eine Stunde [...] (UBO)

Benn an Ewald Wasmuth Berlin, 27. März 1951

Wir sind ja alle in Bezug auf das Produktive viel mehr festgelegt, als wir meistens ahnen und unsere prästabilisierte Disharmonie hält uns in engen Grenzen.

Ja, innerhalb der Literatur bin ich wieder etwas hochgekommen, man macht Doktorarbeiten über mich in Minnesota und in Bonn und ich bin wieder Mitglied so ziemlich aller Akademien, sogar der exklusiven Bayerischen Akademie der Schönen Künste in München, die keine Norddeutschen sonst aufnimmt. Natürlich ist das schön für einen, aber ich lebe so einsam und zurückgezogen wie ich es immer tat und habe mit den alten Literaturgenossen von einst gar keine Beziehung mehr. [...]

Wenn ich mich selbst zitieren darf: «verworren sein und nicht schreiben können, ist noch kein Surrealismus.«

[...]

Sonst verlasse ich meine Wohnung kaum, lehne alle Einladungen zu Vorlesungen und Vorträgen ab, selbst in die Schweiz bin ich nicht gereist, wohin mich die Basler Studentenschaft eingeladen hatte.

Ein Schriftsteller existiert ja außerhalb seiner Bücher nicht, nur die Sätze gelten und auch diese nur in der Formulierung, die man ihnen gerade gegeben hat.
Je älter man wird, um so unklarer werden die Dinge, um so fragwürdiger das Persönliche, schließlich vergißt man sich selbst und will auch garnichts mehr von sich wissen. Auch der Trost mit dem Kulturkreis, in dem irgend etwas angeblich weiterlebt, erscheint einem als Illusion und idealistisches Keep-smiling. (BR 208 ff)

Benn an Dieter Wellershoff [Berlin], 3. April 1951

Dank für den I. Teil Ihrer Arbeit[44]. Wenn ich nicht schrieb so darum, weil alles wieder so interessant u. klug ist, daß ich mich zurückhalte, irgendwo oder irgendwie mit Bemerkungen einzugreifen. Ihre Analysen sind für mich so fesselnd u. so geschlossen, daß es garnicht darauf ankäme, ob etwa irgend etwas an irgendeiner Stelle mir eine Überraschung bedeutete.
In Ihrem Brief vom 9. IV. stehen neue bedeutungsvolle Dinge. Darauf werde ich eingehn. Sie werden von Herrn T. gehört haben, wie sehr Sie und Ihre Arbeit mich interessiert.
Verführer?? Nicht ich verführe, sondern die Kunst verführt. Das ist wohl ihr Wesen.
Form würde ich auf ein einzelnes Produkt beziehn, *Stil* auf mehrere im Überblick. *Ausdruckswelt* soll der metaphysische Hintergrund dieser verführerischen, natürlich gefährlichen, bewußt gemachten, raffinierten *Überwelt* sein. (BR 211)

Benn an Erich Reiss Berlin, 20. April 1951

Ich bin überhaupt marode, liege viel herum in meinem Hinterzimmer u. döse. Praxis sehr schlecht [...] Literatur u. Rundfunk bringen etwas ein. (BR 212)

Benn an Enst Jünger Berlin, 5. Mai 1951

[...]zerebral bin [ich für] Fernsehen, aber im übrigen für Landpostboten – der Ausgleich zwischen Äquilibristik und Statik schafft den Artisten. (BR 215)

44 »Untersuchungen über Weltanschauung und Sprachstil Gottfried Benns« Dissertation, Bonn 1952.

Benn an Clemens Graf Podewils [Berlin], 4. Oktober 1951

Vergessen Sie bitte nie, daß ich immer nur von *Kunst* spreche, nie von Allgemeinem, gedenken Sie entschuldigend meines Satzes: »Alle Dinge wenden sich um, alle Begriffe und Kategorien verändern ihren Charakter in *dem* Augenblick, wo sie unter Kunst betrachtet werden, wo sie sie stellt, wo sie sich ihr stellen.« (Aus »Doppelleben«.) Was sonst auf der Welt geschieht, ist nicht meines Amtes. (BR 219)

Benn an Ernst Jünger Berlin, 19. November 1951

[...] meine Bücher bringen trotz aller Aufsätze und Kritiken sehr wenig ein (und der Büchner-Preis soll mir, hoffentlich, ermöglichen, im nächsten Jahr ein paar Wochen frei zu sein). [...] Darf ich bei der Gelegenheit erwähnen, daß ich selber Drogen weder nehme noch genommen habe (außer einer kurzen Episode mit Kokain im I. Weltkrieg); es wird das oft von mir angenommen u. behauptet, zu Unrecht, außer Café u. Zigaretten brauche ich keine Stimulantien. (BR 220)

Aus »Probleme der Lyrik« 1951

Ein Gedicht wird gemacht. Wenn Sie vom Gereimten das Stimmungsmäßige abziehen, was dann übrigbleibt, wenn dann noch etwas übrigbleibt, das ist dann vielleicht ein Gedicht. (GW I, 495)

Aus »Mein Schmerzenskind« [45] 1951

Wenn ich eine Arbeit erscheinen lasse, ist sie fertig als Ausdruck meiner gegenwärtigen Stimmung und im Rahmen dessen, was mir möglich war. Es kann lange dauern, bis etwas fertig ist. Die Produktion des Lyrikers ist selten strömend, vielmehr häufiger stockend und voll Unterbrechungen.

In meinem Gedichtband »Statische Gedichte« ist ein Gedicht, das besteht nur aus zwei Strophen, aber beide Strophen liegen zwanzig Jahre auseinander – so lange brauchte ich, bis ich die zweite Strophe fand, es ist das Gedicht »Welle der Nacht«. Aber das ist nicht

45 Antwort auf die Umfrage der Zeitschrift »Freude an Büchern« nach dem »literarischen Schmerzenskind« und nach »prinzipiellen Sorgen des dichterischen Schöpfungsaktes«. Der Bennsche Text hat keine Überschrift.

schmerzlich, das gehört zu den Problemen der Produktion, die ein innerer Prozeß ist und mit Erfolg oder Nichterfolg der fertigen Arbeit gar nicht rechnet. (GW IV, 297)

Aus »Probleme der Lyrik« 1951

Eine mir befreundete Dame, eine sehr bekannte politische Journalistin, schrieb mir vor einiger Zeit, »ich mache mir nichts aus Gedichten, aber schon gar nichts aus Lyrik«. Sie unterschied also diese beiden Typen. Diese Dame war, wie ich wußte, eine große Musikerin, sie spielt vor allem klassische Musik. Ich antwortete ihr, »ich verstehe Sie durchaus, mir zum Beispiel sagt Tosca mehr als die Kunst der Fuge«. Das soll heißen, auf der einen Seite steht das Emotionelle, das Stimmungsmäßige, das Thematisch-Melodiöse, und auf der anderen Seite steht das Kunstprodukt. Das neue Gedicht, die Lyrik, ist ein Kunstprodukt. Damit verbindet sich die Vorstellung von Bewußtheit, kritischer Kontrolle, und, um gleich einen gefährlichen Ausdruck zu gebrauchen, auf den ich noch zurückkomme, die Vorstellung von »Artistik«. Bei der Herstellung eines Gedichtes beobachtet man nicht nur das Gedicht, sondern auch sich selber. Die Herstellung des Gedichtes selbst ist ein Thema, nicht das einzige Thema, aber in gewisser Weise klingt es überall an. Ganz besonders aufschlußreich ist in dieser Hinsicht Valéry, bei dem die Gleichzeitigkeit der dichterischen mit der introspektiv-kritischen Tätigkeit an die Grenze gelangt, wo sich beide durchdringen. Er sagt: »Warum sollte man nicht die Hervorbringung eines Kunstwerks ihrerseits als Kunstwerk auffassen.«

(GW I, 495 f)

Artistik ist der Versuch der Kunst, innerhalb des allgemeinen Verfalls der Inhalte sich selber als Inhalt zu erleben und aus diesem Erlebnis einen neuen Stil zu bilden, es ist der Versuch, gegen den allgemeinen Nihilismus der Werte eine neue Transzendenz zu setzen: Die Transzendenz der schöpferischen Lust. So gesehen, umschließt dieser Begriff die ganze Problematik des Expressionismus, des Abstrakten, des Anti-Humanistischen, des Atheistischen, des Anti-Geschichtlichen, des Zyklizismus, des »hohlen Menschen« – mit einem Wort die ganze Problematik der Ausdruckswelt.

(GW I, 500)

Sein inneres Wesen mit Worten zu zerreißen, der Drang sich auszudrücken, zu formulieren, zu blenden, zu funkeln auf jede Gefahr und ohne Rücksicht auf die Ergebnisse – das war eine neue Existenz. Sie hatte ihren Keim in jenem Flaubert, den der Anblick einiger Säulen der Akropolis ahnen ließ, was mit der Anordnung von Sätzen, Worten, Vokalen an unvergänglicher Schönheit erreichbar wäre – in Novalis, der von der Kunst als von der progressiven Anthropologie sprach, ja selbst in Schiller, bei dem sich die merkwürdige Hervorhebung eines ästhetischen Scheins findet, der es nicht nur ist, *sondern auch sein will.* Und wer immer noch zweifelt, daß hier eine Entwicklung zum Abschluß kam, gedenke des Wortes aus Wilhelm Meisters Wanderjahren: »Auf ihrem höchsten Gipfel scheint die Poesie ganz äußerlich, je mehr sie sich ins Innere zurückzieht, ist sie auf dem Wege zu sinken.« (GW I, 501)

Als *nächstes* möchte ich Ihnen einen Vorgang etwas direkter schildern, als es im allgemeinen geschieht. Es ist der Vorgang beim Entstehen eines Gedichts. Was liegt im Autor vor? Welche Lage ist vorhanden? Die Lage ist folgende: Der Autor besitzt:
Erstens einen dumpfen schöpferischen Keim, eine psychische Materie.
Zweitens Worte, die in seiner Hand liegen, zu seiner Verfügung stehen, mit denen er umgehen kann, die er bewegen kann, er kennt sozusagen seine Worte. Es gibt nämlich etwas, was man die Zuordnung der Worte zu einem Autor nennen kann. Vielleicht ist er auch an diesem Tag auf ein bestimmtes Wort gestoßen, das ihn beschäftigt, erregt, das er leitmotivisch glaubt verwenden zu können.
Drittens besitzt er einen Ariadnefaden, der ihn aus dieser bipolaren Spannung herausführt, mit absoluter Sicherheit herausführt, denn – und nun kommt das Rätselhafte: das Gedicht ist schon fertig, ehe es begonnen hat, es weiß nur seinen Text noch nicht. Das Gedicht kann gar nicht anders lauten, als es eben lautet, wenn es fertig ist. Sie wissen ganz genau, wann es fertig ist, das kann natürlich lange dauern, wochenlang, jahrelang, aber bevor es nicht fertig ist, geben Sie es nicht aus der Hand. Immer wieder fühlen Sie an ihm herum, am einzelnen Wort, am einzelnen Vers, Sie nehmen die zweite Strophe gesondert heraus, betrachten sie, bei der

dritten Strophe fragen Sie sich, ob sie das missing link zwischen der zweiten und vierten Strophe ist, und so werden Sie bei aller Kontrolle, bei aller Selbstbeobachtung, bei aller Kritik die ganzen Strophen hindurch innerlich geführt – ein Schulfall jener Freiheit am Bande der Notwendigkeit, von der Schiller spricht. Sie können auch sagen, ein Gedicht ist wie das Schiff der Phäaken, von dem Homer erzählt, daß es ohne Steuermann geradeaus in den Hafen fährt. Von einem jungen Schriftsteller, den ich nicht kenne, und von dem ich nicht weiß, ob er lyrische Werke schafft, von einem gewissen Albrecht Fabri las ich kürzlich im »Lot« eine Bemerkung, die genau diesen Sachverhalt schildert, er sagt: »die Frage, von wem ein Gedicht sei, ist auf jeden Fall eine müßige. Ein in keiner Weise zu reduzierendes X hat teil an der Autorschaft des Gedichtes, mit anderen Worten, jedes Gedicht hat seine homerische Frage, jedes Gedicht ist von mehreren, das heißt von einem unbekannten Verfasser.«

Dieser Sachverhalt ist so merkwürdig, daß ich ihn nochmals anders ausdrücken möchte. Irgend etwas in Ihnen schleudert ein paar Verse heraus oder tastet sich mit ein paar Versen hervor, irgend etwas anderes in Ihnen nimmt diese Verse sofort in die Hand, legt sie in eine Art Beobachtungsapparat, ein Mikroskop, prüft sie, färbt sie, sucht nach pathologischen Stellen. Ist das erste vielleicht naiv, ist das zweite ganz etwas anderes: raffiniert und skeptisch. Ist das erste vielleicht subjektiv, bringt das zweite die objektive Welt heran, es ist das formale, das geistige Prinzip. (GW I, 506 f)

Ich sagte, der Autor besitzt einen dumpfen schöpferischen Keim, eine psychische Materie. Das wäre, anders ausgedrückt, also der Gegenstand, der zu einem Gedicht gemacht werden soll.

(GW I, 509)

Ich würde sagen, daß hinter jedem Gedicht ja immer wieder unübersehbar der Autor steht, sein Wesen, sein Sein, seine innere Lage, auch die Gegenstände treten ja nur im Gedicht hervor, weil sie vorher *seine* Gegenstände waren, er bleibt also in jedem Fall jene Unreinheit im Sinne Eliots. Im Grunde also meine ich, es gibt keinen anderen Gegenstand für die Lyrik als den Lyriker selbst.

(GW I, 509 f)

Ich unterbreche jetzt für einen Augenblick die alten Sätze und hebe hervor: Flimmerhaare, die tasten etwas heran, nämlich Worte, und diese herangetasteten Worte rinnen sofort zusammen zu einer Chiffre, einer stilistischen Figur. Hier füllt nicht mehr der Mond Busch und Tal wie vor zweihundert Jahren, beachten Sie, diese schwarze Letter ist bereits ein Kunstprodukt, wir sehen also in eine Zwischenschicht zwischen Natur und Geist, wir sehen etwas selber erst vom Geist Geprägtes, technisch Hingebotenes hier mit im Spiel.
Nicht immer sind diese Flimmerhaare tätig, sie haben ihre Stunde. Das lyrische Ich ist ein durchbrochenes Ich, ein Gitter-Ich, fluchterfahren, trauergeweiht. Immer wartet es auf seine Stunde, in der es sich für Augenblicke erwärmt, wartet auf seine südlichen Komplexe mit ihrem »Wallungswert«, nämlich Rauschwert, in dem die Zusammenhangsdurchstoßung, das heißt die Wirklichkeitszertrümmerung, vollzogen werden kann, die Freiheit schafft für das Gedicht – durch Worte. (GW I, 511 f)

Er [der Künstler] steht allein, der Stummheit und der Lächerlichkeit preisgegeben. Er verantwortet sich selbst. Er beginnt seine Dinge, und er macht sie fertig. Er folgt einer inneren Stimme, die niemand hört. Er weiß nicht, woher diese Stimme kommt, nicht, was sie schließlich sagen will. Er arbeitet allein, der Lyriker arbeitet besonders allein, da in jedem Jahrzehnt immer nur wenige große Lyriker leben, über die Nationen verteilt, in verschiedenen Sprachen dichtend, meistens einander unbekannt – jene »Phares«, Leuchttürme, wie sie die Franzosen nennen, jene Gestalten, die das große schöpferische Meer für lange Zeit erhellen, selber aber im Dunkeln bleiben. (GW I, 517)

Da steht also ein solches Ich, sagt sich: ich heute bin so. Diese Stimmung liegt in mir vor. Diese meine Sprache, sagen wir, meine deutsche Sprache, steht mir zur Verfügung. Diese Sprache mit ihrer jahrhundertealten Tradition, ihren von lyrischen Vorgängern geprägten sinn- und stimmungsgeschwängerten, seltsam geladenen Worten. Aber auch die Slang-Ausdrücke, Argots, Rotwelsch, von zwei Weltkriegen in das Sprachbewußtsein hineingehämmert, ergänzt durch Fremdworte, Zitate, Sportjargon, antike Reminiszenzen, sind in meinem Besitz. Ich von heute, der mehr aus Zeitungen lernt als aus Philosophien, der dem Journalismus nähersteht als der Bibel, dem ein Schlager von Klasse mehr Jahrhundert enthält als eine Motette, der an einen gewissen physikalischen Ablauf der Dinge eher glaubt als an Nain oder Lourdes, der erlebt hat, wie man sich bettet, so liegt man, und keiner deckt einen zu – dies Ich arbeitet an einer Art Wunder, einer kleinen Strophe, der Umspannung zweier Pole, dem Ich und seinem Sprachbestand, arbeitet an einer Ellipse, deren Kurven erst auseinanderstreben, aber dann sich gelassen ineinander senken. (GW I, 518)

Lassen wir das Höhere, antwortet das lyrische Ich, bleiben wir empirisch. Sie haben sicher einmal das Wort Moira gehört: das ist der mir zugemessene Teil, das ist die Parze, die sagt, dies ist deine Stunde, schreite ihre Grenzen ab, prüfe ihre Bestände, wabere nicht ins Allgemeine, treibe keinen Feuerzauber mit dem Fortbestand des Höheren, – du bist hoch, denn ich spreche mit dir. Natürlich wirst du nicht befugt sein, in andere Reiche einzudringen, es gibt viele Moiren, ich spreche auch mit anderen, sehe jeder zu, wie er meine Rede deutet – aber dies ist dein dir zugemessener Kreis: suche deine Worte, zeichne deine Morphologie, drücke dich aus. Übernimm ruhig die Aufgabe einer Teilfunktion, die aber versorge ernstlich, ich will dir zuflüstern, eine voluminöse Allheit ist ein archaischer Traum und mit der heutigen Stunde nicht verbunden. (GW I, 520)

Der Lyriker kann gar nicht genug wissen, er kann gar nicht genug arbeiten, er muß an allem nahe dran sein, er muß sich orientieren, wo die Welt heute hält, welche Stunde an diesem Mittag über der Erde steht. Man muß dicht am Stier kämpfen, sagen die großen Matadore, dann vielleicht kommt der Sieg. Es darf nichts zufällig sein in einem Gedicht. Was Valéry über Moltke schrieb: »für diesen kalten Helden ist der wahre Feind der Zufall«, gilt für den Lyriker, er muß sein Gedicht abdichten gegen Einbrüche, Störungsmöglichkeiten, sprachlich abdichten, und er muß seine Fronten selbst bereinigen. Er muß Nüstern haben – mein Genie sitzt in meinen

Nüstern, sagte Nietzsche –, Nüstern auf allen Start- und Sattelplätzen, auf dem intellektuellen, da wo die materielle und die ideelle Dialektik sich voneinander fortbewegen wie zwei Seeungeheuer, sich bespeiend mit Geist und Gift, mit Büchern und Streiks – und da, wo die neueste Schöpfung von Schiaparelli einen Kurswechsel in der Mode andeutet mit dem Modell aus aschgrauem Leinen und mit ananasgelbem Organdy. Aus allem kommen die Farben, die unwägbaren Nuancen, die Valeurs – aus allem kommt das Gedicht. Aus all diesem kommt das Gedicht, das vielleicht eine dieser zerrissenen Stunden sammelt –: das absolute Gedicht, das Gedicht ohne Glauben, das Gedicht ohne Hoffnung, das Gedicht an niemanden gerichtet, das Gedicht aus Worten, die Sie faszinierend montieren. Und, um es nochmals zu sagen, wer auch hinter dieser Formulierung nur Nihilismus und Laszivität erblicken will, der übersieht, daß noch hinter Faszination und Wort genügend Dunkelheiten und Seinsabgründe liegen, um den Tiefsinnigsten zu befriedigen, daß in jeder Form, die fasziniert, genügend Substanzen von Leidenschaft, Natur und tragischer Erfahrung leben.

(GW I, 523 f)

Benn an Max Niedermayer [Berlin], 30. Januar 1952

Aber ich bitte, nun garnichts mehr von sich hören zu lassen und keinesfalls die Sonntagszeitung allein senden zu lassen, es ist für mich und eine neue Arbeit von mir besser, in der Isolation zu bleiben und die eventuellen Liebhaber auf sich zukommen zu lassen. Meine Abneigung gegen alles öffentliche Auftreten ist schon berechtigt. Merkwürdig ist ja nur, daß so oft, was zunächst extravagant und unmöglich schien, dann doch allmählich seine Kreise findet. (BR 224)

Benn an Helmut Lamprecht Berlin, 4. März 1952

Ich bin sehr erfreut, daß Sie meinen Arbeiten so viel Interesse zuwenden. Ein unveröffentlichtes Gedicht kann ich Ihnen leider im Augenblick nicht zusenden. Was ich an unveröffentlichter Lyrik in meinen Mappen zu liegen habe, ist für Ihre Zwecke vielleicht nicht geeignet.

[...]

Sollte ich noch ein Gedicht finden, das ich Ihnen schicken könnte, werde ich es tun, aber bitte rechnen Sie nicht damit. (BR 229)

Benn an Hans Egon Holthusen [München], 19. April [1952]
Sie, Herr Holthusen, wissen wie ich, wie schwer es ist, etwas aus sich herauszustellen, fest u. fertig zu machen, sich zu einem Vers oder einem Satz zu bekennen, – daß es überhaupt geschieht, ist ungeheuerlich. (BR 231)

Benn an Hans Paeschke Berlin, 29. April 1952
Ich will bis auf weiteres garnicht mehr an die Öffentlichkeit treten, ich habe in den letzten Jahren mich ja über alles ausgesprochen und versinke wieder in mich selber, um zu prüfen, ob es sich lohnt, auf Neues das ja doch immer wieder etwas Altes ist, diese so mühselige, kampf- und fragenumlastete Arbeit zu richten. Es gibt Zeiten, in denen man alles in sich selber in Frage stellt und gegen sich selbst die gleiche destruierende Funktion ausübt, die später das Alter, die Zeit und das allgemeine Vergessen übernehmen. Keine angenehmen Zeiten, aber sie müssen sein und gehören dazu.
Also ich bleibe weiter ein treuer Anhänger des Merkur und werde es mir immer zur Ehre rechnen, in ihm gedruckt zu werden.
(BR 232)

Benn an Käthe von Porada [Berlin], 9. Mai 1952
Ein Manifest können Sie von mir wohl kaum gelesen haben, das ist nicht mein Stil zu manifestieren. Nur mich selbst manifestiere ich nach wie vor. Kommt nichts bei heraus – (DT 146)

Berlin-Schöneberg, 5. August 1952
Benn an Friedrich Wilhelm Oelze
[...] Ich bin auch voll eines starken Widerstandes gegen eine Publikation u. ich ⟨traue⟩ mich heute von Neuem nicht zu entscheiden. Nicht wegen der Gefahr, angegriffen zu werden – das werde ich wegen der neuen Bücher seit 1945 auch – sondern weil es Themen und Spannungen einer versunkenen Epoche sind, die diese Sachen hervorbrachten. Es waren die Jahrzehnte, in denen der Gegensatz von Trieb u. Geist, von Körper und Seele, von Konstitution u. Er-

kenntnis nicht nur Klages, sondern uns alle bedrängte, die Jahrzehnte nach Nietzsche u. Freud, die heute merkwürdig entfernt u. fast nur noch eine Erinnerung sind. Die Schlacht ist ja eigentlich entschieden, jedenfalls ruhen im Augenblick die Waffen, der Geist hat gesiegt u. die Rolle des Fleischlichen u. des »Es« hinabgewiesen. Auf der anderen Seite bringt gerade diese Lage wieder die Gefahr mit sich, das eigentlich Schöpferische, dessen Gefäß ja doch der Körper ist u. bleibt, zu verkennen u. seine Ursprünge in das »Niedere« zu verweisen u. damit stehn wir wieder vor dem Primat des »Edlen«, des »Seraphischen« u. in der Lyrik des Schulbuchfähigen, Präsidenten gefälligen, mit anderem Wort: des alten Augias Gemüts, in dem sich der Unrat unzähliger lyrischer Herdentiere staute [. . .] (UBO)

Aus »Erwiderung an Alexander Lernet-Holenia« 1952

Für jedes neue Gedicht braucht man eine neue Orientierung, jedes neue Gedicht ist eine neue Balance zwischen dem inneren Sein des Autors und dem äußeren, dem historischen, dem sich mit dem Heute umwölkenden Geschehen. Die Auseinandersetzung zwischen diesen beiden Polen als Vorarbeit ist der nichtlyrische Versuch. Man braucht Ausblicke, man sucht Bestätigung oder Warnung. Man braucht auch Angriffe, man muß etwas über seine Grenzen erfahren, man ist nach einer meiner früheren Formulierungen »ein Don Juan nach Niederlagen«. Man braucht die Komplikationen, die einem aus seinem Inneren erwachsen, auch die Niederschläge, man muß hindurch. (GW IV, 310 f)

Aus Vortrag in Knokke 1952

Im Mittelpunkt meiner Gedanken steht nicht die Poesie, nicht die Dichtkunst, nicht die Gesinnung, sondern das Gedicht. Die Ausstrahlungen des Gedichts ins Soziologische, Pädagogische, Politische, Literarhistorische bewegen mich nicht. Ich halte mich an das Gedicht: ich stelle es her – wie stelle ich es her? Mich beschäftigen also nicht die Strömungen, die vom Gedicht ausgehen, sondern die Strömungen, die zum Gedicht hinführen – mich beschäftigt das lyrische Ich.

Das lyrische Ich ist ein Begriff, der im deutschen Sprachbereich in den letzten Jahren vielfach erörtert wurde, er stammt wahrscheinlich aus einem meiner früheren Bücher, in dem ich unter diesem Titel den Vorgang des Dichtens, meines Dichtens, darstellte, er wurde kürzlich in einem langen Aufsatz des Schweizer Essayisten Max Rychner eingehend untersucht: dieser Begriff ist die Inkarnation alles dessen, was an lyrischem Fluidum in dem Gedichte produzierenden Autor lebt, ihn trennt vom epischen und dramatischen Autor, ihn befähigt und zwingt, in spezifischer Weise Eindrücke, innere und äußere, zu sammeln, und sie in Lyrik zu verwandeln, er umfaßt die besonderen Beziehungen des Lyrikers zu den Worten, und es ist, wie sich vielleicht herausstellen wird, ein Ich, das zu dem »le profond aujourd'hui« Beziehungen hat, das Herr Verhesen erwähnt, und zu dem »verzweifelten Geist mit der heiteren Zufriedenheit«, die Cendrars schildert in »une nuit dans la forêt«.

(GW I, 541 ff)

Es [das lyrische Ich], betritt sein Laboratorium, das Laboratorium für Worte, hier modelliert es, fabriziert es Worte, öffnet sie, sprengt sie, zertrümmert sie, um sie mit Spannungen zu laden, deren Wesen dann vielleicht durch einige Jahrzehnte geht. Dieses moderne lyrische Ich sah alles zerfallen: die Theologie, die Biologie, die Philosophie, die Soziologie, den Materialismus und den Idealismus, es klammerte sich nur an eines: an seine Arbeit am Gedicht. Es schloß sich ab gegen jeden Gedankengang, der mit Glauben, Fortschritt, Humanismus verbunden war, es beschränkte sich auf Worte, die es zum Gedicht verband. Dies Ich ist völlig ungeschichtlich, es fühlt keinen geschichtlichen Auftrag, weder für ein halbes Jahrhundert noch für ein ganzes, ihm nützt nichts der Ausblick und das Versprechen auf angebliche Geistzusammenhänge, ideeliche Befruchtungen, Verzweigungen, Integrationen oder Auferstehungen, es schreitet seinen Kreis ab – Moira, den ihm zugewiesenen Teil – es blickt nicht über sich hinaus, es versagt sich diese Erleichterung, es wird im Höchstfall siebzig Jahre alt, bis dahin muß es seine Morphologie beschrieben und seine Worte gefunden haben. Sechs bis acht vollendete Gedichte – mehr haben selbst die Großen nicht hinterlassen – um dieses halbe Dutzend geht der Kampf.

(GW I, 544 f)

Benn an Thea Sternheim [Berlin], 7. März 1953

Mit jedem Tag, den man älter wird, wird einem die eigene innere Existenz unverständlicher – was kam da im Laufe der Jahre u. Jahrzehnte alles aus einem heraus, wo kam es her, wo lief es hin u. was soll das Ganze? Ist es gelenkt, ist es geschenkt, ist es mißverständlich von einem bearbeitet und gestaltet, schuf man es oder trug man es, alle diese Traurigkeiten, Gewalttätigkeiten, Forcierungen, Sammlungen, Banquets und Schleudern – waren es Notwendigkeiten oder Albernheiten, wirkliche Gebundenheiten oder Spiel. Ich weiß es weniger denn je u. das machte mich hoffnungsloser, da man am Ende ja doch eigentlich eine Antwort wissen müßte für sich und andere. (BR 246)

Benn an Nele P. Soerensen [Berlin], 13. März 1953

In dieser einen Woche ist ein langer Aufsatz in der Schweiz über mich erschienen, einer in Spanien, in U.S.A. sind die »Drei Alten Männer« jetzt erschienen, ein Professor von der Sorbonne schreibt eine lange Arbeit über mich u.s.w. Ich bin mir klar darüber, daß das alles nur Modesache ist, ein sehr vergänglicher Ruhm in diesem armen, verworrenen Europa. Ich persönlich lese eigentlich überhaupt nicht mehr, was man über mich schreibt. Ilse muß es manchmal tun und sie erzählt mir dann abends davon, wenn wir Bier trinken gehn und Zeit für so was haben. Es ist alles nicht mehr wichtig für mich. (MVB 103)

Benn. Notizen 2. April 1953

Ich will keinen lautren, idealistischen Ruhm, ich will [ein Wort unleserlich] einen anrüchigen, makabren. Außerhalb des gradlinigen erfolgreichen Exporteurgeweses mit Lieferfrist und Ordreschecks. Sie verstehn mein Wesen nicht. Ich schreibe: »ich lasse mich zerfallen u bleibe dem Ende nah« – das ist nicht beiläufig, sondern konkret: ich will lieber untergehn, als mein [unleserlich] (LPBD 307)

Benn an Nele P. Soerensen [Berlin], 7. Mai 1953

Plötzlich rotten sich alle meine Feinde zusammen, um mich zu vernichten. Ich bin ihnen zu groß geworden und zu berühmt. Aber ich habe schon so viele Stürme in dieser Richtung erlebt, daß ich die Ruhe nicht verliere. (MVB 103)

Benn an Joachim Moras Berlin, 24. August 1953

Ich kann mich seit einiger Zeit nicht entschließen, über Bücher zu schreiben, die Arbeit, die es einem macht, steht in keinem Verhältnis zu Erträgnissen für andere und einen selber; es kommt hinzu, daß gerade Sie so viele und ausgezeichnete Kritiker und Essayisten haben, über die Sie verfügen können, daß ich mit meinen bescheidenen Gedanken garnicht damit konkurieren kann. In jedem Heft Ihrer unverändert großartigen Zeitschrift stehn Dinge, die mich tief beschäftigen und mich anregen, aber leider nicht mit dem Erfolg, mich für mich selbst zu inspirieren.

Palinurus[46]: ich schlage vor, einen Ihrer Mitarbeiter anzuregen, über ihn im Verein und Vergleich mit Cioran und eventuell Fabri (sein kleines Buch: Sisyphus) zu schreiben – das war mein Projekt, als ich die Besprechung erwog, aber wie gesagt, ich bin seit einiger Zeit so mißtrauisch gegen alles, was mich betrifft, daß ich mich mit nichts mehr hervorwage. Ich weiß im Augenblick nicht, wer es war, der seine eigenen Kinder verschlang, aber ich jedenfalls verschlinge seit langem nicht nur meine Produkte, sondern schon die Bleistifte und Kugelschreiber, die ihre Erzeugung vorbereiten könnten.

Infolgedessen kann ich Ihnen garnichts anbieten, keine Dichtung, keine Prosa, nur Jammer und Elend des inneren Menschen, wobei ich schon über das Wort »inneren« lache. [. . .]

Herzliche Grüße und noch eine Bitte: bitte lassen Sie nichts über meine Gedichte erscheinen, dies ist eine *ernstliche Bitte,* ich mag nicht mehr!

(BR 252 f)

Benn an Thea Sternheim Berlin, 8. Oktober 1953

Falls Sie wissen wollen, ob u was ich arbeite, so liegt folgendes vor: es erscheinen jetzt so viele große Arbeiten *über* mich, Doktorarbeiten, dicke Manuskripte auch aus U.SA, die mir Niedermayer alle schickt, da er eines drucken will. Ich muß wohl oder übel zum mindesten einen Blick hineinwerfen u das irritiert mich enorm. So genau will ich das garnicht wissen, was ich schrieb u. war u bin, das ist

46 Benn war von der Schriftleitung des »Merkur« gebeten worden das Buch »Das Grab ohne Frieden« von Palinurus (Cyril Connolly) zu besprechen.

richtige Vivisektion, u obschon es z T großartige Arbeiten sind voll Ruhm u. Anerkennung lähmt es meine Produktion für Neues. Das bedrückt mich sehr, zumal ich körperlich ja nicht in frischester Verfassung bin. (BR 255)

Benn an Nele P. Soerensen [Berlin], 20. Oktober 1953

Ich versuche zu arbeiten, aber ich bin müde (nicht krank). Im Frühjahr muß ich wieder auf Tournée gehn, Vortrag halten, Geld verdienen. (MVB 105)

Benn an Max Niedermayer Berlin, 30. Dezember 1953

Ein unfaßliches Buch[47]! Von lebenden Deutschen fand ich nur Th. Mann u. mich erwähnt. Ich rangiere mit Cocteau u. Picasso unter Gaukler, Scharlatane, u. wir sind alle zusammen der letzte Dreck. (BR 259)

Aus Rede im Kolbe-Museum 1953

Der Hersteller von Statuen und Bildern, der Autor von Versen und Prosa ist ein Typ besonderer Art insofern, als er der einzige Typ ist, der seine Dinge fertigmachen muß, sie abschließen muß. Wenn er sie aus der Hand gibt, müssen sie nach Maßgabe seiner Kräfte vollendet sein, er trägt die Verantwortung für sie, er überläßt nichts dem Beschauer oder Leser, seine Dinge müssen rund sein und ihre Maße von ihm erhalten haben.

Der Wissenschaftler erbt seine Themen von der Generation vor ihm, von seinen Lehrern, aus seinen Büchern, er bearbeitet sie, er fügt Erfahrungen und Beobachtungen hinzu und übergibt sie, wenn er am Ende ist, der folgenden Generation. Seine Themen werden nie fertig, sie sind geschützt und getragen von einem Vorher und einem Nachher, sie entstehen unter Aufsicht der wissenschaftlichen Gewerkschaft. Sie eilen oder schleichen weiter durch die Jahrhunderte in Thesen und Antithesen, bis sie übergehen in neue Fragestellungen.

Der Künstler arbeitet allein. In welcher Welt arbeitet er heute allein? Welches ist die heutige Welt, was charakterisiert sie, stig-

47 Walter Muschg, »Tragische Literaturgeschichte«.

matisiert sie – gibt es irgendwo einen bedeutenden Begriff, unter dem sie zu betrachten ist? Es gibt einen: es ist die Ambivalenz. [...] Phänotyp ist ein Begriff aus der Erblehre. Er bedeutet die Erscheinungsform des heutigen Menschen. Sein Gegenbegriff Genotyp bedeutet die Gesamtheit aller latenten möglichen Erscheinungsformen der Art. Sie können für Phänotyp einfach Individuum setzen.
Das ist also der Mensch und das ist die Lage für den Künstler, mit der er fertig werden muß, wenn er etwas schaffen will. Ströme und Gegenströme, Strebungen und Gegenstrebungen, nichts Sicheres, nichts Festes, wohin er blickt. In der Welt hat jeder und jedes recht, alles fließt, so sinke denn, man kann auch sagen steige – das Menschliche und das Religiöse, das Tierische und das Spirituelle, das Individuelle und das Kollektive – alles hin und her, alles ambivalent. Dagegen erhebt sich sein inneres Gesetz. Er hat seinen Zwang sich auszudrücken, Gebilde zu schaffen: Stein, Vers, Flötenlied. Er muß hindurch. Der Maler muß etwa ein Bild machen, das heißt er muß Ordnung schaffen gegen vage traurige Realitätszufälligkeiten und das Bild oder die Statue muß *alles* enthalten, es gibt für sie kein Vorher und kein Nachher. Oder der Lyriker muß vielleicht in zwölf Reihen eines Gedichts das ganze Sein nicht ambivalent, sondern in Ruhe und Statik bilden, schön, evident und menschentief. Hinterlassungsfähige Gebilde muß er schaffen, fertiggemachte, die von ihm abfallen, so daß Sie um sie herumgehn können, sie in die Hand nehmen, nachmessen können – es müssen wirkliche Dinge sein. Der Künstler kann nicht ambivalent bleiben, er muß handeln, er muß glauben. Die Kunst ist die Wirklichkeit der Götter, vielleicht vielfach aus trüben Quellen genährt, aber wenn sie dasteht, trägt sie die Erinnerung an jene.

(GW IV, 434 ff)

Aus Benns Arbeitsheft [1953 ?]

Ich stieß bei der Beantwortung Ihrer[48] Frage auf ein neues »Problem der Lyrik«, es heißt: »das Du« im Gedicht. Ich erzählte einem

48 Der Text stammt aus einem der schwarzen Arbeitshefte Gottfried Benns (Heft 18 a), vermutlich 1953, er muß aber auch, obwohl z. T. in anderem Wortlaut, in einem unveröffentlichten Brief an Max Niedermayer enthalten sein. Vgl. »Verse der Liebe«, hg. v. Max Niedermayer, Limes Verlag, Wiesbaden, o. J.

Bekannten, der als Mitarbeiter dieser Ihrer Sammlung auch vertreten ist, daß ich den Nachtgesang von Goethe genannt hätte. Er erwiderte: das ist doch kein Liebesgedicht, das ist eine Träumerei, ein Dämmerungslied, ein »Phanodormgedicht«! Das ist in der Tat nicht ganz von der Hand zu weisen. Das Du im Gedicht ist durchaus zweideutig keineswegs immer an eine andere Person gerichtet. Der lyrische Prozeß teilt sich vielfach in einen 1) dichtenden und 2) einen sich selbst anredenden andichtenden Faktor. Dieser zweite ist das objektivierte, das gesehne, das ansprechbare Ich, also der Partner. Dieser erlebt in sich selbst das dualistische Gefühl ⟨.⟩ Zwischen diesen beiden spielt das Gedicht. Daher ist es durchaus möglich, daß als Ursprung des Gedichts nicht die Liebe stand, sondern das sich selbst erlebende ⟨?⟩, lyrische Ich. [N]

Benn an Nele P. Soerensen [Berlin], 27. März 1954

Meine Tournée war ganz nett. Aber die *Presse* ist doch ein bösartiges und dummes Volk! (Pardon!) (MVB 106)

Benn an Astrid Claes [Berlin], 17. April 1954

Wie Sie mit mir reden! Stellen mich zur Rede! Unter Eid: als ich den Vortrag[49] arbeitete (im November/Dezember 1953), hatte ich Ihre Arbeit[50] nicht im Auge, kannte sie ja noch garnicht. Warum soll ich also das nicht schreiben, was ich schrieb? Daß lange Studien über einen selbst u.a. eine Schockwirkung ausüben können, wollen Sie das nicht verstehen? Und daß man über sich selbst nicht viel weiß, sondern erst über sich aus solchen Analysen einiges erfährt, auch das ist eine Erfahrung, die Sie mir eigentlich nicht vorwerfen dürfen.

[. . .]

Seien Sie doch nicht so streng und grausam mit einem armen Mann wie Hamlet. Glauben Sie, man kann alles beantworten? Hinter Ihrer Hauptfrage, warum man etwas publiziert, stehen mehrere Nebenfragen. Z. B. grenzen Sie innerhalb »der Kunst« das Konventionelle von dem Elementaren ab. Das Konventionelle nimmt

49 »Altern als Problem für Künstler«.
50 »Der lyrische Sprachstil Gottfried Benns«, Dissertation.

einen großen Raum ein. Publicity, Geld, Ruhm – das ganze Institutionelle des Betriebs –: da es dies gibt, wird dahin geliefert. Andererseits lockt dies auch *echte* Produktion hervor; Aufträge z.B. setzen Zögerndes in Gang, bringen Notizen und Einfälle zur Sammlung. Das gilt natürlich wohl nur für einen, der schon Blut geleckt hat, warum der Anfänger, Novize, Schüler veröffentlicht, weiß ich nicht. [...] (BR 260 f)

Benn an Astrid Claes [Berlin], 21. April 1954

Geld und Ruhm. So war es nicht ganz gemeint, ich wollte nur ihre Aufmerksamkeit auf die konventionellen und gesellschaftlichen Seiten des Kunstproblems lenken. (BR 264)

Benn an Hans Paeschke Berlin, 13. Juni 1954

Es ist ja merkwürdig, wie mißtrauisch man gegen sich selber wird, gegen seine Anlagen, gegen seine Methoden, sich darzustellen, gegen alles, was man machte, soweit es nicht rein konventionell und gefällig war. Es entsteht die Frage: dürfen, sollen *Abwegige* überhaupt auftreten und veröffentlichen, soll nicht lieber alles in den Händen der Konventionellen bleiben, sollen Bärte wachsen, so lang sie wollen, wenn Gott die Bärte wachsen läßt. [...]

Mit einem Wort: ich hätte 3 neue Gedichte[51], die im »Merkur« gedruckt zu sehen meine Lebensgeister beleben u. meine Depressionen zu einer Luftdrucksteigerung bringen könnte, ganz ordentliche Gedichte, eines lang u. neuartig; eines salopp mit der Slang-masche, die ich so liebe; eines zart u. klein wie von Gustav Falke. Es eilt nicht. Aber da ich ja jeden Tag umkommen kann (»die Kartoffeln von unten besehn«), hätte ich sie gern aus der Hand gegeben.

(BR 266 f)

Benn an Astrid Claes [Berlin], 30. Juli 1954

I) »Wind u. Wetter«[52]; klar, daß es Jargon enthält. In meinen Augen kein Schade. Ich bevorzuge das in *gewissen* Fällen: a) als Maulschelle gegen Ästheten b) das Gefühl, den Schwung, das Lyri-

51 »Melancholie«, »Teils-Teils«, »Schöner Abend«, vgl. Brief an Paeschke vom 25. 6. 1954 (BR 267).

52 Titel eines Gedichts von Astrid Claes.

sche immer wieder sofort herunterholen zur Erde. Das »hohe« Gedicht ist heute nicht immer das echte. [...] Nur das Wiederholbare führt zur Kunst. *Wiederholungszwänge,* nur sie, ergeben Stil, nur sie führen das Gefühl des Notwendigen u. Schicksalauferlegten in einem Werk dem Aufnehmenden zu. Kennen Sie die kurze Ansprache, die ich vor einigen Jahren hier auf sie[53] hielt? *U.A.w.g.* Wenn nicht, sende ich sie Ihnen. (BR 272)

Benn an Käthe von Porada [Berlin], 24. August 1954

Tausend Dank für »Rivarol«[54], Sehr interessant für mich. Wenn schon einem ja im Laufe eines langen Lebens jede Kritik vollkommen gleichgültig wird, gute u böse: im Grunde ist oder wird man *unzerstörbar;* man schlenderte oder kroch seinen Weg dahin u. eines Tages ist er zu Ende. Ob er ins Allgemeine lief, ob er von einigen aufgenommen wird, ist von so viel Zufällen abhängig, daß es einen auch nicht mehr berührt. Nur diese innere Unruhe in einem bleibt, dieser Tremor im Kopf u. im Herzen: noch einmal etwas anlegen, ausarbeiten, mit sich füllen, so gut man kann. (DT 147)

Benn an Max Rychner Berlin, 10. Oktober 1954

[...] je älter ich werde, umso intensiver empfinde ich den Zwang, unter dem man jede Zeile produziert, und der die Frage nach den erlauchtesten anderen nicht mehr zuläßt. Das mag borniert sein, fanatisch u. dumm, aber ich habe ja mein Leben ziemlich außerhalb der Öffentlichkeit eingerichtet und muß auch dies als dazugehörig hinnehmen (denn: »ward eine Frage in dies Herz gebissen« –)[55]. (BR 279)

Benn an Marguerite Schlüter [Berlin], 26. Oktober 1954

Es ist mir außerordentlich wichtig u. interessant, was Sie vorschlagen[56]. Einiges stimmt mit Oe[lzes] Vorschlägen überein (»Urgesicht«, »Phänotyp«, er schlägt allerdings dann auch »Diesterweg« u.

53 »Rede auf Else Lasker-Schüler«.
54 Die französische Wochenschrift hatte einen Artikel über Benn gebracht.
55 Zitat aus Max Rychners Epyllion »Die Ersten«.
56 Als Programm für eine einstündige Lesung Benns.

»Querschnitt« vor, die mir völlig fernstehn). Ich glaube, ich werde aus »Phänotyp« einiges nehmen, den ich nochmals ansah, u der doch erstaunliche Stellen hat (obschon ich den Autor als Ganzes ja nicht mag) oder vielleicht auch einiges aus »Dorische Welt«. Die Gedichtauswahl ist leichter. (DT 231 f)

Benn an Erna Pinner [Berlin], 13 Januar 1955
Ich wurstele so weiter: schreibend, reisend u. meine Arien singend, müde, gealtert. (BR 280)

Benn an Käthe von Porada [Berlin], 31. Januar 1955
[...] etwas arbeiten, etwas reisen u. seine Arien gegen Entgelt singen, schweigen u. alt werden. (DT 147)

Benn an Ernst Jünger Berlin, 24. April 1955
Schade, daß wenn man in einem Gedicht Geranien oder gar Rosen anbringt, die Experten sofort sagen: Vieux jeu, sentimental, 19. Jahrhundert. Nun, lassen wir sie. (BR 285)

Benn an Tilly Wedekind [Berlin], 4. Mai 1955
Voriges Jahr war ich viel auf Reisen u Vorlesungen. Dies Jahr habe ich alles abgesagt, selbst Rom, Florenz, Basel, Zürich. Ich mag nicht mehr. Erfolg habe ich ja genug, aber es bedeutet mir alles nichts mehr. (DT 113)

Benn an Kasimir Edschmid [Berlin], 5. Oktober 1955
Die jungen Leute von heute [...] nehmen es als gegeben an, daß unsere Generation die Sprache des letzten Jahrhunderts sprengte, auseinanderriß, daß wir die Steine weiterwälzten, es versuchten –, und sie wissen noch nicht, was es heißt, im Vers oder in der Prosa die Säulen des Herkules auch nur um einige Regenwurmlängen weiterzurücken – was es heißt und was es kostet. Sie wissen wohl auch kaum noch etwas von dem, was hinter uns stand, auch hinter Ihrer Prosa, sie wissen nichts mehr von Heinrich Mann, d'Annunzio, Oscar Wilde, Huysmans, Maeterlinck – alle diese, die uns beeinflußten, uns banden, aber die wir auch überwinden mußten, um zu uns selber zu gelangen. (BR 297)

Benn an Hans Paeschke Berlin, 25. Dezember 1955

Habe Zeiten großer Gebrochenheit, innen u. außen. Habe ja auch in zwei bis drei Berufen (Literatur, Arzt, Soldat) immer zu tun gehabt. Das Glück zum Schluß ist, daß ich auf diese Weise nie Verleger, Zeitungen, Redaktionen aufsuchen mußte, sondern nur schrieb, was mir auf den Nägeln brannte, u. nun sind diese Nägel reichlich abgebrannt. [. . .]

Ich werde mir erlauben, dem »Merkur« zu senden, was ich für gut genug dafür halten kann. (BR 301)

Aus »Soll die Dichtung das Leben bessern« 1955

Aber, frage ich mich sofort, wie kann denn einer, der dichtet, noch einen Nebensinn damit verbinden? Wer dichtet, steht doch gegen die ganze Welt. Gegen heißt nicht feindlich. Nur ein Fluidum von Vertiefung und Lautlosigkeit ist um ihn. An den Tischen mag geschehen, was will, jeder seine persönlichen Liebhabereien haben, Karten spielen, essen, trinken, selig sein, von seinem Hund erzählen, von Riccione – sie stören ihn nicht, und er stört sie nicht. Er dämmert, er hat Streifen um sein Haupt, Regenbogen, ihm ist wohl. Er will nicht verbessern, aber er läßt sich auch nicht verbessern, er schwebt. Oder er sitzt zu Hause, bescheidene vier Wände, er ist kein Kommunist, aber er will kein Geld haben, vielleicht etwas Geld, aber nicht im Wohlstand leben. Also sitzt er zu Hause, er dreht das Radio an, er greift in die Nacht, eine Stimme ist im Raum, sie bebt, sie leuchtet und sie dunkelt, dann bricht sie ab, eine Bläue ist erloschen. Aber welche Versöhnung, welche augenblickliche Versöhnung, welche Traumumarmung von Lebendigem und Toten, von Erinnerungen und Nichterinnerbarem, es schlägt ihn völlig aus dem Rahmen, es kommt aus Reichen, denen gegenüber die Sterne und Sonnen Gehbehinderte wären, es kommt von so weit her, es ist: vollendet. [. . .]

Ein beladener Typ! Sie können wahrscheinlich noch über manches nachdenken: L'art pour l'art, Kausalität, Indochina, er kann das nicht mehr, die Welt mag sein, wie sie will, sie geht vorüber, aber er heute auf diesem Breitengrad, dem dreiundfünfzigsten, Durchschnittstemperatur im Juli 19,8, im Januar 0,5 Grad, muß seinen Weg abschreiten, seine Grenzen erleben – *Moira,* den ihm zugemessenen Teil. Arbeite, ruft er sich zu, du hast siebzig Jahre, suche deine Worte, zeichne deine Morphologie, drücke dich aus, übernimm ruhig die Aufgabe einer Teilfunktion, die aber versorge ernstlich. Valéry hatte gesagt, der Vollmensch stirbt aus, heute müßte man sagen, der Vollmensch ist ein dilettantischer Traum, eine voluminöse Allheit, eine archaische Erinnerung. Das Zeitalter Goethes hat ausgeleuchtet, von Nietzsche zu Asche verbrannt, von Spengler in die Winde verstreut – glimmend und schwelend ist die Luft, aber nicht von Johannis- oder Kartoffelfeuern, vielmehr von den brandigen Scheiten der Kulturkreislehre, der eine Kreis versinkt, ein anderer steigt auf, und wir sind die Puppen und Chargenspieler in diesen solaren Stücken.

Wie schön wäre es für einen, der Dichtung machen muß, wenn er damit irgendeinen höheren Gedanken verbinden könnte, einen festen, einen religiösen oder auch einen humanen, wie tröstlich wäre das für seinen Geheimsender, der die Todesstrahlen ausschickt, aber ich glaube, daß vielen kein solcher Gedanke tröstend zuwächst, ich glaube, daß sie in einer erbarmungslosen Leere leben, unablenkbar fliegen da die Pfeile, es ist kalt, tiefblau, da gelten nur Strahlen, da gelten nur die höchsten Sphären, und das Menschliche zählt nicht dazu. (GW I, 591 f)

Berlin-Schöneberg, 31. Januar 1956

Benn an die Akademie der Künste

Ich habe aber auch gar nicht den Wunsch, das Gesicht und den Weg der Akademie maßgeblich mitzubestimmen, dazu waren Zeit meines Lebens meine Thesen und meine Themen zu exklusiv, und ich habe immer wieder ausgesprochen, daß ich nicht im entferntesten von irgend jemandem Zustimmung erwarten oder annehmen kann. Aus dem, was ich hier sage, spricht in keiner Weise irgendein Snobismus oder gar Hochmut, es ist vielmehr nur der Ausdruck meiner inneren und äußeren Natur, und ich darf erwarten, daß diese respektiert wird.

[...]

Andererseits habe auch ich mich mein Leben lang durchgeschlagen, ohne mich um die Öffentlichkeit zu kümmern, sie hatte ihr »wissenschaftliches Weltbild«, ich mein lyrisches, sofern dadurch eine Krise

entstand, war es die meine, und ich überwand sie denkend und formend nach Maßgabe meiner Kräfte. Aber das geschah für mich und niemand brauchte es zu beachten. [. . .]
Man kann unmöglich sein Leben lang die Meinung vertreten, die Kunst sei eine monomane, lethargische, ja bionegative Welt, mit der derjenige, der sie nun einmal aufgeladen bekommen hat, alleine fertig werden muß, und dann am Schluß seiner Tage zu Pressekonferenzen und Festivals gehen.
[. . .] Außerdem hoffe ich, daß es mir möglich sein wird, diesen Tag nicht in Berlin zu verbringen, sondern in einer Gegend, wo dann schon die Mimosen und Kamelien blühen. Wenn man dies als freier Schriftsteller in Deutschland, der keine Konfirmandenlektüre und keine Novellen für Familienanlässe geschrieben hat, mit 70 Jahren erreichen konnte, so erscheint mir das schon außerordentlich, die meisten werden diesen Tag mit Zichorienaufguß in ihrem Hinterhofzimmer feiern, es sei denn, daß sie inzwischen Generalintendanten, Lizenzträger oder Filmproduzenten geworden sind. Ich bin das nicht geworden, ich bin frei geblieben, ich habe sehr um diese Freiheit gekämpft, aber ich muß nun diese Freiheit auch verteidigen, um der Wenigen willen, die, um ein Wort von Ortega aus seinen letzten Arbeiten zu variieren, das archaische Heimweh nach der Herde in sich bekämpfen und sich vom Staat absondern, um ihre eigenen Aufgaben zu erfüllen. (DT 247 ff)

Benn an Nele P. Soerensen [Berlin], 1. Februar 1956
Fühle mich wohler. Liege noch viel. *Schreibe im Stehen, habe mir ein Stehpult machen lassen.* (MVB 109)

Benn an Hans Egon Holthusen Berlin, 5. Mai 1956
Zwei Punkte beschäftigen mich: 1) daß Sie das »Späte«, »Septemberliche« so oft u. stark betonten[57] – hat nicht vielleicht Lyrik immer damit zu tun und ist nicht jede Generation »spät«? Ich habe ja oft bestritten, daß wir in einer *besonderen* Finallage sind. »Sagen Sie nicht apokalyptisch«, heißt es in den »3 Alten Männern«, »das sie-

57 Bezieht sich auf Holthusens Rede bei der vom Senat der Stadt Berlin veranstalteten Feierstunde für G. B.

benköpfige Tier aus dem Meer und das zweihörnige aus der Erde war immer da.« (BR 313)

Benn an Paul S. Fleischmann Berlin, 8. Mai 1956
Ja, literarisch habe ich mich durchgesetzt und Minister und der Bundespräsident und Oberbürgermeister gratulieren mir zum Geburtstag, aber alt werden heißt ja, daß einem rückblickend alles fragwürdig wird, was man gemacht hat. (BR 314)

Benn an Wilhelm Lehmann Berlin-Schöneberg, 8. Mai 1956
[...] wissen Sie, wir gelten ja in bezug auf Lyrik immer als Antipoden, aber ich denke so oft und so sehr gern an jenen Abend in Knokke zurück, wo wir uns unterhielten (in der Kneipe) und wo ich feststellte, daß wir so viel Gemeinsamkeiten haben, nämlich den unbeirrbaren Ernst in bezug auf die Dinge der Literatur, die tiefe Strenge in bezug auf Qualität und Leistung. Sehr schattenreich in uns beiden alles. (DT 148)

Anhang

Nachwort

Der Textgestaltung dieses Buches wurde, soweit es sich um bereits veröffentlichte Äußerungen Gottfried Benns handelt, die von Dieter Wellershoff besorgte vierbändige Ausgabe der *Gesammelten Werke* (1951–1961) zugrundegelegt. Alle diesen Bänden entnommenen Zitate sind durch die Abkürzung GW und durch die mit den römischen Zahlen I–IV gekennzeichneten Einzelbände mit nachfolgenden Seitenzahlen versehen. Zur Textgestaltung wurden ferner benutzt relevante Briefstellen aus den *Ausgewählten Briefen* (1957), aus dem *Merkur*, aus Nele P. Soerensens Buch *Mein Vater Gottfried Benn* (1960), dem von Max Niedermayer herausgegebenen Auswahlband *Lyrik und Prosa, Briefe und Dokumente* (1962), dem *Pariser Hof* (1965) und dem von Marguerite Schlüter besorgten Band *Briefe an einen Verleger* (1965). Paul Raabes *Expressionismus. Aufzeichnungen und Erinnerungen der Zeitgenossen* (1965) lieferte einige nicht-briefliche Selbstäußerungen Benns. Das von P. Raabe und M. Niedermayer herausgegebene Buch *Den Traum alleine tragen* (1966) sowie das *Limeslesebuch II* wurden auch für die Zusammenstellung dieses Bandes benutzt. Um dem vorliegenden Band wertvolle Einsichten in den Schaffensprozeß bei Benn sowie auch gelegentliche Äußerungen über die Werke selber nicht vorzuenthalten, entschloß ich mich, auch Benns Vorträge, »Doppelleben«, Novellen und Essays als Quellenmaterial heranzuziehen. Bei den Vorträgen, »Doppelleben« und einigen Essays liegt die Identifizierung der Person Benn mit dem dort sprechenden Ich auf der Hand. Aber selbst dort, wo das sprechende Ich und das biographische Ich nicht notwendigerweise gleichzusetzen sind, werden

zentrale poetologische Einsichten vermittelt, die im Bennschen Schaffen immer wieder ihre Bestätigung und Anwendung finden.
Bisher unveröffentlichtes Textmaterial, das dieser Band bringt, fußt auf Auszügen aus den Tagebuchnotizen Frank Marauns, einigen Zitaten aus dem Nachlaß, Benns Briefwechsel mit Dr. E. Seyerlen und dem mit Dr. F. W. Oelze. Vor allem die Exzerpte aus Gottfried Benns Briefen an Oelze, deren Zahl sich auf etwa 670 beläuft und nicht, wie aus einer Äußerung Benns (vgl. GW, IV, 170) schon irrtümlich geschlossen worden ist, auf 2000, sind in mehrfacher Hinsicht von besonderer Wichtigkeit. Einmal bestätigen diese Briefe die überragende Rolle, die Oelze in einem Zeitraum von nahezu 25 Jahren im Leben Gottfried Benns spielte, eine Rolle, in der Oelze, wenn der Vergleich erlaubt ist, in einem ähnlichen Verhältnis zu Benn stand wie etwa Merck zu Goethe oder Körner zu Schiller. Was Th. W. Danzel über die Beziehungen jener schreibt, gilt auch, ohne Einschränkung, für diese: »In beiden Fällen sehen wir ganz unproduktive Menschen, bei welchen die verständige Reflexion auf das entscheidendste das Ruder führt, die dann mit einer gewissen Witterungsgabe ausgestattet sind, sich mit seltener Selbstentäußerung in ein produktives Genie einleben [...] und es durch rücksichtslosen Freimut und scharfe Zucht der Kritik zu dem heranbilden, was es zu werden bestimmt ist, uneigennützig und gern zufrieden, von ihm gänzlich in den Schatten gestellt zu werden.« Benn selber deutet dies im »Doppelleben« (GW, IV, 169 ff) an, wenn er schreibt: »[...] 1932 trat jener Herr Oelze aus Bremen in mein Leben, den ich selten sah [...], mit dem ich, mit dem wir beide gegeneinander hinsichtlich des Privaten immer ›die Regeln wahrten‹, der mich aber brieflich hoch- und wachhielt und in jenen Jahren Balsam in meine Schrunden träufelte. Literarisch spezialisiert war der Grund seines ersten Besuches bei mir mein Aufsatz über ›Goethe und die Naturwissenschaften‹... Aus diesem Besuch entwickelte sich eine Korrespondenz ... und vieles von dem, was in meinen neuen Büchern steht, fand sich als Keim und Setzling in unseren schriftlichen Gesprächen auf jenen blauen Bogen, die er wie ich benutzten.« Aus Briefstellen geht noch eindringlicher hervor, was dieses freundschaftliche Verhältnis für Benn bedeutete. »Ja, diese 10 Jahre sind auch für mich von größter Bedeutung gewesen«, schreibt Gottfried

Benn am 2. Mai 1942 anläßlich eines Geburtstagsbriefes von Oelze an ihn, »unsere Korrespondenz war mir immer und wurde mir immer mehr eine große Bereicherung und Anregung, auch ein Maßstab für Gedanken und Formulierungen, die entstanden und sich aus unserer Unterhaltung ergaben ... Als Symbol dieser 10 Jahre steht Ihr schöner Buddha immer vor mir, der ja von seinem erhöhten Sitz herab auf jeden Brief herniederblickt, der an Sie abgeht – er, schwer und weise. Meine Hoffnung ist, mich immer dieser Korrespondenz würdig zu erweisen, auch in dem, was in den kommenden Jahren meine Produktion noch von sich geben kann.« Wenig mehr als ein Jahr später, in einem Brief vom 7. August 1943, heißt es dann: »Ich verdanke Ihnen so viel: Ihr Interesse, Ihre Teilnahme ermöglichen es mir, meine Gedanken weiterzuspinnen, sie festzuhalten, Ihr Verständnis für diese so wenig begehrten und begrenzt zugänglichen Dinge, sie wachzuhalten und nicht vor ihnen zu erlahmen. Haben Sie tausendfachen Dank.« Dank, Bewunderung und Hochachtung sind es, die Gottfried Benn am 21. September 1947 den »glänzenden Bemerkungen und Gedanken« zollt, die ihm in den Briefen Oelzes geboten werden. »Ich nehme sie gebührend in mich auf«, heißt es dann anschließend, »ich denke sie weiter und irgendwo tauchen sie dann bei Glasbläsern oder ähnlichen Handwerkern auf.«

Mit diesen Zitaten ist aber nur annähernd die Fülle von Gedanken, Hinweisen und Anregungen angedeutet, die aus dem »Alt-Bremer Patrizierhaus« nach Berlin, Hannover und nach Landsberg an der Warthe flossen. Es sind nicht nur politische und soziologische, sondern auch historische und philosophische, insbesondere aber literarische Anregungen und Gedanken, die der wache und umfassend gebildete Freund Oelze dem Dichter vermittelte.

Doch auch in anderer, das Thema dieses Buches betreffender Hinsicht sind diese hier zum ersten Mal veröffentlichten Äußerungen aufschlußreich und bemerkenswert. Diese Stellen aus den Briefen geben Auskunft über die Entstehung einzelner Werke; sie kommentieren sie, oft ausführlich, oft nur in einem Satz, bestimmte Aspekte eines Werks herausgreifend. Dadurch erhalten künftige Interpreten wertvolle Hinweise, frühere Deutungen werden korrigiert. Darüber hinaus informieren sie über die Umstände der Entstehung, das Arrangement für die Veröffentlichung oder sie stellen bisher zugängliche Informationen oder Annahmen richtig. So ist jetzt, um nur ein Beispiel anzuführen, das Publikationsdatum der zweiten, »gereinigten« Ausgabe der *Ausgewählten Gedichte 1911–1936* wohl geklärt. Ich war bisher aufgrund der beiden im Besitz von F. W. Oelze befindlichen Exemplare in meiner *Gottfried Benn Bibliographie* der Ansicht, die zweite, »gereinigte« Ausgabe sei wegen der in ihr vorhandenen Widmung an Oelze im Mai 1936 erschienen. Das gleiche gilt für Wellershoff in den Gesammelten Werken (GW III, 536). F. W. Wodtke (*Gottfried Benn,* Stuttgart 1962, S. 83) erklärt irrtümlich, die erste, von den Nazis beanstandete, im März 1936 erschienene Ausgabe sei überhaupt nicht ausgeliefert worden. Wodtke gibt aber auch Mai 1936 als Publikationsdatum der »gereinigten« Ausgabe. Von der Deutschen Verlags-Anstalt, die damals beide Ausgaben verlegte, war keine Verifizierung der Tatbestände zu erhalten, da alle ihre Unterlagen durch Kriegseinwirkung verlorengingen. Aufgrund der exzerpierten Stellen kann jetzt jedoch als sicher angenommen werden, daß die »gereinigte« Ausgabe der *Ausgewählten Gedichte* erst im November oder Dezember 1936 erschienen ist.

Eine zusätzliche Bemerkung über die mir freundlicherweise von F. W. Oelze zur Verfügung gestellten Briefe Benns scheint mir angebracht. Es ist mir wichtig zu betonen, daß die von mir gemachten Auszüge sich nur auf das Thema dieses Buches, auf die Aussagen des Dichters über seine eigene Dichtung und die Umstände ihrer Entstehung beziehen. Befürchtungen, daß damit der Inhalt dieser Korrespondenz im wesentlichen erschöpft sei, sind unangebracht. Diese Briefe, die viele Äußerungen höchst privater Art enthalten, auch solche über noch lebende Personen, können in ihrer Gesamtheit aus diesem Grunde heute noch nicht veröffentlicht werden. Sie sind jetzt sekretiert. Eine testamentarische Verfügung Dr. Oelzes bestimmt, daß sie frühestens drei Jahre nach seinem Tode herausgegeben werden sollen.

Die textliche Anordnung des Bandes sowie die Anordnung innerhalb der einzelnen Werke verfährt chronologisch. Eine Ausnahme bildet lediglich das Anfangszitat des Buches, das, dem »Lebensweg eines Intellektualisten« (1934) entnommen, diesen Band sinnvoller einleitet als das nachfolgende frühere aus einem Brief an Paul Zech. Die Chronologie richtet sich nach dem Entstehungsdatum, d. h. dem Datum des Arbeitsbeginns am jeweiligen Werk. Durch eine solche Anordnung läßt sich die Entwicklung verfolgen und der Zusammenhang im Schaffen des Dichters, die Beurteilung seiner Wirkung in der Zeit, dürfte ohne allzu viele Erläuterungen deutlich werden. Allerdings war dieses Verfahren mit erheblichen Schwierigkeiten verbunden, weil Gottfried Benn nicht nur einzelne Prosawerke, vor allem aber einzelne Gedichte, zu immer neuen Einheiten in den verschiedensten Ausgaben und Sammlungen zusammenschloß, sondern auch, weil es viele, insbesondere frühe Werke gibt, deren Entstehungszeit, wenn überhaupt, dann aber nicht mit Sicherheit bestimmbar ist. Der Nachteil eines nach Entstehungsdaten vorgehenden Verfahrens wird besonders deutlich am »Ptolemäer«, der, 1949 zum ersten Mal veröffentlicht, drei Stücke enthält, deren erstes, das »Weinhaus Wolf«, bereits 1937, deren zweites, »Roman des Phänotyp«, schon 1944 und deren letztes, »Der Ptolemäer«, 1947 entstanden ist. Ich habe mich daher zu der scheinbaren Inkonsequenz entschlossen, bei Sammelbänden, die Stücke mit verschiedenen Entstehungsdaten enthalten, das Entstehungsdatum der Sammlung zu berücksichtigen, in solchen Fällen also das Datum des Erscheinens des jeweiligen Sammelbandes. Diese Verfahrensweise hat den Vorteil, daß die in einer Sammlung vereinten Stücke nicht, wie etwa in den »Gesammelten Werken«, auseinandergerissen werden. Vor allem aber wird der Tatsache Rechnung getragen, daß Benns eigene Äußerungen, die sich häufig auf die Sammlung als Ganzes beziehen, übersichtlicher und für den Leser verständlicher eingeordnet werden können, was, gäbe man die einzelnen Stücke nach Entstehungsdaten wieder, nicht möglich wäre und nur Verwirrung stiften würde. Das gleiche Verfahren wurde bei verschiedenen Gedichtbänden (z. B. »Trunkene Flut«, »Statische Gedichte« usw.) angewandt. In diesem Zusammenhang ist zu beachten, daß, um einen typographischen Ballast zu vermeiden, Gedichte des jeweiligen Bandes, zu denen nur eine Äußerung vorliegt, grundsätzlich ohne eigene Überschrift aufgenommen sind. Ist der Titel eines solchen Gedichtes aus der Äußerung selbst nicht unmittelbar zu erkennen, so ist er in einer Anmerkung gegeben, die auch das Entstehungsdatum enthält. Gibt es mehrere Kommentare zum Gedicht einer Sammlung (z. B. zu »Orpheus' Tod«), so ist dieses mit eigener Überschrift aufgeführt und die Äußerungen zu diesem Gedicht laufen chronologisch durch, damit der Zusammenhang nicht gestört wird. Nach Abschluß der Äußerungen zu einem solchen Gedicht setzt die durchlaufende Chronologie wieder ein.

Um die Überschriften im Verhältnis zu den Äußerungen nicht zu schwer und unübersichtlich zu machen, wurde in jedem Einzelfall nur das Entstehungsdatum und der Erstdruck angegeben. Fehlt das Entstehungsdatum, so war es nicht mehr festzustellen.

Die Angabe des Absendeorts und des Datums der Briefe wurde, da Gottfried Benn in dieser Hinsicht willkürlich verfuhr, gleichförmig gestaltet. War der Absendeort vom Autor nicht erwähnt, auch nicht aus den vorgedruckten, oft als Briefpapier benutzten Rezeptformularen ersichtlich, so wurde er dem Poststempel, Benns Privatstempel oder dem handgeschriebenen Absender entnommen und in Klammern dem Datum vorangesetzt.

Benns orthographische Eigentümlichkeiten (»giebt«, »das Alles«, wiederholte Verwendung von »c« statt »k«, abgekürztes »und« als »u.« oder »u«, usw.) wurden, soweit sie sich in bisher unveröffentlichten Texten befinden, nicht korrigiert. Verbessert wurden dagegen offensichtliche Schreibfehler, der Gebrauch von »ss« anstatt »ß«, die Schreibweise von Wörtern wie »Missstimmung«, »Blossstellung«, usw. Unleserliche oder nicht mit Sicherheit zu bestimmende Wörter wurden entsprechend vermerkt.

Zweifel konnten darüber bestehen, ob es geraten sei, die Äußerungen Benns über die Lyrikanthologie *Geliebte Verse* in diesen Band aufzunehmen. Da jedoch die Konzeption zu dieser Anthologie von Benn selber stammte, er überdies sehr lebhaften Anteil an ihrem Gelingen nahm, auch Ratschläge erteilte und Aspekte des Inhalts mit seiner eigenen schöpferischen Tätigkeit in Verbindung brachte, schien es mir angebracht, seine Äußerungen über diese Anthologie in den Band aufzunehmen, zumal er selber mit Gedichten darin vertreten ist.

Sehr herzlich zu danken habe ich Frau Dr. Ilse Benn, die meine Bemühungen um die Zusammenstellung dieses Bandes von Anfang an freundlichst unterstützte, mir nicht nur ihr Archiv zur Verfügung stellte, sondern auch Zugang zu bisher unveröffentlichtem Material verschaffte; dem Limes Verlag, besonders Fräulein Schlüter, für die Genehmigung zum Abdruck des Bennschen Werkes; Herrn Dr. H. Steinhagen für die Zusendung einiger Manuskriptseiten aus dem Nachlaß und Herrn Weingärtner von der Bremer Staatsbibliothek für die tatkräftige Hilfe. Mein besonderer Dank aber gilt dem Haus Oelze in Bremen, in dem mir in wahrhaft großzügiger Weise nicht nur Archiv und Bibliothek zur Verfügung gestellt, Einsicht in den Briefwechsel gewährt wurde, sondern wo ich auch monatelang eine ungestörte Arbeitsatmosphäre fand. Deshalb ist der vorliegende Band Herrn F. W. Oelze und Frau Charlotte freundschaftlich zugedacht.

Zeittafel

1886	2. Mai. Gottfried Benn in Mansfeld, Kreis Westpriegnitz, als Sohn des protestantischen Pfarrers Gustav Benn geboren. Kindheitsjahre in Sellin in der Neumark. Erster Unterricht im Pfarrhause.
1896–1903	Friedrich-Gymnasium in Frankfurt an der Oder. Freundschaft mit Klabund (Alfred Henschke). 28. 2. 1903: Abitur.
1903–1904	Studium der Theologie und Philologie in Marburg.
1904	Fortsetzung des Studium der Philologie in Berlin.
1905–1910	Aufnahme in die Kaiser-Wilhelm-Akademie für militärärztliches Bildungswesen in Berlin. Beginn des Medizinstudiums 1906. Dienstzeit beim 2. Garderegiment. Ostern 1908: Physikum. 1910 erhält Benn den 1. Preis der Medizinischen Fakultät der Universität Berlin für seine Schrift »Ätiologie der Pubertätsepilepsie«.
1910–1911	Unterarzt an der Charité, vermutlich in der psychiatrischen Abteilung. Veröffentlichungen: »Beitrag zur Geschichte der Psychiatrie«, »Die Grenzboten«, Zeitschrift für Politik, Literatur und Kunst, LXIX (1910), S. 92–95; »Gespräch«, »Die Grenzboten«, LXIX (1910), S. 404–409; »Die Ätiologie der Pubertätsepilepsie«, »Allgemeine Zeitschrift für Psychiatrie und psychisch-gerichtl. Medizin«, LXVIII (1911), S. 330 bis 336; »Medizinische Psychologie«, »Die Grenzboten«, LXX (1911), S. 581–583.
1912	Abschluß des Medizinstudiums; am 28. 2. 1912 Pro-

motion mit der Dissertation: »Über die Häufigkeit des Diabetes mellitus im Heer«. Aktiver Militärarzt und Unterarzt in Prenzlau und Berlin-Spandau. Aus Gesundheitsgründen Abschied vom Militär. Als Pathologe und Serologe im Krankenhaus Charlottenburg-Westend. Veröffentlichung von *Morgue und andere Gedichte* bei A. R. Meyer, Berlin-Wilmersdorf. Freundschaft mit Else Lasker-Schüler. Umgang mit Franz Pfemfert, dem Herausgeber der Zeitschrift »Aktion«, mit Carl Einstein, Paul Zech, Herwarth Walden, Alfred Lichtenstein u. a.

1913 *Söhne. Neue Gedichte.* Berlin-Wilmersdorf: A. R. Meyer; Titelzeichnung von Ludwig Meidner; Widmung: »Ich grüße Else Lasker-Schüler. Ziellose Hand aus Spiel und Blut«.

Im Sommer auf der Ostseeinsel Hiddensee Bekanntschaft mit der Schauspielerin Eva Brandt (Edith Brosin, geb. Osterloh), die Benn ein Jahr später, bei Ausbruch des Krieges, in Leoni am Starnberger See heiratet.

1914 März bis Juni als Schiffsarzt nach New York. Im August als Militärarzt nach Belgien.

Ithaka, »Die weißen Blätter«, 7, S. 672–680.

1914–1917 Im Oktober, nach der Besetzung von Antwerpen, wird Benn als Oberarzt an das Militärgouvernement in Brüssel versetzt. »Lebte in der Etappe einen guten Tag«, stand in regem Verkehr mit Otto Flake, Carl und Thea Sternheim, Wilhelm Hausenstein. 1915: Geburt der Tochter Nele in Hellerau bei Dresden. Im Herbst 1915 Erschießung der englischen Spionin Edith Cavell.

Veröffentlichungen von Gedichten in den Zeitschriften »Die Aktion«, »Der Sturm«, »Pan«, »Die weißen Blätter«.

1916 *Gehirne. Novellen* (»Der jüngste Tag«, 35) Leipzig: Kurt Wolff.

1917 *Fleisch. Gesammelte Lyrik* (Die Aktionslyrik, Bd. 3),

Verlag die Wochenschrift »Die Aktion«, Berlin-Wilmersdorf; mit Titelbild und 2 Zeichnungen von Mopp (= Max Oppenheimer).

Am 10. November 1917 läßt sich Benn als Facharzt für Haut- und Geschlechtskrankheiten im Südwesten Berlins, in der Belle-Alliance-Str. 12, nieder und führte hier seine Praxis bis 1935.

1918–1923 Beschäftigung mit Oswald Spengler, Theodor Lessing, Ernst Troeltsch. Freundschaft mit Gertrud Zenzes. 19. November 1922: Tod seiner Frau Edith. Bekanntschaft mit Ellen Overgaard *(Die Dänin)*, die die Tochter Nele in ihr Haus in Kopenhagen aufnimmt (Vgl. Gedichte: *Die Dänin, Einzelheiten, Wie lange noch, Aus Fernen, aus Reichen* u. a.)

1918 *Diesterweg. Eine Novelle* (8. Bd. der Sammlung: Der rote Hahn), Berlin-Wilmersdorf.

1919 *Der Vermessungsdirigent. Erkenntnistheoretisches Drama* und *Karandasch,* Verlag Die Aktion, Berlin-Wilmersdorf. *Die Etappe* (50. Band der Sammlung: Der rote Hahn), Berlin-Wilmersdorf.

1920 *Das moderne Ich* (»Tribüne der Kunst und der Zeit«, 2), Erich Reiß Verlag, Berlin.

1922 *Die Gesammelten Schriften,* Erich Reiß, Berlin.

1924–1932 Freundschaft mit dem Verleger Erich Reiß, mit George Grosz, dem Kunsthändler Alfred Flechtheim, Tilly Wedekind, Heinz Ullstein u. a. Zusammenarbeit mit Paul Hindemith. 1928: Tod Klabunds. 1929: Dreiwöchige Autoreise durch Frankreich mit dem Kunsthändler Zatzenstein. Polemik mit Joh. R. Becher und dem ›rasenden Reporter‹ E. E. Kisch. *Goethe und die Naturwissenschaften* in »Die neue Rundschau« (1932). Benn wird auf Vorschlag von Oskar Loerke 1932 Mitglied der Preußischen Akademie der Künste, Abteilung Dichtung. Beginn der Freundschaft mit F. W. Oelze.

1924 *Schutt,* Berlin-Wilmersdorf: A. R. Meyer.

1925 *Betäubung,* ebda.

Spaltung. Neue Gedichte, ebda.

1927 *Gesammelte Gedichte,* Berlin, Verlag Die Schmiede.

1928 *Gesammelte Prosa,* Potsdam, G. Kiepenheuer.

1930 *Fazit der Perspektiven,* ebda.

1931 *Das Unaufhörliche. Oratorium in 3 Teilen.* Musik von Paul Hindemith, Mainz, Schott's Söhne.

1932 *Nach dem Nihilismus,* Berlin, G. Kiepenheuer.

1933–1936 Gottfried Benn vorübergehend im Bann des Nationalsozialismus. Reorganisation der Abteilung Dichtkunst in der Preußischen Akademie. Heinrich Mann, Käthe Kollwitz, Alfred Döblin, Thomas Mann, René Schickele, Franz Werfel u. a. treten aus der Akademie aus. Tod Stefan Georges am 4. Dezember 1933. Benn wird im gleichen Jahr vom NS-Ärztebund von der Liste attestberechtigter Ärzte gestrichen. Börries von Münchhausen bezeichnet ihn als Juden, Deserteur, Verbrecher. Benn wird Vizepräsident der »Union nationaler Schriftsteller« am 8. Januar 1934. Freundschaft mit Oskar Loerke, Renée Sintenis, Karl Hofer. Ende März 1935 gibt Gottfried Benn seine Wohnung und seine Praxis in Berlin auf, verzichtet auf seine Mitgliedschaft in der Deutschen Akademie der Dichtung und tritt in Hannover als Oberstabsarzt in die Wehrmacht ein. In Hannover die Konzeption vieler *statischer* Gedichte. Dort auch erfolgen Angriffe der offiziellen Wochenzeitschrift der SS, »Das Schwarze Korps«, sowie vom »Völkischen Beobachter«. Benns Bekanntschaft mit Herta von Wedemeyer, die er am 22. Januar 1938 in Berlin heiratet.

1933 *Der neue Staat und die Intellektuellen,* Stuttgart: Deutsche Verlags-Anstalt.

1934 *Kunst und Macht,* ebda.

1936 *Gedichte.* In »Das Gedicht. Blätter für die Dichtung«. Folge II, Januar, H. 7, Hamburg: Heinrich Ellermann. Widmung: »Herrn F. W. Oelze in Bremen, Hartwigstr. – dunkler als Kreuz ein Pfosten/trägt die Worte: du weißt«. *Ausgewählte Gedichte* 1911–1936, Deutsche Verlags-Anstalt, März.

Ausgewählte Gedichte 1911–1936, ebda., 2. ›gereinigte‹ Ausgabe, wahrscheinlich November oder Dezember.

1937–1945 Versetzung Benns nach Berlin als Versorgungsarzt. Weitere Angriffe der Nazis. Durch Vermittlung von Erich Reiß erhält Benn die Wohnung in Berlin-Schöneberg, Bozenerstr. 20, in der er bis zum Ende seines Lebens wohnte. 1938 förmlicher Ausschluß aus der Reichsschrifttumskammer. Veröffentlichungsverbot. 1940 ist er im Oberkommando der Wehrmacht in der Bendlerstr., im September 1943 wird seine Dienststelle in die General-von-Strantz-Kaserne nach Landsberg an der Warthe verlegt. Dort, wo auch seine Frau als Stenotypistin arbeitete, entstanden Gedichte, Essays und Prosastücke, die später im *Ptolemäer* und der *Ausdruckswelt* veröffentlicht wurden. Am 28. Januar 1945 Flucht Benns nach Berlin. Herta Benn, von Benn selber zu ihrem Schutz nach Neuhaus an der Elbe geschickt, begeht vor den anrückenden Russen am 2. Juli 1945 Selbstmord (Vgl. Gedicht: *Orpheus' Tod)*

1943 *Zweiundzwanzig Gedichte* 1936–1943, Privatdruck, August 1943.

1946–1956 Am 18. Dezember 1946 heiratet Benn Dr. Ilse Kaul. Verlegerische Beziehungen zu Peter Schifferli, Verlag der Arche, Zürich und zu Max Niedermayer, Limes Verlag, Wiesbaden. Mit der Veröffentlichung der *Statischen Gedichte* beginnt das umfangreiche Spätwerk und der Ruhm des Alters.

1951 Gottfried Benn erhält den Büchner-Preis in Darmstadt.

1948 *Statische Gedichte,* Verlag der Arche, Zürich.

Statische Gedichte, Lizenzausgabe. Ein Buch der Arche im Limes Verlag, Wiesbaden (um drei Gedichte vermehrt: *Gewisse Lebensabende I–II, Acheron*).

1949 *Drei alte Männer. Gespräche,* Wiesbaden: Limes (z. T. wurde die Ausgabe schon im Dezember 1948 ausge-

liefert). Widmung: »Herrn F. W. Oelze in Dankbarkeit und Freundschaft«.
Trunkene Flut. Ausgewählte Gedichte, ebda.
Goethe und die Naturwissenschaften, Verlag der Arche, Zürich (Neudruck des Aufsatzes von 1932, mit Nachwort vom Juni 1949).
Der Ptolemäer, Wiesbaden: Limes.
Ausdruckswelt. Essays und Aphorismen, ebda.

1950 *Doppelleben. Zwei Selbstdarstellungen.* I. Teil: *Lebensweg eines Intellektualisten* (1934). II. Teil: *Doppelleben* (1950), ebda.
Frühe Prosa und Reden. Eingeleitet von Max Bense, ebda.

1951 *Fragmente. Neue Gedichte,* ebda.
Probleme der Lyrik, ebda.
Essays, ebda.
Einleitung zu W. H. Auden, »Das Zeitalter der Angst«, ebda.

1952 *Die Stimme hinter dem Vorhang,* ebda.
Frühe Lyrik und Dramen, ebda.

1953 *Monologische Kunst. Ein Briefwechsel zwischen Alexander Lernet-Holenia und Gottfried Benn,* ebda.
Destillationen. Neue Gedichte, ebda.

1954 *Altern als Problem für Künstler,* ebda.
Provoziertes Leben. Ausgewählte Prosa (Ullstein-Bücher, Nr. 54), Frankfurt am Main.

1955 *Einleitung* zu *Lyrik des expressionistischen Jahrzehnts,* Limes: Wiesbaden
Aprèslude, ebda.

1956 *Gesammelte Gedichte,* ebda.
Soll die Dichtung das Leben bessern? Zwei Reden, ebda. 7. Juli: Tod Gottfried Benns in Berlin.

1958 *Primäre Tage. Gedichte und Fragmente aus dem Nachlaß,* Limes: Wiesbaden.

Zitierte Quellen

BBS	=	Gottfried Benn Briefe. Im Verlag der Arche, Zürich 1960
BR	=	Ausgewählte Briefe. Wiesbaden 1957
BV	=	Briefe an einen Verleger. Max Niedermayer zum 60. Geburtstag.
BW	=	Gottfried Benn. Briefe an Carl Werckshagen. Privatdruck. Sonderdruck aus der 2. Folge des Limeslesebuchs 1958 (Berlin 1958), S. 43–64
DT	=	Gottfried Benn. Den Traum alleine tragen. Neue Texte, Briefe, Dokumente, hg. v. P. Raabe und M. Niedermayer. Wiesbaden 1966
E	=	Expressionismus. Aufzeichnungen und Erinnerungen der Zeitgenossen, hg. und mit Anmerkungen versehen von Paul Raabe. Walter-Verlag, Olten und Freiburg i. B. 1965
GW, I–IV	=	Gesammelte Werke in vier Bänden, hg. v. Dieter Wellershoff. Wiesbaden 1959–1961
LPBD	=	Gottfried Benn. Lyrik und Prosa, Briefe und Dokumente. Eine Auswahl, hg. v. M. Niedermayer. Wiesbaden 1962 (28.–30. Tsd.)
MVB	=	Nele P. Soerensen. Mein Vater Gottfried Benn. Wiesbaden 1960
N	=	Textstellen aus den Arbeitsheften Benns im Nachlaß
PH	=	Max Niedermayer. Pariser Hof. Wiesbaden 1955
UBO	=	Unveröffentlichte Briefe Gottfried Benns an F. W. Oelze
UBS	=	Unveröffentlichte Briefe Gottfried Benns an Egmont Seyerlen

UTM = Unveröffentlichte Tagebuchnotizen von Frank Maraun (Erwin Goelz)

VBO = Veröffentlichte Briefe Gottfried Benns an F. W. Oelze, erschienen im Merkur 159, XV (1961)

Wir danken für die Genehmigung, Texte aus den hier zitierten Werken abdrucken zu dürfen.

Namenregister

Lyrik

Prosa

Dramen

Inhalt

Über einzelne Werke

Dichter über ihre Dichtungen

Die Bände dieser Reihe versammeln alle Äußerungen eines Dichters über sein Werk nach wissenschaftlichem Editionsprinzip. Als Quellen dienen veröffentlichte und, soweit zugänglich, unveröffentlichte Briefe, Tagebücher, Gespräche, Erinnerungen des Dichters und der Zeitgenossen, die mit ihm in Verbindung standen.
Die einzelnen Werke sind nach ihrer Entstehungszeit geordnet. Innerhalb dieser Ordnung werden die verschiedenen Äußerungen chronologisch zusammengestellt. Jeder Band enthält Anmerkungen zum Text, ein Nachwort, das mit methodischen und editorischen Besonderheiten vertraut macht, eine knappe chronologische Übersicht über Leben und Werk des Dichters, ein vollständiges Werk- und Namenregister sowie ein Quellenverzeichnis.
Diese Bände, Darstellungen des künstlerischen Selbstverständnisses der Dichter, sind für eine sorgfältige Interpretation ihres Werkes unentbehrlich.
Für den Philologen eine wesentliche Grundlage seiner wissenschaftlichen Arbeit.

Gottfried Benn

Clemens Brentano

Theodor Fontane I/II

Franz Grillparzer

Heinrich Heine I/II/III

Friedrich Hölderlin

E. T. A. Hoffmann

Henrik Ibsen I/II

Gottfried Keller

Heinrich von Kleist

Thomas Mann I/II

Novalis

Friedrich Schiller I/II

Ludwig Tieck I/II/III

Gottfried Benn
Ein Klassiker der Moderne

Gesammelte Werke in acht Bänden

Herausgegeben von Dieter Wellershoff
dtv-bibliothek 6045 – 6052
Bestellnummer 5954/DM 88,–

Dieter Wellershoff:
Gottfried Benn
Phänotyp
dieser Stunde
Eine Studie über den
Problemgehalt seines
Werkes
WR 4185

Gottfried Benn:
Der Dichter
über sein Werk
6068

Gottfried Benn:
Das gezeichnete Ich
Briefe aus den Jahren
1900–1956
89

Gottfried Benn:
Den Traum alleine tragen
Neue Texte, Briefe,
Dokumente
Hrsg. von Paul Raabe und
Max Niedermayer
557

Joseph von Eichendorff: Sämtliche Gedichte
6044

Gottfried Benn: Gesammelte Werke in 8 Bänden
Bestellnummer: 5954

Theodor Mommsen: Römische Geschichte in 8 Bänden
Bestellnummer: 5955

Conrad Ferdinand Meyer: Sämtliche Werke in 2 Bänden
6061, 6062

Alexis de Tocqueville: Über die Demokratie in Amerika
6063

Sören Kierkegaard: Philosophische Brosamen und Unwissenschaftliche Nachschrift
6064

Johann Peter Eckermann: Gespräche mit Goethe in den letzten Jahren seines Lebens
6065

Aristophanes: Sämtliche Komödien
6066

Norbert Hoerster (Hrsg.): Klassische Texte der Staatsphilosophie
6067

Gottfried Benn: Der Dichter über sein Werk
6068

Clemens Brentano: Gedichte
6069

Sören Kierkegaard: Die Krankheit zum Tode und anderes
6070

Sophokles: Tragödien
6071

Klassische Romane und Erzählungen in Dünndruck-Ausgaben

dtv

Honoré de Balzac
Tolldrastische
Geschichten

Mit 425 Illustrationen von
Gustave Doré

dtv
Dünndruck-Ausgabe

Maxim Gorki
Autobiographische
Romane

dtv
Dünndruck-Ausgabe

Honoré de Balzac:
Tolldrastische Geschichten
Vollständige Ausgabe
Mit 425 Illustrationen
von Gustave Doré zur
französischen Ausgabe
von 1855
Nachwort von
Walter Widmer
1104

Honoré de Balzac:
Verlorene Illusionen
Roman
2006

Charles de Coster:
Thyl Ulenspiegel
Mit 150 Holzschnitten
von Frans Masereel
Nachwort von
Romain Rolland
2010

Fjodor M. Dostojewski:
Der Idiot
Vollständige Ausgabe
Nachwort von
Werner Bergengruen
2011

Maxim Gorki:
Autobiographische Romane
Nachwort von
Helene Imendörffer
2007